도대체, 우린 지금 무얼 하고 있나?

도대체, 우린 지금 무얼 하고 있나?

발 행 | 2023년 12월 6일
저 자 | 이수영
펴낸이 | 한건희
펴낸곳 | 주식회사 부크크
출판사등록 | 2014.07.15.(제2014-16호)
주 소 | 서울특별시 금천구 가산디지털1로 119 SK트윈타워 A동 305호
전 화 | 1670-8316
이메일 | info@bookk.co.kr

ISBN | 979-11-410-5745-9

www.bookk.co.kr

도대체
우린 지금
무얼 하고 있나?

흐 름 도

1. 도대체

"내가 지금 무얼 하고 있지?"

우린 가끔 이런 질문을 한다. 도대체 자신이 무얼 하는지도 모르는 바보가 어디에 있겠는가마는, 그럼에도 불구하고 이런 질문을 하는 것은 그 하는 일이 황당하다는 것이다. 자신이 하는 일이 자신의 의지나 목적과는 아무 상관이 없거나, 일의 결과가 자신이 의도하는 바와 전혀 다른 결과를 초래할 것이 뻔함에도 불구하고 그 일을 하고 있다는 것이다. 이처럼 말도 안 되는 일을 하며 스스로 황당함을 느끼게 되면 그나마 스스로를 반성할 기회라도 가질 수 있게 된다. 그러나 우리 대부분은 이런 황당한 일을 하면서도 반성은커녕 어떠한 상황에서도 스스로를 합리화 하고 어떠한 황당한 일도 당위로 생각하며, 심지어는 자신이 하고 있는 황당한 일에 대하여 신념과 확신까지도 갖게 되어 오직 무지만이 일을 추진할 수 있는 원동력이 된다.

우리가 추구하는 미래는 고통의 깊이만을 더해가고 고통이 깊어질수록 희망은 오히려 화려해져 우린 끊임없이 미래를 추구하지만 결국 고통을 양산하는 결과를 가져오듯이, 벗어나고자하는 의지가 벗어날 것의 꼬리를 물어야만 비로소 의지가 가동하게 된다. 정의와 도덕을 주장하는 자들이 악의 무리의 첨병에 서고, 이상과 희망을 부르짖는 자들만이 미래를 훼손하며 진리를 주장하는 자들은 거짓을 양산한다. 황당함과 거짓됨이 오히려 삶의 본보기가 되고, 진실은 소외되거나 배척되어 이 세상은 혼돈과 무질서 속에 오직 절망을 향한 경쟁만이 삶의 유일한 덕목으로 남게 되었다.

우린 끊임없이 무엇인가를 하며 자신이 무엇을 하고 있는지 잘 알고 있기도 하지만, 행위의 결과는 우리가 의도한 바와는 전혀 딴판으로 흘러가, 일을 하면 할수록 목적하는 바에서 점점 더 멀어지며, 일의 결과가 의지나 목적과는 아무런 상관이 없는 행위로 이어져 우릴 허탈케 하고, 우리의 의지는 앞으로 갈 것을 지시하는데 발은 뒷걸음질 치며 목표에서 멀어져 결국 의지와 목적이 결과에 반하는 상태로 삶을 살아가게 된다. 어떤 일을 했다는 것은, 의지와 목적이 결과와 일치했을 때, 비로소 그 일을 했다고 말할 수 있다. 그런데 우리의 행위 속에 내포되어 단하나의 방향으로 손잡고 가야할 동기나 목표 · 의지와 결과는 우리가 움직이는 순간부터 뿔뿔이 흩어지기 시작해 마침내 서로를 반하며 대치한다. 행위를 하면 할수록 동기는 사라지고 의지는 변화되어가며 목표는 수정되고 일의 성과는 반대의 결과를 가져온다. 천신만고 끝에 목표에 도달했다고 하더라도 그것은 결국 원점으로의 회귀에 불과하게 된다. 의지를 발휘하면 할수록 동기와 목표 결과는 서로 멀어져가고 가만히 있을 때에만 이들은 한군데로 뭉쳐질 수 있다. 우리는 '이럴까 저럴까?' 로부터 시작해 "이럴 수도 저럴 수도" 없다가 마침내 "이래서도 안 되고 저래서도 안 되는" 갈등의 한가운데에서 갈등조차도 하지 말고 멈추어버려야만 하는 총체적 모순의 한가운데에 있다.

"도대체, 우린 지금 무얼 하고 있지?"

이제 이렇게 황당하고 뒤죽박죽인 삶에 대해서 한 번 생각해 보자는 것이다.

우린 많은 시간을 생각한다. 생각이란 하느냐 안하느냐가 문제가 아니라 어떠한 생각을 어떻게 하느냐가 문제이다. 황당하게도 우리는 다람쥐 쳇바퀴 돌듯 끊임없이 생각만 하지 생각의 시점이나 종착점이 없다. 일의 성과가 있기 위해서는 일의 시점과 종착점이 있어야 한다. 생각도 마찬가지로 그 시점과 종착점이 있어야, 비로소 생각을 하는 것인지, 엉뚱한 망상을 하는 것인지, 구분 할 수가 있는 것이다. 평생을 바쳐 아무리 골똘히 생각해 보았자, 그 결과가 허망하기만 하다면 생각할 필요가 무엇이 있겠는가?

우리는 어디서부터 생각을 해야 하는 것일까? 생각의 시점을 잡는다는 것이 가능하기는 한 것인가?

우리 주변에는 수많은 생각의 부산물들이 있다. 수많은 종교와 사상이 있고, 옛 선인들의 가르침은 문자화되어 우리 주위에 널려있다. 또한 교사들은 자신이 가지고 있는 기억들을 쏟아내고, 학생들은 쏟아지는 남의 기억들을 하나라도 더 머릿속에 집어넣기 위하여, 생각 없는 기억의 노동을 하기도 한다. 우린 스스로 생각하는 것이 아니라, 남이 생각한 부산물을 주워서, 머리라는 창고에 쌓아놓기 바쁘다. 우리의 머릿속 창고는 관념이라고 하는 수많은 남들이 생각해놓은 부산물이 쌓여, 도대체 무엇이 들어있는지도 모르고, 한쪽에서는 썩고 부패해도, 너무 많은 관념(생각의 부산물)의 더미 속에서 썩은 것을 가려내는 것조차 불가능한 상태로, 마치 관념이 자신을 먹여 살리는 식량이나 되는 듯이 끊임없이 축적하기만 한다.

이제 우리가 생각을 하기 위해서는, 더 이상 관념의 축적이 아닌, 지금까지 축적된 그 어떠한 관념에도 의지하지 않고, 기억되지 않고 관념화 되지 않은 생각의 시점을 찾아내어야만 한다.

무엇인가를 생각하기 위해서는 그 생각의 시점이나 종점이 있어야

할 텐데, 종점은 놓아두고라도 어디에서 시점을 잡아야 하는가?

우리는 이제까지 생각의 시점을 어떠한 전제에서 시작했다. 어떠한 전제를 가정하고 문제를 풀어나간다면, 그 전제에 의하여 모든 것은 논리적으로 합리화 될 수 있고, 설사 논리적으로 맞지 않다 하더라도, 전제에 대한 믿음으로 논리의 잘못을 덮어둘 수 있었다. 전제란 생각을 하기위하여 있는 것이 아니라, 생각을 통제하고 결론을 합리화하기 위하여 있는 것이다. 모든 관념에는 전제가 포함되어있다. 관념이란 사물에 대한 명칭과 같이, 자기 자신을 전제로 하는(이때는 전제가 바로 관념이다.) 지극히 단순한 전제를 가지고 있는 관념이 있는가 하면, 하나의 전제로부터 수많은 이론과 논리를 만들어 내는, 사상이나 종교 철학처럼 복잡한 관념도 있다.

전제란 우리가 어떠한 관념을 받아들이는 과정에서 자연스럽게 따라 들어온다. 때문에 우리는 자신이 가지고 있는 관념에 어떠한 전제가 있다고 여기기 어려울 수밖에 없다. 왜냐하면 그것을 너무도 당연한 것으로 여기며 스스로는 자기의 관념이 전제를 가지고 있다고 여기지 않고, 즉각적이고 마치 태어날 때부터 그 전제를 알고 있었던 것처럼 여기기 때문이다.

우리에게 전제가 있을 때, 우리의 생각은 전제를 벗어날 수 없도록 통제되고 생각은 전제를 바탕으로만 일어나게 된다. 이처럼 우리는 전제없이는 어떠한 생각도 할 수 없게, 전제에 길들여져 왔다.

단순한 전제는 언어의 합의로서 우리의 일상생활에 꼭 필요한 규정이다. 그러나 우리 눈앞의 사물이 아닌, 논리나 사상 종교의 이론을 이끌어 내기위한 전제는, 생각을 통제하고, 자체의 이론 속에 생각을 매몰시켜버린다.

우리가 만일 남들이 만들어 놓은 사상이나 논리 종교를 생각의 시점으로 잡는다면, 우리는 그들이 만들어 놓은 전제 또한 받아들여야만 한다. 그렇지 않으면 그 사상이나 논리 종교는 모순덩어리로 비추어지게 되기 때문이다. 사상이나 논리 종교를 모순에 빠지지 않게 하기위한 것이 바로 전제이다. 전제라는 것은 생각을 하기위한 것이 아니라, 여기까지만 생각하고 더 이상은 생각을 말자는 것이다.

우리가 남들이 만들어 놓은 수많은 사상이나 종교 혹은 도덕이나 과학 등 그 어느 이론을 생각의 시점으로 삼든지, 그 이론이 가지고 있는 전제에 의하여, 우리의 생각은 그 틀 속에서는 발전하고 논리화되고 모순 없이 진도를 나아갈 수 있지만, 그 틀을 벗어난 또 다른 이론과 마주하면 자신의 이론만을 주장하며 서로 대립하게 된다. 수많은 이론이 충돌할 때는, 그 이론의 논리가 맞지 않기 때문이 아니라, 그 논리의 전제가 다르기 때문이다. 우리는 어떠한 이론을 주장하든지, 그 전제만 받아들인다면, 그 전제에 의하여, 그 이론을 논리적으로 주장할 수 있다. 우리가 어떠한 이론을 생각의 시점으로 받아들인다면, 그 전제의 한계 내에서는 생각을 발전시킬 수 있다. 그러나 그 전제를 벗어날 수는 없다. 이는 생각을 하는 것이 아니라, 생각을 통제하는 것에 불과한 것이다.

어디에서 생각의 시점을 잡아야 하는가? 그것은 누구에게나 자유이다. 우리는 누구나 개인적 취향을 가지고 있고, 개성 또한 모두 틀리다. 따라서 생각의 시점을 잡는 것도 모두 틀릴 것이다. 시점을 잡는다는 것은 어떠한 것을 전제로 받아들이느냐 하는 것이다. 달리 표현하면 어디까지는 생각하고, 어디서부터는 생각을 말자는 것이다. 이런 각기 다른 전제를 바탕으로 생각의 시점을 잡으면, 나의 생각은 옳고 남의 생각은 모두 틀린 것이 된다. 또한 이러한 생각이 믿음으로까지 발전하면, 우리는 고지식의 칼날을 들고, 남을 겨누게 된다. 우리가 어떠한 전제를 받아들였을 경우에 자신의 생각은 통제되고 남은 적대시하게 되는 것이다.

전제란 나와 대상 사이에 놓여 있는, 더 이상 분해하고 따지기 힘든 고정관념이다. 우리가 관념을 통하여 사물을 인식하고 관념을 통하여 이론을 받아들이듯이, 생각을 하기 위해서는 전제를 설정해야한다. 그런데 생각을 하기 위하여 설정한 전제가 우리의 생각을 통제하고 억제한다면 우린 자유로운 생각을 하지 못할 것이다. 생각을 자유롭게 펼쳐 나아가려면 전제 없이 생각할 수 있어야만 하는데, 전제 없이 생각할 수 있는 것, 그러한 것이 있긴 있단 말인가?

나와 외부와의 사이에 반드시 존재하는 것이 전제이다. 때문에 우린 전제 없이 외부의 것을 생각할 수 없다. '전제 없이 생각할 수 있는 것', 그것은 외부의 것이 아닌 오직 '나' 자신뿐이다. 나는 외부의 대상이 아니고 생각의 주체이기 때문에 전제가 끼어들 틈이 없다. 나를 시작점으로 생각을 해 나가는 것만이, 어떠한 전제도 없이 시점을 잡는 유일한 방법이다.

이제까지 우리는 나라는 것은 놓아두고, 나로부터 멀리 떨어져있는 사상이나 종교 혹은 논리나 사물의 이치 등을 생각의 시점으로 잡아왔다(물론 전제를 포함해서). 때문에 우리는 생각의 결과를 엉뚱한 곳에서 맞이했다. 시작이 잘못되면 끝도 역시 잘못될 수밖에 없는 것이다. 이제 생각의 끝을 보기 위하여 그 시작을 제대로 해보자는 것이다.

우리는 '나'를 참 많이도 생각해 보았다. 그리고 소위 이름 있는 철학자나 사상가 신학자들은 '나'라는 것에 대하여 모두 한마디씩은 다 한 것 같다. 그런데 그들이 말하는 '나'라는 것은 말하는 사람마다 모두 다르고, 이세상의 비유란 비유는 모두 끄집어낸 것처럼, 다양하기 그지없다.

'나'라는 단어는 우리의 일상 대화에서 가장 많이 나오는 단어이다. 그러나 단어일 뿐 '나가 무엇이냐?'를 생각하면 그저 답답할 뿐이다. 누구하나 이 질문에 제대로 대답하지 못하면서 누구나 대답을 하긴 한다. 복잡하고 추상적인 말을 빙빙 돌려 상대를 기만하고 혼란스럽게 만들어 헛갈림 속에 지적열등의식을 느끼도록 말이다.

도대체 난 무엇인가?

2. 난 무엇인가?

이 세상에 태어나기 전에 우리에겐 인식해야할 어떠한 대상도 존재하지 않아 어떠한 관념도 고통도 생겨나지 않았으며, 어떠한 문제도 존재할 수 없었다. 그러다가 우리는 태어났다고 한다. 그런데 우리는 무엇을 가지고 우리가 태어났다고 하는 것인가. 지금 우리는 우리가 태어났다는 것에 대해 아무런 저항감 없이 기정사실로 받아들이고 있다. 만일 우리가 태어났다면 우리는 태어남의 주체에 의하여 자기 자신을 알 수 있을 것이다. 그러나 과연 우리는 태어났는가. 우리는 우리가 생각하듯이 태어난 존재인가. 우리는, 누구나 생년월일을 가지고 있듯이, 우리가 태어났다는 것을 맹목적으로 받아들여 기정사실화해야 되는 것인가. 여기서 우리는 하나의 의문점을 발견할 수 있다. 도대체 태어남이란 무엇을 말하는 것인가?

만일 우리가 어느 날 태어났다 하더라도 아무 것도 없고 아무런 경험도 할 수 없는 우주공간에 홀로 떨어져 인식할 수 있는 대상이 아무 것도 없다 하면, 우리는 자기 자신도 역시 느낄 수 없을 것이고 또한 이것이 나라고 하는 개념도 생겨날 수 없을 것이다. 이러한 상태로 아무리 오래 산다 하더라도, 우린 자신이 살아있는지 조차 알 수 없게 될 것이다.

우리에게 나라고 하는 개념이 생겨나기 위해서는, 나라는 것에 상대적으로 느낄 수 있는 대상이 있을 때, 그러한 대상에 의하여서 만 상대적으로 나를 느끼게 된다. 우리가 부모님 뱃속에서 생성되었을 때, 우리는 모태가 있음으로서, 그에 상대적으로 나라는 것을 느끼고, 부모님 뱃속에서 외부의 세상으로 나왔을 때에는 요포대기에 싸여, 그에 상대적으로 자기 자신을 느끼고, 부모에 대하여 형제에 대하여 또한 빛과 음식이나 살고 있는 집에 대하여, 상대적으로 자기 자신을 느낀다. 또한 우리의 인식체계가 발달하면서 우리는 친구나 동네 학교 나아가서 국가나 세계 우주라는 상대성에 의하여 자기 자신을 넓혀 나가게 된다. 다시 말해 우리가 자기 자신이라는 개념을 구축해 나가는데 있어, 그 요인은 바로 우리가 인식할 수 있는 대상이 있다고 하는 것이다. 앞에서 말했듯이 아무런 대상이 없이 나라는 개체만 있을 때, 우리는 나를 발견할 수 없다. 또한 우리가 태어나기 이전에 나를 발견하지 못했듯이, 나라는 개체가 없이 대상만 있을 때도, 역시 우리는 나를 발견할 수 없다. 이와 같이 우리는 자신이 이루어지는 과정이, 바로 자신과 남이라는 대상과의 인식에 의한 관계성에 의하여, 이루어짐을 알 수 있다. 이처럼 우리는 태어나는 즉시 우리 주위의 모든 것과 관계를 맺기 시작하며 나 자신을 키워가는 것이다. 우리가 이러한 과정을 살펴보고 모든 대상에 의하여 나 자신이 구축됨을 진정 의식할 수 있다면 이제 모든 것은 나 자신일 수 있고 우리는 우리의 인식체계에 들어오는 모든 것을 나 자신으로 받아들일 수 있다. 또한 우리는 이 세상 모든 것을 하나의 개체로서의 자신이라고 하는 단 하나의 대상으로 바라볼 수 있고 절대평등의 눈으로 바라볼 수 있는 것이다.

그러나 지금 우리는 모든 것이 나 자신을 이루어낸다는 것을 알 수 있을지는 몰라도 모든 것을 나 자신으로 느끼지는 못한다. 왜냐하면 우린 모든 것과 느낌으로 연결된 것이 아니라 생각의 결과물인 관념으로 모든 것을 규정하며 느낌을 차단해왔기 때문이다. 따라서 우린 진정한 나 자신을 느낄 수 없는 것이다. 우리는 앎으로 인해서 풍요로와지고 세상을 밝게 사는 것 같지만 그로 인하여 모든 것과 분리되고 단절되어 나 자신을 모든 것으로부터 고립시켜왔던 것이다. 앎은 나와 대상을 연결하는 매개체로 작용할 수도 있지만 나와 대상과의 관계를 왜곡시키는 장애물로 작용할 수도 있기 때문이다.

우린 사물을 바라볼 때 그것을 있는 그대로의 것으로 바라보는 것이 아니라, 우리 자신의 관념이나 과거에 배워온 지식체계로 비교분석의 과정을 거쳐 왜곡되어 바라보게 된다. 길거리의 가로수를 보더라도, 소나무니 벚나무니 해가며 나무의 이름을 떠올리고, 아직 꽃이 피지 않은 나무에서도 꽃과 열매를 미리 상상하며, 나는 저 나무를 알고 있다고 생각하게 되는 것이다. 이와 같이 우리가 우리의 작은 지식체계를 가지고 어떠한 사물을 규정해 버렸을 때, 우리는 사물에서 어떠한 감동이나 느낌도 받을 수 없게 된다. 이때 우리는 사물을 있는 그대로 접촉하는 것이 아니라, 자기 자신의 얄팍한 지식이나 관념을 다시 한 번 확인하는 것에 불과할 뿐이다.

산은 산이고 강은 강이다. 우리는 누구나 이러한 사실을 알고 있다. 우리는 산을 보고 강이라 하지 않고, 또한 강을 보고 산이라 하지도 않는다. 우리에게 있어 산은 항상 산이고, 강은 항상 강이다. 우리는 일상적으로 매일 산을 보고 강을 보고 나무를 볼 수 있다. 우리의 생각은 항상 틀림이 없다. 또한 누구도 우리의 이러한 생각에 반대하지 않는다. 산이 가만히 놓여져 있는 것, 그것은 우리에게 당연하게 생각되어진다. 물이 위에서 아래로 흐르고 나무가 서 있는 것은, 당연한 사실일 뿐이다. 우리는 당연한 사실에서 어떠한 느낌도 받지 않는다.

우리는 산을 보고 산이란 것을 알 수는 있으나, 산을 느끼지 못하고, 강을 보고 강이란 것을 알 수는 있으나, 강을 느끼지 못한다. 우리에게 있어서 산은 이미 산이 아니라, 산이라는 관념이 되어 버렸고, 강은 강 그 자체가 아니라 강이라는 관념일 뿐이다. 이처럼 우리의 인식주체와 어떠한 대상과의 관계는, 우리 자신의 관념에 의하여 단절되고, 우리의 관념은 우리주위의 모든 것을, 일상화, 획일화시켜 주위의 모든 자연과 사물에서 신비와 경이감을 앗아가게 되는 것이다.

우리는 일상적이고 획일적인 것에서 어떠한 경이감도 느끼지 못하고 그저 우리가 알고 있는 대로 당연시 할 뿐이다. 이러한 당연함은 주위와의 관계를 단절시키고 의식을 차단하여 우린 나를 구축하는 모든 관계를 왜곡되게 받아들여 '도대체 내가 무엇인지?' 끊임없이 질문할 수밖에 없는 상황에 처해지게 되는 것이다. 이처럼 우리가 보이지 않는 관념의 굴레에 갇혀 모든 것을 당연시하고 당연함이 가져오는 일상적 획일성에 통제되고 권태를 느끼게 되면 우린 권태에 빠져있는 나 자신을 회의하게 되고 권태로부터 벗어나 나를 찾기위한 방편으로 새롭고 파격적인 무언가를 갈구하게 되는 것이다. 때문에 우리는 여행을 하기도 하고 미지의 것을 탐구하기도 하며 새로운 것에서 일상성과 획일성을 탈피한 무언가를 느끼려 하지만 우리가 힘들게 접하게 되는 일상성과 획일성을 탈피한 그 어떠한 파격적 요소도 자꾸 반복되다 보면 더 이상 파격이 아니라, 기정사실화 되어 버리고, 우리는 또다시 새로운 파격을 찾아 나서야만 하는 느낌의 순례자가 되는 것이다. 우리가 나이를 먹어 가면서 점점 더 많은 것을 경험하고 지식과 관념을 축적함에 따라 획일성은 늘어나고 새롭고 파격적인 요소들은 자취를 감추어 우리는 권태와 고통 속에 느낌이 고갈된 상태로 삶을 살게 되는 것이다. 우릴 둘러싸고 있는 모든 관계에서 우리가 일시적으로나마 느낄 수 있는 것은 극히 일부분이고 우리가 느끼지 못하는 대부분의 관계를 우리는 이미 관념이라는 것으로 단절시켜 놓았기 때문이다.

우리의 인식 능력은 우주라는 전체를 인식하기에는 너무 미약하고 또한 자연의 미세한 현상을 인식하기에는 너무 무디어져 있다. 따라서 우리가 인식할 수 있는 것은, 모든 것 중 극히 적은 범위의 것에 불과하며, 인식 한계 내의 모든 것을, 관념화시키게 된다. 이때 우리와 자연과의 관계는 단절되고, 우리는 진실한 자신을 발견할 수 없게 되는 것이다. 또한 우리자신이라는 것은 우주적으로 확산되지 못하고, 관념에 의하여 자연과의 관계를 단절시켜, 마침내 자신을 하나의 점으로, 축소시키게 된다. 모든 것은 남이 되어버리고 우린 남과의 관계에 의하여 나를 구축하는 것이 아니라 남들에 대한 대립감으로 나를 자각할 뿐이다. 원래의 나는 모든 것이요 하나이며 우주 그 자체였는데 지금의 나는 고립이고 구속이자 배타적 존재일 뿐이다.

우리는 태어나자마자 관계에 의하여 자신을 키워나가는 것 같지만 사실상 관념으로 인하여 모든 것으로부터 자신을 격리시키고 단절시키고야 만 것이다. 이처럼 태어남이란 관념에 의한 왜곡이 시작됨을 의미한다. 관념에 의한 왜곡에 의하여 나 자신이 형성되고 우리는 단절과 고립과 구속 그리고 고통으로서 나 자신을 느끼고 남이라고 하는 모든 것과 대립된 상황에 처해지게 되는 것이다. 이러한 상황에서 우리가 살아가는 방법은 그나마 쪼그라들어있는 나로부터 정체성이라도 확립해 나라는 명목을 유지해 나가는 것이다. 때문에 우린 나만의 정체성을 소중히 여기며 애지중지하지만 이는 남들과 분리되어 고립된 상황이라는 것을 증명 할 뿐인 것이다.

우린 자기 자신에 대하여 물어볼 때 '나는 무엇인가?' 라고 묻지 않는다. 왜냐하면 답이 나올 수도 없고 너무나 막연하기 때문이다. 때문에 우린 흔히 '나는 누구인가?' 혹은 '넌 누구냐?' 라는 질문을 많이 사용한다. '나는 누구인가?' 라는 질문은 다른 말로 하면 '나의 정체성이 무엇이냐?' 하는 것이다. 이러한 질문에 우리는 참으로 여러 가지 답을 하게 된다. 어떤 자는 자신의 직업을 이야기 하고 어떤 자는 자신의 부모나 조상을 들먹이기도 하며 자신의 성별이나 가족관계에서 정체성을 찾기도 한다. 그런데 우리는 이러한 답을 얻고 나서도 뭔가 충분치 않은 답변임을 알아챈다. 때문에 우린 질문을 하고 답변을 얻어냈다 하더라도 끊임없이 질문을 하게 되는 것이다. '도대체 나는 누구인가?' 우리가 끊임없이 자기 자신에 대하여 의문을 품는 이유는 내 자신의 정체성이 시간이 흐름에 따라 혹은 상황이나 입장에 따라 너무나 변화무쌍하여 자신의 정체성을 특정할 수가 없다는 것이다. 정체성이란 변하지 않는 자신만의 특성을 의미하는데 변하지 말아야 할 정체성이 수시로 변하고 있으니 우린 자기 자신에게 의문을 품을 수밖에 없는 것이다.

우린 어느 때에는 직정인 이었다가 집에 돌아가면 누군가의 자식이거나 한 집안의 가장이기도 하며 시간이 흐름에 따라 실업자가 되기도 하고 누군가의 부모가 되기도 한다. 질문을 하는 순간에는 분명한 자신의 정체성이 있었는데 똑같은 질문을 다시 할 때는 또 다른 답을 내야만 하는 경우가 다반사인 것이다.

이처럼 우린 자신이 처한 입장 환경에 따라 자신의 정체성을 이야기 하지만 그 정체성이란 것이 지속적이지 않고 항상 변하기 때문에 이를 정체성이라 할 수도 없는 것이다. 또한 이러한 입장과 환경에 따른 정체성은 자신만의 고유한 정체성도 아닌 것이다. 나의 정체성이 학생일 때 학생은 나만이 아니라 학업을 하는 모든 이들이 학생일 수 있고 내가 한 집안의 가장일 때 이 세상에 가장인 자가 한둘이 아닌 것이다.

우리가 '나는 누구인가?' 라는 질문을 할 때는 직업을 몰라서 하는 것도 아니고 가정 내에서의 위치를 알고싶기 때문도 아닐 것이다. 우리가 나를 질문 할 때는 남들과 다른 존재로서의 '나는 무엇인가?' 하는 것이다.

우린 누구나 남들과 다른 고유한 존재로서의 '나' 임에도 불구하고 항상 통칭되어 불려왔다. 자식이거나 부모였고 학생이거나 직장인이였으며 나는 나 스스로의 나가 아니라 항상 어디엔가 소속되어야만 나를 특정할 수가 있는 것이었다. 어디엔가 소속되어 있지 않으면 마치 투명인간 취급을 받아야만 하기 때문에 우린 속물화된 나로서 살아가야만 비로소 안정적이 되는 것이다. 때문에 우린 나의 정체성을 스스로 부여하지 않고 사회로부터 부여받게 되는 것이다.

사회가 나에게 정체성을 부여할 때 나는 하나의 개체일수는 있어도 그 속에서 나를 찾을 수는 없다. 때문에 우린 속물화된 나가 아닌 또 다른 곳에서 나를 찾아야만 한다. 남들에 의하여 통칭되는 내가 아니라 나 스스로 나임을 의식할 수 있어야만 하는 것이다. 그것을 우린 자각이라 한다. 나라는 것이 발현되기 위해서는 반드시 나에 대한 자각이 있어야만 한다. 이러한 자각이 일어나는 곳이 의식이고 우리는 의식의 변화에 따라 변화무쌍하지만 나만의 고유한 나 자신을 느끼게 되는 것이다. 우리가 무언가를 의식하며 무언가를 느낄 때 이 세상 어느 누구도 내가 무엇을 느끼는가를 알아채지 못한다. 또한 우리는 자기 자신의 느낌은 있을지언정 남들이 무엇을 느끼고 생각하는지 전혀 알 수가 없는 것이다. 우리의 의식은 망망대해에 홀로 떠있는 섬처럼 독립적이고 철저히 폐쇄적이며 오직 나만의 기억(과거)과 나만의 환경(미래)에 영향을 받으며 작동하는 나만의 고유한 나(현재)인 것이다.

우리가 남이 아니라 나인 이유는 남과 다른 고유한 나만의 것이 있기 때문이다. 때문에 우린 오직 나만의 것에 의하여 나를 느끼게 되는데 그 나라는 것이 순간순간 시시각각 변한다는 것이다. 우린 나만의 과거에 구속되고 나만의 미래에 영향을 받으며 나만의 현재를 만들어나가기 위하여 기를 쓰고 살아가지만 과거 미래 현재 어느것 하나 확실히 파악할 수 없고 오직 의식 속에 관념이 들어와 맞닥뜨렸을 경우에만 허겁지겁 대처하게 된다.

우린 의식으로 나를 자각하지만 변화무쌍한 의식 자체로서는 나의 정체성을 특정할 수가 없다. 때문에 우린 의식을 둘러싸고 의식으로 관념을 뿜어대며 의식을 만들어 나가는 과거나 미래로부터 정체성을 특정해야 하는데 이중 미래로부터 들어오는 관념은 예측이 불가능하여 우리의 정체성으로 작용하지 않는다. 그런데 어느 한 시점에서의 과거는 고정되어있기 때문에 고정되어있는 과거로부터 의식 속으로 들어오는 관념은 예측이 가능하다. 어느 누구도 자신의 과거를 모두 알 수는 없지만 과거는 반드시 의식을 거쳐야만 축소되어 사그라질 수 있기 때문에 우린 과거로부터 의식으로 피어나오는 기억의 일부를 가지고 과거를 예측할 뿐인 것이다. 이러한 과거는 한 번 기억으로 피어나오기 시작하면 오랜기간을 끊임없이 피어오르기 때문에 우린 의식이 변화무쌍하다 할지라도 과거로부터 지속적으로 피어오르는 관념을 바탕으로 과거를 특정지으며 이를 자신의 정체성으로 삼는 것이다. DNA로 대표되는 육체와 타고난 습성 그리고 지금 이 순간에도 끊임없이 축적하고 있는 기억 등을 통털어 나만의 정체성이라 할 수 있는 것이다. 어느 누구도 가지고 있지 않은 나만의 정체성을 바탕으로 나만의 의식이 만들어지며 우린 남들과 다른 지속적이며 유일한 나를 자각하게 되는 것이다.

우린 안으로는 정체성으로 나를 자각하고 밖으로는 정체성이 만들어내는 대립감 적대감 고립감으로 나를 자각한다. 그런데 우리가 나를 자각할 때 우린 고통스럽다는 것이다. 우린 행복할 때 '나는 누구인가?'라고 묻지 않는다. 우린 즐거운 놀이를 하면서 '나는 무엇인가?'라고 묻지 않는다. 우리가 나를 물어볼 때는 적어도 권태나 지루함 혹은 고통스러울 때이다. 우리가 행복하거나 즐거울 때는 정체성으로 인한 자각으로부터 벗어나고 있을 때 뿐이다. 정체성은 이 세상을 살아가는 유용한 도구로 사용될 수도 있지만 한 번 결정되면 평생에 걸쳐 우리의 삶을 간섭하고 통제하여 우릴 자신만의 운명에 구속시키기도 하는 것이다. 우리가 끊임없이 나를 묻는다는 것은 나를 몰라서가 아니라 나를 특정짓는 정체성이 나에게 고통을 가져오기 때문에 나에게 고통을 가져오는 정체성으로부터 벗어나고자 하는 간절한 소망인 것이다. 그럼에도 불구하고 우린 나로부터 벗어날 수 없다. 나는 모든 것의 원인이자 결과이며 시작이자 끝이기 때문에 나라는 것은 결코 사라질 수 없고 우린 나로부터 벗어날 수 없는 것이다. 때문에 우린 나로부터 벗어나는 것이 아니라 단지 나와 동일시 되는 고통으로부터 벗어날 수밖에 없는 것이다. 그런데 우린 고통으로서 나를 자각하는데 고통이 없다면 나 또한 사라질 수밖에 없는 것이 아닌가? 그렇다. 고통이 없으면 나 또한 없는 것이다. 그렇다 하더라도 나의 실체가 없는 것은 아니다. 나라는 것은 하나의 입장이고 상황이며 현상일 뿐이다. 내가 없어진다 하더라도 지금의 나를 만들어낸 실체는 입장을 달리하며 실존하는 것이다. 우린 삶이 고통스럽기 때문에 나로부터 벗어나려 하지만 이는 단지 지금의 고통스러운 나를 만들어낸 입장이나 상황 현상으로부터의 탈피인 것이다. 우리가 지금의 고통스러운 상황으로부터 탈피하면 지금의 나도 사라지겠지만 지금의 나를 만들어낸 실체는 입장을 달리하여 고통으로부터 벗어난 '또 다른 나'로 실재하게 되는 것이다.

나는 인식주체와 객체와의 관계에 의하여 발현된다. 주체만으로 내가 성립되지 않고 객체만으로 내가 성립되지 않는다. 주체와 객체가 만나 어떠한 느낌을 느낄 때 그 느낌 속에 내가 존재한다는 것이다. 주체가 모든 대상과 만날 수도 있고 어떨 때는 극히 일부의 객체만을 만나기도 한다. 무엇을 만나느냐에 따라 기쁠 때도 슬플 때도 때론 화가 날 때도 있으며 어떨 때는 내가 커졌다가 작아지기도 하며 때론 사라졌다가 다시 나타나기도 한다. 나는 이렇게 변화무쌍하기 때문에 우린 나의 실체를 의심하지만 변하지 않는 것은 느낌의 주체와 객체이다. 그런데 주체와 객체 사이에 관념이 끼어들어 나를 왜곡하며 고통스럽게 하기 때문에 우린 끊임없이 묻는 것이다. '도대체 나는 무엇인가?' 우리가 순수한 주체와 객체를 찾지 못하는 한 우린 끊임없이 물을 것이다. 우리가 관념에 의하여 왜곡되어 고통스러운 내가 아닌 진정한 나를 찾으려면 주체와 객체 사이에 끼어 나를 왜곡하고 있는 관념이 사라지면 되는 것이다. 그런데 관념이라는 것이 사라지지 않고 주체와 객체 사이에 끼어 자신이 마치 객체인양 하며 주체와 결합하여 나를 왜곡시키고 있는 것이다. 때문에 주체는 존재라고 하는 객체를 구경도 하지 못하고 관념이 마치 객체인양 결합하여 우린 왜곡되고 고통스러운 나를 견디며 살아가고 있는 것이다. 우리가 진정한 나를 만나기 위하여서는 순수한 주체와 객체 사이에 끼어 나를 왜곡하고 있는 관념으로부터 벗어나야만 하는 것이다.

우린 의식으로서 나를 인식한다. 의식이 없다면 나도 없는 것이다. 의식이 왜곡되면 우린 왜곡된 나를 느끼는 것이고 의식이 깨끗하면 우린 진실된 나를 느끼는 것이다. 의식이란 영혼이 미치는 영역이다. 영혼이 있어야 느낌이 일어나고 영혼이 없다면 인식은 일어날지언정 의식이라 할 수 없는 것이다. 모든 것이 관념인 관념계에서 우리의 의식은 관념에 둘러싸여 모든 것을 배타적으로 느끼며 나 자신을 자각해왔다. 내가 나를 느끼는 것이 아니라 남에 대한 대립감 적대감 고립감으로 인하여 나를 자각해 온 것이다. 의식 속 어디를 찾아보아도 나는 보이지 않고 고통의 쪼가리들만 의식 속을 떠돌고 있는 것이다. 의식은 고통을 받아들이지 않기 위하여 한없이 쪼그라들고 의식의 벽은 두터워져 우린 고립과 왜곡 구속감으로 나를 자각하며 살고 있는 것이다. 그러던 의식이 어느 순간 관념으로부터 벗어난다면 우리의 영혼(의식)은 억압에서 풀려나 무한히 확장하며 그 동안 배타적으로 느껴왔던 모든 것을 의식 안으로 포용하고 이 세상 모든 것은 의식 안에 놓이게 되어 우린 남을 느끼는 것이 아니라 모든 것을 나의 의식 속에 들어와 있는 나 자신으로 느끼게 되는 것이다. 이것이 자아감이자 관념을 벗어나 만나게 되는 '또 다른 나' 인 것이다.

그런데 우린 자아감이 무엇인지 말로 표현할 수 없다. 말로 표현하기 위해선 전제를 바탕으로 한 관념으로 규정 내지는 정의해야 하는데 자아감은 내가 어떠한 대상을 느끼는 것이 아니라 내가 내 속에 있는 나를 느끼는 것이기 때문에 전제가 끼어들 틈이 없고 따라서 관념화 시킬 수도 없어 정의나 규정은 물론 말로 표현하는 것 조차 불가능하다는 것이다. 진정한 나는 관념으로 규정되는 그 무엇이 아니라, 오직 자아감으로서만 느낄 수 있을 뿐이다. 모든 것이 자아감으로서의 나 일 때 나는 모든 것이요 하나요 전체이며 완전한 합일의 상태가 되는 것이다. 그것이 바로 관념이 사라진 상태이자 '또 다른 나'를 의미하는 것이다.

많은 자들이 '또 다른 나'를 찾기 위햐여 지금 이 순간도 최선의 노력을 하고 있고 우리가 행하는 모든 행위는 우리가 의식을 하든 안하든 그 행위의 끝에는 자아감으로 인한 '또 다른 나'가 상정되어 있는 것이다. 해탈이나 열반, 명상이나 기도, 사랑이나 예술 등 우리가 행하는 모든 행위의 끝은 의식 속의 모든 관념이 사라짐으로 인한 자아감으로 충만해져 비로소 고통으로부터 완전히 해방된 '또 다른 나'를 만나게 되는 것이다. 다만 우리는 자신이 행하는 행위의 궁극이 무엇을 의미하는지 알지 못하는 것 뿐이다. 우리가 추구하는 모든 행위들의 공통점은 결과적으로 의식 속 관념이 사라지게 함으로서 자아감으로 일컬어지는 '진실한 나', '또 다른 나'를 만나게 된다는 것이다.

이처럼 우리가 관념으로부터 벗어나기만 한다면 우린 자아감이라는 우리가 추구하는 최상의 상태에 도달할 수 있는데 문제는 관념으로부터 벗어난다는 것이 만만치 않다는 것이다. 우린 관념으로부터 벗어나기 위하여 알게 모르게 극한의 노력을 하고 있음에도 불구하고 정작 벗어났다는 자들은 찾아보기 어렵다는 것이다. 이는 관념에 대한 무지에 그 원인이 있다 하겠다. 우린 관념으로부터 벗어나는 것이 무엇을 의미하는지 알지 못해 오히려 관념을 추구하고 관념에 집착함으로서 나 스스로를 더욱 고통스럽게 만들고, 우리가 추구하는 모든 행위의 궁극은 결과적으로 관념으로부터 벗어나는 것에 초점이 맞추어져 있음에도 불구하고 우린 나 자신의 행위가 궁극적으로 무엇을 가르키는지 알지 못해 당장의 안위 만을 위하여 삶을 허겁지겁 영위하고 있을 뿐이다. 우리가 이러한 삶을 살 수 밖에 없는 이유는 관념이 무엇인지 알 수 없어 관념에 대한 오해와 착각 그리고 망상과 동경을 가지고 관념을 바라보고 있기 때문이다. 그럼에도 불구하고 많은 자들이 관념으로부터 벗어나 진실한 나를 만났다고 한다. 우린 해탈이나 열반 혹은 명상을 통하여서 또는 기도나 사랑을 하다가도 관념으로부터 벗어나 '또 다른 나'를 만났다는 자들이 있음을 안다. 그런데 그 과정을 이해하는 자들은 극소수에 불과하기 때문에 '또 다른 나'를 만났다 하더라도 순간에 그치거나 또 다시 관념에 구속되어 끊임없이 나를 찾는 과정을 되풀이 하거나 오해와 착각에 빠져 권위적이 되거나 자신이 찾은 것이 무엇인지 몰라 오리무중에 빠지기도 하는 것이다. 도대체 우린 우리가 찾는 궁극(자아감, 진아, 또 다른 나)에 도달했음에도 불구하고 그로부터 다시 관념계로 복귀한 후에는 자신이 어떻게 왜 자아감이나 '또 다른 나'에 도달하게 되었는지 알 수 없어 그 과정에 대한 잘못된 신념과 망상으로 엉뚱한 행위를 되풀이 하는 오류를 범하게 되는 것이다. 우리가 이러한 지경에 빠지게 되는 이유는 관념으로부터 벗어나 '또 다른 나' '진실한 나'를 만났음에도 불구하고 자신이 벗어난 것이 무엇인지 알지 못함에 그 원인이 있다 하겠다. 때문에 우리가 '또 다른 나' '진정한 나'를 찾고 그로부터 오는 오해와 착각에 빠지지 않기 위하여서는 어떠한 행위를 하기 전에 먼저 우리가 벗어나려 하는 관념이 무엇인지 알아야만 하는 것이다. 관념을 알아야 관념으로부터 효율적이고 확실하게 벗어날 수 있기 때문이다.

이제 우린 관념을 알아보고 우리가 관념으로부터 효율적으로 벗어나기 위하여 행하는 모든 행위들로 하여금 과연 우리가 자아감으로 느껴지는 '또 다른 나', '진실한 나'를 찾을 수 있는지 알아보는 여정에 들어간다.

3. 관념

생각의 부산물을 관념이라 한다.

생각이란 고통으로부터 벗어나기 위한 또는 더 나은 것을 선택하기 위한 의지이다. '의지가 생겨나게 된 동기'와 '의지의 결과'가 맞아 떨어지면 우리는 '무엇은 무엇이다.' 라고 하는 긍정(부정)으로 이루어진 하나의 구조물을 만들어낸다. 이것이 관념이다. 우리가 무엇인가를 긍정하는 순간 긍정 이외의 무한한 가능성은 사라지고 우리의 영혼은 긍정 속에 갇히게 되는 것이다. 관념은 우리에게 편리를 제공하기도 하지만 우리가 편리를 선택하는 순간 우리는 거짓에 의하여 이루어진 관념에 구속되고 억제되어 고통스럽게 되는 것이다.

우리가 사는 관념계의 모든 개체는 존재계라고 하는 합일의 상태로부터 분리되어 분리의 고통을 겪는다. 때문에 합일의 상태로부터 분리된 무한의 개체들은 다시 합일의 상태로 돌아가기 위하여 분리되며 잃어버린 가치를 찾아 헤매는 것이다. 주변으로부터 가치를 가져오기 위하여 주위의 다른 개체들을 주시하며 가치가 어디에 숨어있는지 끊임없이 탐구하는 것이다. 무한의 개체가 무한의 개체를 바라보며 가치를 찾기 위하여 하나의 관점이 되어 바깥을 주시하는 것이다. 따라서 모든 개체는 하나의 관점이자 남의 관점의 대상이 되는 것이다. 하나의 개체는 대상으로부터 가치를 발견하면 그 가치를 가져와 자신의 고통과 결합하여 중화시키려는 시도를 하게 되는 것이다. 그런데 남의 가치를 가져오기 위해서는 그 대상을 훼손하고 가치를 분리해내어야만 하기 때문에 어떠한 대상도 가치를 드러내놓고 남에게 내어주지 않는 것이다. 가뜩이나 합일의 상태로부터 분리되어 고통스러운 판에 그나마 가지고 있는 쪼가리를 또 다시 훼손당하고 분리당해야 한다는 건 더욱 처참한 것이다. 때문에 모든 개체는 자신을 바라보는 관점에게 가치를 빼앗기지 않기 위하여 자신을 있는 그대로 드러내지 않고 관점에게 거짓을 제공하는 것이다. 때문에 모든 관점은 대상으로부터 거짓을 제공받고 제공받은 거짓을 바탕으로 생각하게 되는 것이다. 이러한 거짓을 바탕으로 생각한 결과가 관념이 되는 것이다. 때문에 어떠한 관념도 사실이 아니며 거짓을 바탕으로 이루어진 허구에 불과한 것이 되는 것이다. 이러한 거짓과 기만을 바탕으로 형성된 관념은 관점과 대상 사이에 왜곡된 관계를 형성해 합일은커녕 분리마저도 왜곡시키고 거짓과 기만은 우리의 모든 합일과 성취의 의지를 무산시켜 우리는 더욱 더 고통스러워지는 것이다.

우리가 관념을 문제시 하는 이유는 관념 때문에 우리는 고통스럽다는 것이다. 고통이 없다면 관념이 있건 없건 상관하지 않을 것이다. 그런데 우리는 고통이 관념에 의하여 이루어진다는 것을 쉽게 인지하지 못한다. 아니 오히려 관념이 쾌감을 가져오는 것으로 착각하기까지 하는 것이다. 우리는 외부에 있는 사물이나 이론 혹은 어떠한 명칭에 대해서는 쉽게 정의를 내리면서, 평생에 걸쳐 느끼는 고통을 비롯한 자신의 감정에 대해서는 제대로 파악하거나 정의내리지 못하는 아주 이상한 상황에 처해있다. 우리는 자신의 감정이 어느 위치에 있고 무엇에 의하여 변하는지 혹은 그 실체가 무엇인지 조차도 스스로 알지 못하고 헷갈려한다. 도대체 우리는 왜 자신의 감정조차도 제대로 파악할 수 없는 것인가?

우리의 감정은 자각현상으로 주체가 있어야만 한다. 그런데 어디를 찾아보아도 주체는 보이지 않고 고통과 쾌감이라는 자각현상만이 존재한다. 모든 현상은 어떠한 작용의 결과물로서 원인과 주체에 의해서 이루어진다. 우리가 어떠한 현상을 보고 이해할 수 없고 놀랍고 기이하게 생각되는 것은 원인과 주체 그리고 이유와 원리를 알 수 없기 때문이다. 우리가 고통을 느끼면서도 고통에서 벗어나지 못하고 심지어는 고통을 가중시키는 결과로 이어지는 행위가 계속되는 것은 원인과 주체가 인과를 따질 수 없는 전혀 다른 차원에 있기 때문이다. 현상은 단일 차원의 인과에 의해서도 이루어지지만 인접한 차원을 넘나들며 우리가 알 수 없는 인과에 의해 전혀 다른 현상으로 나타나기도 하는 것이다. 우리의 '감정이라고 하는 자각'의 주체는 관념 이전에 영혼으로 존재하는데, 감정이라는 자각 현상은 관념의 변화에 의하여 나타나기 때문이다. 여기서 우리는 관념을 벗어난 영혼과 관념이라고 하는 서로 다른 차원이 어느 부분에선가 교차되며 영향을 미쳐 고통과 쾌감을 비롯한 감정이라는 자각현상으로 나타남을 추측할 수밖에 없는 것이다. 우린 관념계에 살고 있기 때문에 관념이라는 실체는 알 수 있지만 관념에 대응하여 우리 감정의 주체로서 작용하는 영혼에 대해서는 그 실체에 대하여 확신을 가지지 못하는 것이 사실이다. 도대체 우린 왜 자신의 감정의 주체인 영혼에 대하여 확신을 가지지 못하는 것인가?

우린 영혼이 존재하느냐? 존재하지 않느냐? 에 대하여 수많은 논쟁을 해왔다. 그러나 이러한 논쟁은 결코 결론이 나지 않고 항상 논쟁으로만 존재해왔다. 왜냐하면 우리는 영혼을 볼 수도 느낄 수도 없기 때문이다. 그것은 객체가 아니라 우리 의식의 주체이며 우리의 관념과는 차원이 다른 것이기 때문에 우리의 관념으로서는 영혼의 존재유무를 따질 수 없는 것이다. 영혼이 있느냐 없느냐 혹은 영혼이 무엇이냐 하는 것은 우리의 관념으로서 파악을 할 수 있을 때에만 가능한 것이지 관념을 벗어나 존재하는 것은 관념의 언어로 설명되어질 수 없는 것이다. 영혼은 그 무엇이냐가 아니라 우리는 무엇을 영혼이라 하는가가 영혼을 설명하는 유일한 방법이다. 어떠한 현상에는 반드시 주체가 있어야만 한다. 우리가 감정으로서 나를 자각하는 현상에도 분명 주체가 있어야 하는데 그것을 알 수가 없으니 우린 알 수 없는 그것을 영혼으로 불러왔던 것이다. 감정을 통하여 나를 자각할 수 있는 주체 그것을 우리는 영혼이라 하는 것이다.

우리의 영혼은 존재에 깃들어져 합일의 상태로 존재했었다. 존재는 영혼의 고향이며 어머니의 품과 같은 곳이다. 그런데 이러한 존재와 영혼의 틈바구니에 어느 날 거짓에 의하여 만들어진 관념이 자리를 차지하며 영혼을 존재로부터 분리해 놓았다. 영혼은 존재와 분리되었지만 끊임없이 합일의 욕구를 가지고 서로를 아우르기 위하여 존재에 다가간다. 존재는 작용을 통하여 자신의 존재를 나타내고 영혼은 존재의 작용을 받아들여 아우러야 할 텐데, 관념이란 것이 이들의 틈바구니에 끼어 영혼과 존재와의 거리를 벌려 흐름을 방해하는 것이다. 때문에 관념이 많아질수록 영혼과 존재와의 거리가 멀어져 흐름이 저항을 받는 것이다. 이것이 고통이다. 고통이란 흘러야 할 것이 흐르지 못하고 정체되어 압력이 가중되는 현상이다. 이와는 반대로 관념에 의하여 막혔던 흐름이 다시 원활히 흐르게 되는 현상이 바로 쾌감이다. 이처럼 관념의 축적과 사라짐에 의하여 우리는 고통과 쾌감을 느끼고 관념의 변화에 의하여 우리는 수많은 감정의 변화를 느끼게 되는 것이다.

관념이 서서히 사라지는 과정 이것이 즐거움이고, 관념이 급격히 사라지는 과정 이것이 쾌감이다. 그리고 관념이 완전히 사라지면 영혼은 존재와 합일하며 우리는 절정에 빠져 신비를 체험하게 된다. 관념이 서서히 축적되는 과정 이것이 스트레스이고, 관념이 급격히 축적되는 과정 이것이 고통이다. 그리고 관념이 축적되어 의식이 관념으로 포화되면 영혼은 존재와 단절되고 우리는 절망에 빠져 삶에서 멀어지게 되는 것이다.

관념의 증가와 감소는 영혼과 존재와의 거리를 조절하여 우리에게 고통과 쾌감을 가져오며 우리의 모든 행동을 유발한다. 우린 매일 각기 다른 수많은 행동을 하며 남들의 알 수 없는 행위에 황당함을 느끼며 살아가지만 우리가 행하는 모든 황당한 행위들이 사실은 철저히 조건반사적이며 관념의 구조에 의하여 정밀하게 유발되는 순리인 것이다. 다만 우리가 이러한 행위를 황당하게 느끼는 이유는 이러한 행위를 유발시키는 관념의 구조를 몰라서이지 어떠한 황당한 행위라 할지라도 알 수 없는 관념이 만들어낸 정확한 결과인 것이다. 다만 우린 관념의 구조를 알 수 없으니 그로부터 유발되는 행위만을 보고 옳고 그름을 판단할 뿐이다. 우리가 관념의 구조를 알 수만 있다면 우린 관념이 유발하는 모든 행동을 이해하고 용인할 수 있을지 모른다.

그러나 우린 관념의 구조를 알 수 없고 모든 행위의 원인이 관념이라는 것도 받아들이지 못해 단지 행위만을 보고 심판하고 단죄하는 것이다. 우리가 무엇인가를 알기 위해서는 그것이 우리의 의식 속에 들어와 있어야만 한다. 그런데 우리가 알아야할 관념의 대부분은 의식 속에 있는 것이 아니라 의식 바깥에 시간과 공간, 기억과 환경으로 존재하고 의식 속에는 현재라고 하는 한 점에 불과한 관념만이 있을 뿐이다. 때문에 우리는 관념의 구조를 알 수 없고 관념이 만들어내는 고통과 쾌감은 물론이요 고통과 쾌감이 유발하는 어떠한 행위도 이해하지 못해 우린 오리무중 속에 삶을 살아가는 것이다.

우린 의식 속 관념에 따라 그로부터 유발되는 감정과 그로인한 행동 등 모든 것이 영향을 받지만 의식 속 관념은 고정되어 있는 것이 아니라 시시각각 끊임없이 변화하기 때문에 그 변화요인을 우리가 미리 예측할 수가 없다. 우리가 의식 속 관념의 변화요인을 알 수 없는 이유는 그 변화요인이 우리가 알 수 없는 의식 바깥의 과거와 미래, 기억과 환경, 시간과 공간에 의하여 이루어지기 때문이다. 사실 이러한 과거와 미래, 기억과 환경, 시간과 공간을 만들어 낸 것은 우리의 의식이다. 우리의 의식은 이 모든 것을 만들어 내었지만 이 모든 것을 만들어내며 의식 속에 쌓아둔 것이 아니라 의식 밖으로 밀어내며 망각하기 때문에 우린 의식 밖의 변화요인을 알 수 없어 그로인해 유발되는 고통과 쾌감을 비롯한 감정상태나 우리의 행동 또한 알 수 없게 되는 것이다.

우린 누구나 고통으로부터는 벗어나며 쾌감을 추구하는 단 하나의 일방적인 행동방향을 추구하지만 일방적인 행동방향이라 할지라도 '고통에서 벗어나는 것'과 '쾌감을 추구하는 것'을 분리해서 생각하게 된다. 우리가 '고통에서 벗어나고자 할 때' 우린 고통이라고 하는 의지의 원인이나 동기를 알고 있어 '고통에서 벗어나고자 함'을 고통에 대한 '반발의지'로 생각하지만, 우리가 '쾌감을 추구할 때'에는 의지의 원인이나 동기를 알기 힘들어 이를 마치 '자유의지'와 같은 것으로 생각하게 되는 것이다. 우리가 이처럼 고통과 쾌감을 분리해서 생각할 수밖에 없는 이유는 관념의 구조나 위치에 따라 그로부터 벗어나는 방법에 차이를 느끼기 때문이다. 우린 의식 속 관념에 대해서는 그 내용이나 구조를 잘 파악할 수 있다. 때문에 이에 대한 반응도 그 이유나 원인에 대하여 쉽게 이해할 수 있어 이에 따른 행동도 이해하고 설사 잘못된 행위라 할지라도 용인할 수 있게 되는 것이다. 이러한 행동들은 대개 고통에서 벗어나려 하는 반발의지로 해석되기 때문이다. 그러나 우리 의식 밖의 관념에 대해서는 그 내용이나 구조를 알 수 없고 우리의 의식이 의식 밖 관념의 영향을 받았다는 명확한 원인이나 동기를 알 수 없어 우린 알 수 없는 행위에 대하여 그 원인이나 동기를 간과하고 마치 자유의지인 것으로 간주해 책임을 묻게 되는 것이다. 이러한 행위들도 사실 따지고 보면 분명한 원인이 있고 그에 의한 반발의지 임에도 불구하고 우린 이들에게 책임을 묻고 단죄하기 위하여 알 수 없는 반발의지를 마치 자유의지로 간주하게 되는 것이다. 이러한 행위들을 우린 주로 쾌감을 추구하는 행위로 여기게 된다. 사실 쾌감을 추구하는 어떠한 행위도 의식 밖의 알 수 없는 관념에 의한 반발의지인 것이다. 우리가 만일 의식 밖 관념의 구조를 알 수만 있다면 우린 어느누구의 어떠한 행위도 심판하거나 단죄할 수 없게 되는 것이다. 이처럼 관념이 의식 안에 있느냐 밖에 있느냐에 따라 반발의지가 자유의지로 바뀌기도 하고 '고통의로부터의 탈피'와

'쾌감의 추구'가 나뉘기도 하는 것이다. 이처럼 알 수 없는 관념의 구조에 의하여 고통과 쾌감을 비롯한 우리의 감정이 발생하고 우리의 모든 생각과 행동이 유발되며 우리의 생각과 행동은 또 다시 관념을 만들어내고 이러한 관념이 증식되는 과정에 수많은 과정이 숨겨져 있지만 결국 관념은 스스로 증식되는 것이다. 우리는 진정한 나를 찾기 위하여 관념으로부터의 탈피를 원하지만 관념은 스스로 증식하며 관념으로부터의 탈피를 더욱 어렵게 만드는 것이다.

그렇다 하더라도 우린 관념으로부터 벗어나 진정한 나를 찾아야만 하기 때문에 우린 관념이 증식되는 원인이라 할 수 있는 고통과 쾌감의 발생 과정을 살펴봄으로서 우리가 과연 관념으로부터 고통으로부터 벗어날 수 있는지에 대해 알아보기로 한다.

4. 고통과 쾌감

관념이 축적되는 것이 고통이고 관념이 사라지는 것이 쾌감이다. 그런데 우리는 관념이 고통이라는 것을 잘 받아들이지 못한다. 아니 오히려 관념이 쾌감을 주는 도구로 인식되기도 하는 것이다. 우리가 관념이 고통인지 쾌감인지 구분하기 힘든 것은 관념이 우리의 의식 속으로 들어올 때 가치관념으로 조건화되어 들어와 작동하기 때문이다.

우리의 의식 속에는 서로 대립하며 작동하는 가치관념과 반가치관념이 있다. 반가치관념이란 우리의 의식 속에 항상 잔류하는 욕구라 할 수 있고 가치관념이란 욕구(반가치관념)에 의하여 욕구를 상쇄시킬 수 있도록 조건지어진 조건화된 관념이다.

우리의 의식 속에 욕구(반가치관념)가 없다면 어떠한 가치라 할지라도 의식 속에 들어와 가치로서 작동하지 않는다. 그러나 욕구(반가치관념)는 가치와 결합하여 사라지지 않는 한 우리의 의식 속에 잔류하며 항상 고통으로 작동한다. 가치가 충분히 공급되는 동안은 고통을 쾌감으로 승화시키며 이 세상엔 고통보다 쾌감이 많은 것으로 생각되지만 쾌감의 순간이 지나면 의식 속에 잔류하는 것은 항상 욕구(반가치관념)뿐 이라는 것이다.

쾌감(가치)은 의식 속에 잔류할 수가 없다. 욕구(관념, 고통)가 사라지면 가치(쾌감)는 오히려 고통으로 작동하기 때문이다. 그러나 욕구(반가치, 고통)는 의식 속에 잔류하며 우릴 고통스럽게 한다.

우리가 필요한 가치를 끊임없이 충족할 수 있다면 우린 고통스럽지 않을 수 있다. 아니 오히려 끊임없이 쾌감을 느끼며 살 수 있을지도 모른다. 그러나 가치는 끊임없이 충족될 수도 없고 언젠가는 가치의 결핍속에 고통을 견디며 살아가야만 하는 것이다. 왜냐하면 가치를 필요로 하는 욕구가 시간이 가며 끊임없이 늘어나기 때문에 이에 따른 가치를 무한히 공급할 수가 없는 것이다. 우리가 욕구의 증폭을 멈출 수 없다면 우린 가치의 결핍속에 고통을 견디며 살아가다가 언젠가는 절망에 빠지고야 만다. 때문에 우리가 증폭되는 욕구(고통, 관념)로부터 벗어나기 위해서는 욕구가 증폭되는 우리 마음 속 구조와 우리의 마음 속에서 욕구가 증폭되는 과정을 알아야만 한다.

우리의 마음 속에는 현재로 느껴지는 의식의 영역과 과거로 느껴지는 기억의 영역이 있다. 의식의 영역에서는 관념과 영혼이라는 두 개의 차원이 항상 대립하며 작동하여 고통과 쾌감을 비롯한 우리의 모든 감정을 만들어낸다. 영혼은 관념과 끊임없이 마찰하며 고통을 없애고 쾌감을 만들어내려 하지만 관념의 힘이 영혼의 힘을 능가할 때 고통은 영혼에 의하여 사라지지 않고 의식을 포화시켜 우리는 절망에 빠지기도 하는 것이다. 이러한 때에 영혼은 고통을 없애는 것을 포기하고 고통을 감싸 안고 과거로 넘어가 기억이 되어 고통의 작동을 보류시키게 된다. - 결합관념이 탄생하는 것이다.

관념이 의식 속에 있을 때는 영혼과 마찰하며 저항을 받아 우린 이를 고통으로 느끼게 되지만 영혼과 결합하여 과거로 넘어간 관념은 의식으로부터 벗어나있어 우린 이를 고통으로 느끼지 못하고 의식은 편안해지는 것이다. 관념은 의식에서 기억으로 혹은 기억에서 의식으로 왔다 갔다 하며 우리의 감정을 변화시키는 것이다. 이처럼 분리관념이 작동하며 현재로 느껴지는 의식과 결합관념이 쌓여 과거로 느껴지는 기억을 통털어 마음이라 한다.

마음 속에는 불안정한 관념이 머무는 현재라고 느껴지는 '의식의 영역'과 안정된 관념과 불안정한 관념이 혼재되어 과거로 느껴지는 '기억의 영역'이 있다.

* 의식의 영역 : 불안정한 관념이 머무는 곳으로 '가치관념'과 '반가치관념'이 항시 작동하며 고통과 쾌감을 만들어내는 곳이다. 이곳에 있는 관념은 불안정하게 분리되어있어 '분리관념'이라 부르기로 한다.

* 기억(과거)의 영역 : 안정된 관념과 불안정한 관념이 혼재하는 곳으로 현재의 느낌을 만들어내지 않는 '결합관념'과 결합관념으로부터 분리되어 의식에 알 수 없는 압력으로 영향을 미치는 '분리관념'이 혼재하는 곳이다. 이곳의 관념들은 영혼과 결합되어 있는 한 안정적이고 시간이 가며 결합된 영혼이 서서히 떨어져 나가 예정된 미래가 만료되면 분리관념이 되어, 기억 속에 있으면 압력으로 작동하고 의식으로 나오게 되면 직접적인 고통으로 작동한다.

마음 속 관념의 구조가 욕구를 만들어내고 욕구의 작동을 우리는 고통과 쾌감이라는 영혼의 흐름인 시간으로 의식하며 시간의 축적과 확산에 따라 우리는 고통과 쾌감을 달리한다. 시간이 쏜살같이 지나가면(영혼이 쏜살같이 흘러가면) 우린 고통이 없는 것이요, 시간이 가지 않으면(영혼이 관념에 막혀 흐르지 못하면) 우린 고통 속에 있다. 되어야 할 것이 되어가는 과정 그것이 시간이다. 우리가 시간 속에 있다 함은 아직 무엇인가가 불완전함을 의미하고 무엇인가의 욕구 속에 우리는 시간을 의식하며 고통으로 존재한다는 것이다. 시간의 축적이란 영혼의 흐름이 욕구(관념)에 막혀 정체되어 있는 것으로 고통을 의미하고 시간의 확산이란 영혼의 흐름이 욕구에 막혀 있다가 순조롭게 흐르게 되는 것으로 쾌감을 의미하며 완전한 합일의 상태에서는 더 이상 흐를 필요가 없기에 시간은 사라지고 공간도 사라진다.

관념은 영혼을 가로지르는 공간이요 영혼의 흐름은 관념을 뚫고 지나가며 시간으로 의식되고 고통과 쾌감을 발생시킨다. 때문에 시간과 공간은 영혼의 흐름과 관념이 교차하는 의식의 영역에서 만들어져 우리의 기억 속에 축적되며 의식의 작동에 따라 시간과 공간은 변화를 거듭하는 것이다. 하나의 시공 속에 무수히 많은 시공이 들어있고 우리는 자신만의 관념과 영혼이라는 주관적 시공에 의해 살아가며 우주적 시공이라고 하는 객관적 시공 속에 포함되어 살아간다.

관념과 욕구 · 공간과 시간 그리고 고통과 쾌감 이러한 것들은 서로 다른 의미로 불리지만 하나의 근원에서 동시에 발생하며 사라질 때까지 운명을 같이한다. 그리고 이들의 근저에 있는 것이 바로 관념이다. 관념이란 공간의 구조로서 고통으로 작동하기 때문에 영혼은 의지를 일으켜 관념을 소멸시키기 위한 욕구를 발생시킨다.

관념이 없으면 욕구가 존재할 수 없기에 욕구를 없앤다는 것은 관념을 없앤다는 말과 같다. 관념 중에 우리에게 지금 문제가 되는 것은 의식의 영역으로 나와 불완전하게 분리되어 욕구로서 작동하는 반가치 관념이다. 때문에 지금의 욕구가 사라지게 하기 위하여서는 욕구와 결합하여 상쇄될 수 있는 가치를 찾아내어야만 한다. 만약 가치가 찾아진다면 우린 즉시 가치와 욕구를 결합시켜 쾌감을 느끼며 욕구가 사라지게 할 수 있다. 그런데 욕구에 대응하는 가치는 쉽게 찾아지지도 않고 쉽게 획득되지도 않기 때문에 우린 고통을 겪는 것이다. 가치를 확보하지 못해 고통을 겪으며 가치 확보를 위한 끊임없는 시도를 하지만 가치의 획득은 누구에게나 쉬운 일이 아니다. 다행히 운이 좋은 자는 가치를 획득해 쾌감과 함께 욕구가 사라지게 하겠지만, 어떠한 가치도 획득하지 못한 자는 고통 속을 헤매다 절망에 빠져 삶에서 멀어질 수도 있는 것이다.

그러나 가치획득에 실패한 의식은 고통에서 벗어나기 위하여 차선의 방법을 택한다. 흐르는 영혼을 정지시켜 작동중인 욕구를 감싸 안고 기억의 영역으로 들어가 고통의 작동을 기억 속에 보류시키는 것이다. 이때 고통이라고 하는 현재는 과거가 되고 고통을 감싸 안은 고정된 영혼은 언젠가는 떨어져 나올 것이기 때문에 미래를 예고하고 우린 보류된 고통이 또다시 고통으로 작동하지 않도록 이상과 희망 미래라는 미래가치를 설정하게 되는 것이다. 미래가치가 설정된 욕구는 과거의 영역에서 설정된 미래에 현실가치와 결합하여 사라지길 기대하며 안정적이 된다. 때문에 미래는 과거와 동시에 만들어지며 새로운 시공이 탄생하는 것이다. 과거가 많은 자들일수록 이상과 희망으로 대변되는 미래 또한 거대해지고 시공은 확대되는 것이다.

이러한 결합관념이 어떻게 이루어졌느냐에 따라 우리의 일상이 결정된다. 과거의 영역에 어마어마하게 축적된 결합관념은 시간이 흐름에 따라 서서히 의식으로 녹아들어와 분리관념이 되어 작동하기 때문에 결합관념의 총량은 급격히 변하지 않고 분리관념이 되어 의식으로 녹아드는 양이 일정하게 유지된다면 우린 이를 일상으로 여겨 별 고통이나 쾌감을 느끼지 못하는 것이다. 그러나 어느 순간 과거가 결합관념으로부터 분리된 분리관념으로 포화된다면 우린 의식 속 분리관념을 결합관념화 시켜 기억 속에 보류시킬 수가 없어 우린 절망에 빠져 심각한 고통을 겪게 되는 것이다.

기억 속의 결합관념으로부터 분리되어 기억을 포화시킨 분리관념은 언제 터질지 모르는 위험한 화약고와 같이 작동하기 때문에 우린 가끔 기억 속 분리관념을 덜어내는 시도를 하여야만 한다. 이것이 쾌감의 추구이다. 우린 기억 속의 분리관념을 사라지게 하기 위하여 능동적으로 쾌감을 추구하고 의식 속의 분리관념을 사라지게 하기 위하여 고통으로부터 벗어나려 하는 것이다. '고통으로부터 벗어나는 것'과 '쾌감을 추구하는 것'의 차이는 '의식 속 분리관념'이 사라지게 하느냐 아니면 '기억 속 분리관념'이 사라지게 하느냐의 차이이다. 우린 기억 속 분리관념이 의식으로 나오기 전까지는 기억 속에 어떠한 분리관념이 있는지 알지 못하기 때문에 기억 속 분리관념을 사라지게 하는 '쾌감을 추구하는 것'이 마치 자유의지인 것으로 착각하게 되지만 우리가 생각하는 자유의지라는 것도 따지고 보면 알 수 없는 기억 속 분리관념에 의한 '반발의지'인 것이다.

우리의 의식은 고통으로부터 벗어나기 위하여 의지를 일으켜 과거나 미래로부터 가치로 이루어진 분리관념을 받아들이고 반가치는 밀어내기도 한다. 과거와 미래는 우리의 의식 속으로 들어와 고통과 쾌감이라는 현재를 만들어내며 시간이 흐름에 따라 관념의 축소를 시도하지만 의식 속 감정은 과거와 미래의 괴리에 의하여 잉여의 고통이 발생하고 이는 과거 속에 차곡차곡 축적되어 절망을 향하여 나아가게 된다.

과거에 축적되어있는 욕구와 미래에서 들어오는 가치는 현재에서 만나 서로 상쇄되어 쾌감을 발생시키기 위하여 끊임없이 결합을 시도하지만 미래의 가치는 현실이 되면서 가치의 이면에 숨겨놓았던 반가치를 드러내고 어떠한 가치도 욕구를 완전히 만족시키지 못하고 불만과 아쉬움 속에 서로를 키워간다. 욕구의 그릇은 가치를 넣고 빼기를 반복하며 더욱 커져가고, 욕구와 결합하여 사라진 가치는 숨겨놓았던 반가치를 드러내며 새로운 욕구를 추가한다. 욕구와 가치는 서로 상승작용과 변신을 거듭하며 종류와 양을 팽창시킨다. 이러한 이유로 욕구가 발전하는 것이 진화이고 가치가 발전하는 것이 문명이다. 진화와 문명은 서로 완벽한 결합을 위하여 끝없는 변신을 해나가지만 결코 결합하지 못하고 고통과 쾌감의 양을 부풀릴 뿐이다.

우리의 의식 속에서 고통과 쾌감을 만들어내는 근원인 욕구는 팽창과 소멸을 반복하며 우리에게 반복적으로 고통과 쾌감을 가져오지만 문제는 고통의 양이 점점 더 많아진다는 것이다. 욕구는 우리 의식의 미래와 과거라는 두 개의 창을 통하여 들어오기도 하고 나가기도 하지만 의식의 어느 창으로 들어온 욕구이건 고통에서 벗어나려면 빨리 사라지게 해야 한다. 그런데 욕구가 어떻게 사라지느냐에 따라 미래의 고통이 늘어나느냐 줄어드느냐가 결정 난다는 것이다.

욕구가 사라지는 과정은 가치와 결합하여 쾌감을 느끼며 사라지는 방법과, 영혼의 작용에 의하여 욕구가 사라질 때 까지 긴 시간에 걸쳐 고통을 겪거나(시간이 약이다.) 아니면 영혼과 결합시켜 과거의 영역으로 보내 잠시 동안 작동을 중지시키는 세 가지의 과정이 있다.

가치와 결합하여 쾌감이 되어 사라진 욕구는 의식과 과거를 통 털어 욕구를 줄이는데 기여를 하고, 긴 시간에 걸쳐 고통을 겪으며 사라진 욕구 또한 그만큼의 욕구가 줄어든다. 그러나 과거의 창으로 넘어가 결합관념으로 변한 욕구는 사라지지 않고 축적되며 고정된 영혼이 떨어져 나가며 미래가치가 만료되면 언젠가는 다시 의식으로 나와 고통으로 작동하게 된다. 문제는 의식의 작용이 되풀이 되며 과거에서 나온 욕구의 양보다 과거로 들어가 미래의 고통을 예고하는 욕구의 양이 항상 많아진다는 것이다. 때문에 우리의 관념은 축적을 거듭하며 끊임없는 미래의 고통을 예고하게 되는 것이다. 그 과정을 한번 뜯어보기로 한다.

과거속에서 안정된 결합관념은 영혼이 떨어져 나가며 미래가치가 만료되면 의식으로 나와 욕구로서 작동한다. 이때 우리가 설정한 미래가치와 같은 현실가치가 미래의 창으로부터 들어온다면 욕구는 가치와 결합하여 사라지며 우리는 쾌감을 느낄 것이다. 그러나 미래의 창으로 들어오는 가치가 우리가 설정했던 미래가치와 다르다거나 미흡하다면 약간의 쾌감은 있을지언정 의식속의 모든 욕구를 충족시키지 못해 일부의 욕구는 의식 속에 잔류하게 된다. 또한 가치가 들어옴으로 욕구와 결합해 쾌감을 느낀 후에는 가치의 이면에 숨겨져 있던 예기치 못한 반가치가 그 모습을 드러내어 이 또한 의식 속에 잔류하게 된다. 잔류한 욕구와 반가치는 의식 속에 기거하며 또 다른 욕구가 되어 고통으로 작동하고 우리는 또 다시 가치를 찾거나, 긴 시간 고통을 겪거나, 아니면 영혼을 고정시켜 결합관념화 하여 과거의 방으로 넘겨야만 한다. 작동중인 욕구에 영혼을 고정시켜 과거의 방으로 넘겼다 하여 욕구가 완전히 작동을 멈추는 것은 아니다. 영혼의 속성은 흐름이다. 그것도 무한의 속도로 흘러야만 하는 것인데 이를 붙들고 있다는 것은 엄청난 기력의 소모인 것이다. 때문에 욕구를 감싸고 고정된 영혼은 겉에서부터 서서히 떨어져 나가며 결합관념화 된 욕구를 서서히 분리관념화 시켜 과거를 포화시키고 분리관념은 다시 의식으로 나와 욕구로 작동하고 이는 미래(환경)로부터 들어오는 분리관념과 만나 욕구를 증폭시키며 고통으로 작동해 우린 이를 또 다시 결합관념화 시켜 과거에 저장시켜야만 하는 악순환을 겪어야만 하는 것이다. 이러한 과정이 끊임없이 되풀이됨에 따라 욕구의 원인인 관념은 그 양을 끊임없이 늘려가게 되는 것이다. 우리가 이러한 작업을 하는 이유는 관념을 줄여 고통에서 벗어나고자 하는 것인데 우리 의지의 결과는 의지와는 반대방향으로 나아간다는 것이다. 이러한 과정이 되풀이됨에 따라 우리의 미래는 극도로 복잡하고 불안정한 상태로 치닫게 된다. 우리는 관념의 바다로부터 빠져나오는 쾌감을 추구하지만 결국 고통의 심연을 파고들어 가며 관념의 한계를 시험하고 있을 뿐이다. 우리가 가치를 추구하면 추구할수록 반가치의 압력은 우리를 짓누르며 또 다른 욕구를 만들어내고 우린 또 다시 가치를 추구해야만 하는 고통의 무한궤도로 진입했다.

관념의 바다 깊숙한 곳에 나라고 하는 의지의 동물 돌고래가 살고 있다. 나는 항상 관념의 압력을 받으며 내가 소유한 관념의 무게에 따라 일정한 깊이를 일상으로 여기고 삶을 영유한다. 가치로 이루어진 지느러미를 어떻게 움직이느냐에 따라 즐거움과 고통을 반복하며 저 멀리 빛이 비추이는 수면 위를 동경하며 의지를 키워간다. 마침내 의지가 커지고 욕구가 분출하면 견뎌오던 관념의 압력을 밀쳐내며 수면 위를 향하여 힘찬 도약을 한다. 관념의 압력이 줄어듦에 따라 쾌감이 몰려오고 수면 위를 향한 의지는 더욱 강해져 올라가야 한다는 욕구를 불사르며 지느러미 끝에 온 힘을 집중한다. 마침내 그토록 갈망하던 수면위로 머리를 내미는 순간 오르가즘이 밀려온다. 경직된 지느러미는 마지막 힘을 다하여 욕구의 몸뚱어리를 수면 밖으로 밀어내고 몸이 관념의 바다로부터 빠져나가며 절정의 오르가즘이 욕구를 불사르고 꼬리지느러미가 마지막 물살을 가르는 순간, 그토록 동경하던 허공에 던져졌다. 욕구는 사라지고 더 높이 오르기 위한 의지는 관념의 매질이 사라짐에 따라 허공 속에서 허우적거린다. 욕구도 쾌감도 없는 허공 속에서 마지막 의지를 내어보려 하지만 버둥거리기만 할 뿐 몸뚱어리는 말을 듣지 않는다. 몇 번의 허우적거림 끝에 몸은 다시 수면으로 떨어진다. 바로 그때, 까마득한 허공 속에 무언가 유영을 한다. '전설의 동물' 새다. '철퍼덕' 나는 다시 관념의 바다로 침잠하며 새로운 도약을 위해 더욱 깊어진 일상을 찾아 관념의 심연을 파고 들어간다.

고통과 쾌감은 관념의 바다에서 의지의 물질에 의해 관념을 매질로 하여 발생과 소멸을 반복한다. 관념이 없으면 어떠한 쾌감도 고통도 존재하지 않는다. 영혼의 신호인 빛을 찾아 수면 가까이 가는 것이 쾌감이고 수면에서 멀어지며 관념의 압력을 받는 것이 고통이다. 의지의 돌고래가 관념의 바다를 유영하다가 관념을 박차고 비상하며 관념의 압력이 줄어드는 과정을 우리는 쾌감이라 한다. 관념의 바다에 일정한 깊이를 유지하면 누구나 관념을 박차고 비상하는 쾌감을 느낄 수 있다. 때문에 우린 보다 많은 관념을 축적하여 몸의 비중을 높여 보다 깊은 곳에서 일상을 유지하기 위하여 기를 쓰는 것이다. 보다 많은 관념을 축적하고 비중을 높여 보다 깊은 곳에서 일상을 영유하는 자도 있고, 축적한 관념이 적어 비중을 확보하지 못해 수면 가까운 곳에 일상이 주어진 자들도 있다. 이처럼 모든 이들은 축적된 관념에 의해 각기 다른 일상의 깊이를 결정하는 관념의 비중을 획득한다. 보다 깊은 곳에서 일상의 깊이를 영유하는 자들은 관념(문명)의 부력을 받아 비상의 쾌감을 느낄 기회가 많겠지만 반면에 높은 관념(문명)의 압력을 견뎌내어야만 하는 스트레스 또한 많아질 수밖에 없다. 반면에 아주 얕은 곳에 일상의 위치가 주어진 자들은 관념의 부력이 없어 비상의 쾌감을 느낄 기회가 적겠지만 관념의 압력 또한 적어 여유로운 생활을 하기도 한다. 이처럼 고통과 쾌감의 파동은 우리의 일상이라고 하는 관념의 비중을 중심으로 이루어짐을 알 수 있다. 모든 이의 일상은 각기 다 다르고 관념의 비중 또한 모든 이가 다 다를 수밖에 없기 때문에 고통과 쾌감의 영역은 사람마다 천차만별일 수밖에 없지만 쾌감을 위해서는 반드시 수면을 향한 도약이 있어야만 한다. 그러기 위하여서는 일상이 깊이를 유지해야만 관념제로를 향해 욕구를 불사르는 도약을 할 수 있는 것이다. 때문에 우리는 보다 많은 쾌감을 느낄 수 있다는 기대감에 비중 있는 일상의 깊이를 획득하려고 기를 쓰며 더 짜릿하고 힘찬 도약을 하기위하여 우리의 일상을 고통의 심연을 향해 끊임없이 밀어 넣는 것이다. 일상은 그 자체가 부담이기도 하지만 우리는 일상의 깊이에 의해 반사적으로 나타나는 쾌감을 느끼기 위하여 일상을 유지하거나 공고히 해야만 하고 그러기 위하여서는 끊임없이 고통을 감수하며 일상의 깊이를 유지하려 노력해야만 하는 것이다. 이것이 우리가 사는 방식이다. 최초의 생명이 탄생한 이후로 우리의 일상은 수면으로부터 시작해 관념의 심연을 끊임없이 파고들어갔고 앞으로도 끊임없이 파고들어갈 수밖에 없다. 이는 우리의 삶은 끊임없이 고통을 감수해야만 함을 의미한다. 우린 일상을 기준으로 고통과 쾌감의 파장을 그리며 쾌감이 고통을 넘어서기를 끊임없이 갈망하여 왔지만, 그 결과 일상이라고 하는 고통과 쾌감의 축을 고통의 방향을 향해 끊임없이 밀고 들어가야만 하는 모순적 상황에 처해있는 것이다.

보다 깊은 곳에 일상의 비중을 획득했다고 누구나 다 관념의 부력을 받으며 비상의 쾌감을 느끼는 것은 아니다. 우리가 소유한 가치관념과 반가치관념 어느 것이든 현실에서 미래와 결합하기 이전에는 우리의 무게가 되어 비중을 높여 바다 깊숙이 일상을 획득하겠지만 우리 몸의 구성이 가치와 반가치중 어느 것으로 구성되어 있느냐에 따라 쾌감을 일상적으로 느끼는 자와 고통 속에서 허덕이는 자가 구분된다. 반가치보다 가치의 비중이 큰 자는 날렵한 몸매에 커다랗고 힘찬 지느러미를 가지고 있어 어느 곳에서나 관념의 압력을 이겨내며 비상의 쾌감을 느낄 수 있겠지만, 가치보다 반가치의 비율이 큰 자는 커다란 몸뚱이에 작고 시들한 지느러미만 갖고 있어 힘든 비상의 쾌감보다 관념의 압력을 고스란히 받으며 고통 속에서 힘겨운 나날을 살아갈 수밖에 없는 것이다. 가치는 우리 몸에 지느러미와 같은 비상의 도구가 되지만 반가치는 체중만을 늘려 일상을 깊은 관념의 압력 속으로 밀어 넣는 것이다. 문명이 발달하고 관념의 바다가 깊어질수록 아무런 가치도 소유하지 못하고 반가치로 인한 몸뚱어리로 관념의 압력을 고스란히 받으며 절망의 한계를 넘나드는 자들이 생겨난다. 이들은 스스로 파괴되거나 언젠가는 폭발하여 사회에 물의를 일으킨다. 우린 그들을 경멸하지만 그들에게서 가치를 빼앗고 관념의 압력을 가한 자들이 바로 우리 자신이라는 것은 망각한다.

가치를 소유하지 못한 자들은 고통 속에서 힘겨운 나날을 살고 있지만 남들보다 많은 가치를 소유한 자들은 쾌감을 느낄 기회가 많을 것이다. 그러나 이들의 쾌감은 남보다 많은 것이지 결코 자신의 고통보다 더 많은 쾌감을 느낄 수는 없는 것이다.

의식속의 욕구가 완전히 사라지면 우린 쾌감도 고통도 느낄 수 없다. 의식의 영역에 어떠한 욕구를 넣어두느냐에 따라서 욕구는 상쇄되기도 하고 증폭되기도 하며 고통과 쾌감을 느낄 수 있는 것이다. 우리의 의식 속에서 욕구와 가치가 만나면 욕구충족이 되면서 우린 쾌감을 느끼고 모든 욕구와 가치가 서로 상쇄되어 완전히 사라질 때 우린 절정의 오르가즘을 느낀다. 쾌감은 여기까지이다. 욕구충족이 일어난 후 더 이상의 쾌감은 없다. 무한한 쾌감이나 보다 더 강력한 쾌감이 있는 것이 아니라, 쾌감은 욕구를 충족하는 동안 만이라는 것이다. 그리하여 욕구와 가치가 상쇄되어 사라지면 우린 다시 일상으로 돌아와야만 한다. 아무리 엄청난 가치를 욕구에 대입한다고 해도 욕구가 상쇄되면 나머지 가치는 더 이상 작동하지 않는다. 때문에 욕구의 절대치보다 더 큰 쾌감의 절대치는 존재하지 않는 것이다.

우리의 의식 속에 욕구가 축적되어 욕구로서 의식이 포화상태가 된다면 우린 절망에 빠진다. 절망에 빠지면 자포자기해서 더 이상의 욕구는 무시된다. 고통은 여기까지이다. 절망을 넘어선 고통은 없다. 절망을 넘어서는 순간 삶에서 멀어지기 때문이다.

우리의 의식 속에는 욕구(고통)가 존재하고 욕구가 사라지는 부분만큼만 쾌감이 존재한다. 때문에 어떠한 쾌감도 고통을 넘어설 수는 없는 것이다. 쾌감이 고통보다 크기 위해서는 양의 관념(가치)이 음의 관념(욕구)을 넘어서야 하는데 양의 관념이 음의 관념을 넘어서 관념제로가 되는 순간 의지는 작동하지 않고 욕구도 가치도 사라진다. 때문에 우리가 할 수 있는 것은 쾌감을 추구하기 위한 목표를 늘리는 것이 아니라, 이미 도달한 목표에 다시 도달하기위한 고통으로 이루어진 도움닫기만을 뒤로 물릴 뿐이다. 마치 좁은 공간에서 천장을 뚫을 수가 없으니 놀이공간을 확보하는 방법은 땅을 파들어 가는 방법뿐이다. 허물어지지 않도록 조심할 일이다.

어떠한 방법으로도 우리는 고통보다 쾌감이 많은 삶을 살 수 없다. 그러나 이때 우리는 한 가지 방법을 터득한다. 스스로를 나와 남으로 분리하여 나에게는 쾌감을 집중시키고 남에게는 고통을 부여하는 것이다. 자의식을 만들어내어 쾌감을 집중시키고 자의식의 경계너머 타의식으로 고통을 밀어내어 무시하며 오직 쾌감만을 느끼고자 하는 것이다. 스스로의 의식을 고립시켜 오직 쾌감만을 쫓는 것이다. 자의식의 배타적 경계를 만들어내고 자의식 속으로는 쾌감을 끌어들이며 고통을 자의식 밖으로 밀어낸다. 나와 남이라는 경계가 확고할수록 쾌감은 더욱 강렬해지고 고통은 무시될 수 있는 것이다. 자의식의 배타적 경계를 확실히 의식하며 내부의 쾌감을 추구하는 것이다. 또한 이를 극대화하기 위하여 자신의 고통을 남에게 부여하기도 하고 남의 고통을 바라기까지 한다. 남에 의하여 상대적으로 쾌감을 느끼는 이러한 감정을 우린 행복이라 한다.

이제까지 우리는 쾌감이나 행복 혹은 만족을 그저 비슷한 것으로 여기고 아무 때나 적당히 혼용해서 단어를 사용해 왔다. 때문에 원인과 결과가 서로 다른 감정상태가 구분되지 않고 이것을 말하는데 저

것으로 받아들여 의미의 전달에 어려움을 겪어왔다. 때문에 여기서는 이러한 혼동을 없애기 위하여 포괄적으로 사용해 왔던 행복의 의미를 쾌감이나 만족과 구분하여 나와 남의 비교에 의해서만 일어나는 감정으로 규정하고 생각을 이끌어 나간다.

우리의 감정은 다양한 요인에 의해서 그 좌표를 형성한다. 일상을 기준점으로 고통과 쾌감이라는 관념의 증감에 대한 축과, 일상을 기준점으로 자의식의 크기에 따라 어디엔가 배타적경계를 설정하여 나와 남을 비교하는 행·불행의 축, 그리고 자신의 과거와 현재를 비교하는 만족·불만족의 축을 갖는다.

고통과 쾌감의 축 - 관념의 증감에 의해서 변동. - 현재의 감정

행복과 불행의 축 - 나와 남의 비교에 의해서 변동. - 공간적 감정

만족과 불만족의 축 - 과거의 의식과 현재 의식의 비교에 의해서 변동. - 시간적 감정

위의 세 가지 축은 모두 우리의 감정을 고조시키거나 저하시키는데 작용한다. 우리의 감정을 움직인다는데 대해서는 모두 비슷한 것 같지만 사실은 전혀 다른 요인에 의해서 움직이는 것이다.

이제까지 살펴보았듯이

고통과 쾌감은 관념의 증감에 의하여 느껴지는 것이고 이는 항상 진행형이다. 어느 수준의 고통이나 쾌감이 유지되는 것이 아니고 일상을 기준으로 강약을 반복하며 동적으로 파동을 이룬다. 반면

행·불행의 축은 비교의식에 의해서 이루어지며 지금 이 순간 정적

인 좌표를 갖는다.

5. 행복

감정의 좌표를 형성하는 세 가지 축 중 하나인 행복은 행복의 축을 형성하는 두 개의 변수를 가지고 있다. 하나는 나와 남의 고통의 차이에 따라 영향을 받는 차이의 변수, 그리고 배타적경계를 어디에 설정하느냐에 따라 영향을 받는 경계의 변수, 이 두 가지 변수의 변화에 의해서 우리는 행복할 수도 불행할 수도 있는 것이다.

감정을 고조시키건 행복을 추구하건 자신이 하고 싶은 대로 하면 될 텐데 변수를 따지는 이유는 우리가 추구하면 할수록 그 결과가 우리의 목적과는 거리가 멀어질 수 있다는 것이다. 때문에 우리는 의지와 목적과 결과를 조금이라도 일치시키기 위하여 변수를 따져보는 것이다.

우린 항상 잘 살길 바라고 또한 잘 살고 있기도 하다. 그런데 우린 우리자신이 얼마나 잘 사는 지 스스로 알지 못한다. 우리는 옛 선조들에 비해 물질적으로나 정신적으로 비교할 수 없을 정도로 엄청난 풍요와 발전의 혜택을 받고 살아가고 있다. 그럼에도 불구하고 우린 자신이 얼마나 잘 사는지 확신을 가지지 못한다. 우리는 삶에 점수를 매겨 백점만점에 구십 점이라는 성적을 받아도 별로 행복해 하지 않을 지도 모른다. 주변 사람들이 전부 나보다 더 잘 살고 있다면 행복은커녕 오히려 불행으로 느낄지도 모른다. 우린 자신의 삶의 절대치에 대해서 확신을 가지지도 못하고 행복을 느끼지도 않는다. 행복은 비교에 의해서 느끼는 감정이기 때문에 남들이 나보다 못하다면 우린 행복해질 것이고, 남들이 나보다 잘났다고 생각되면 우린 불행할 것이다. 우리의 의식이 어느 곳을 바라보느냐에 따라 우린 행과 불행을 왔다 갔다 하는 것이다. 고개를 왼쪽으로 돌렸을 때는 행복하다가 다시 오른쪽으로 돌리면 불행하기도 한, 행복이란 우리의식의 배경에 따라 우리 스스로는 아무것도 안했는데 행복의 수위는 변할 수 있는 것이다.

우리가 행복을 느끼기 위해선 남보다 잘 살아야 한다. 잘 살겠다는데 누가 뭐랄 수 없다. 만약 우리가 지금 행복하다면 우리는 능력을 향상시키고 고통을 감수하는 많은 노력을 해왔다는 것이다. 문제는 우리는 행복을 추구하면서 많은 이들을 불행의 자리에 놓아두고 왔다는 것이다. 행과 불행은 제로섬게임과 같이 누군가가 행복하면 누군가는 불행할 수밖에 없는 것이다. 누군가가 행복을 추구하면 추구할수록 불행의 자리에서 자신의 불행을 안타까워하는 자들이 생겨난다. 우린 흔히 남에게 해를 끼치지 않는다면 스스로 잘사는 것이 무슨 문제가 되겠느냐고 생각한다. 그러나 결코 스스로 잘사는 방법은 없다. 우린 남을 의식하고 남은 나를 의식한다. 우리가 남을 의식할 때 우린 그 의식으로 인하여 무엇인가를 하게 된다. 길을 가다 앞에 사람이 오면 옆으로 비켜나 걷기도 하고, 병이 들어 입원한 환자들을 보고는 건강을 유지하기 위하여 신경을 쓴다. 교통사고가 나는 것을 보고는 주의운전을 하려고 노력하고, 빚에 시달리며 고통스럽게 사는 사람을 보면 자신은 절대 빚지고서 살지 않으려 다짐을 한다. 이처럼 남을 의식함으로서 나를 다잡는 것이지 주위사람을 아무도 의식하지 않는다면 우린 남과 달라지려고 노력하지 않을 것이다. 우리가 행복을 추구한다는 것은 남의 불행을 의식하고 남의 불행에 대한 반대급부로서 나의 행복을 추구한다는 것이다. 남의 불행을 의식함으로서 나를 다잡는 것, 이것이 소극적 행복의 추구이다.

우리의 행복에 대한 추구는 만족을 모르고 끊임없이 이어져 그 끝을 알 수가 없다. 이러한 적극적 행복추구의 대표적인 것이 경쟁의식이다. 소극적 행복추구는 남을 의식하는데 그치지만 적극적 행복추구에서는 남을 밟기 시작한다. 남을 밟아야만 행복을 이룰 수 있는 배타적 생존능력을 획득할 수 있기 때문에 생존을 보다 확실히 보장받기 위하여 경쟁에서 이기려 하고 경쟁에서 이기기 위하여 스스로 엄청난 고통을 감수한다. 남의 고통 따위는 안중에도 없다. 오히려 남들이 고통을 못 이겨 떨어져나갈 때 쾌감 까지도 느끼게 된다. 경쟁이란 이긴 자에겐 쾌감을 몰아주고 진자에겐 고통을 몰아주기 때문이다.

경쟁의식의 가장 기본적인 것은 생존하기 위하여 가치 있는 것을 획득하려는 것이다. 그것이 권력이건 명예건 재물이건 혹은 금메달이건 살아가는 데 도움이 되는 것이면 남을 밟으면서까지 획득하려고 노력할 뿐 아니라 법망에 걸리지만 않는다면 남의 것을 빼앗기까지도 한다. 우리를 행복하게 할 수 있는 가치는 무한한 것이 아니라 지극히 희소하기 때문에, 우리는 행복의 재료인 가치를 배타적으로 소유하기 위하여 남과 경쟁할 수밖에 없는 것이다. 가치를 획득한 자들은 뿌듯함에 행복해 할 것이고 가치를 상실한 자들은 불행 속에 고통을 견디며 살아갈 것이다. 이처럼 누군가가 행복하다면 또 다른 누군가는 불행할 수밖에 없는 것이다.

행복한 자들은 남들과의 갭을 늘리려 노력하고 불행한 자들은 갭을 줄이려 노력한다. 행복과 불행에 의한 감정의 갭은 지렁이의 연동운동과 같이 사회를 앞으로 나아가게 하는 원동력이다. 그 결과 우리의 물질문명은 많은 발전을 했고 과거의 어느 때 보다 풍요롭지만 우리가 예전보다 행복해졌다고는 할 수 없는 것이다. 행복과 불행이란 문명의 척도에 영향을 받는 것이 아니라 남과의 비교에서 느끼는 감정이기 때문이다.

행복한 자들은 남보다 많은 쾌감을 느끼며 살아갈 것이고 불행한 자들은 하루하루가 고통스러울 뿐이다. 그런데 우리는 누가 얼마만큼의 쾌감을 느끼는지 고통은 어느 정도인지 알지 못한다. 행복으로 인한 고통과 쾌감은 지극히 주관적인 것이기 때문에 추정이 불가능하다. 산속에서 참선을 하며 도를 닦는 사람과 끊임없이 복권을 사다가 마침내 당첨되어 거액을 손에 넣은 사람 그리고 고통스러운 연습과 훈련을 되풀이하다 마침내 경기장에서 금메달을 손에 넣은 운동선수 이 세 사람 중에 누가 가장 행복한 사람일 것인가? 이들의 삶은 비교 자체가 되지 않는다. 왜냐하면 서로 상대의 쾌감과 고통을 이해하기 힘들고 설사 이해한다 하더라도 무가치한 것으로 무시해 버리는 경우도 있는 것이다. 이처럼 삶의 방식이 다른 사람들은 각자 만족을 느낄지는 몰라도 상대방과의 비교에 의하여 행복이나 불행을 느끼기는 어려운 것이다. 행복을 따지기 위해서는 공통된 가치를 소유해야 하고 객관적으로 측정이 가능해야만 한다. 가령 권력에 가치를 두고 있는 자들은 군수 보다는 도지사 그 보다는 총리나 대통령처럼 등위가 분명한 것이나 운동경기나 학업성적에서는 일등 이등 삼등 혹은 꼴등이라는 정확한 순위구분이 있다. 오직 돈만이 자신을 행복하게 해준다고 생각하는 사람들은 재산의 소유에 따라 행과 불행이 명확히 갈릴 수가 있다. 돈 많은 자들은 행복에 겨워 뿌듯해 할 것이고 가난한 자들은 자신의 가난을 초라해하며 무능을 죄스러워 할 것이다. 이들은 재산의 정도에 따라 행과 불행이 명확히 갈리고 누구나 객관적으로 인식할 수 있다. 이처럼 행복이란 것은 사람의 내면은 비교할 수조차 없고 오직 물질이나 남들이 정해놓은 통속적인 순위만을 비교하는 천박하고 이기적인 감정일 수밖에 없는 것이다. 이처럼 행복이라는 것이 천박하고 이기적인 감정임에도 불구하고 많은 이들이 그것을 추구하는 이유는 무엇인가?

우리는 누구나 자의식을 가지고 있고 이는 배타적경계를 필요로 하기 때문에 나와 남을 비교하는 것은 필연적이고 즉각적인 것이다. 불행한 자를 보고 자의식의 배타적경계를 공고히 한다면 그는 행복을 느낄 것이고 불행한자를 보고 연민과 측은함을 느낀다면 그는 의식의 경계가 넓은 자일 것이다. 이처럼 자의식의 배타적 경계의 범위가 어떻게 설정되었느냐에 따라 행복과 불행의 정도가 변할 수 있는 것이다. 자신의 주변을 배타적으로 의식할수록 행복의 감정은 고조될 수 있고 자신의 주변을 의식에 포함하여 의식을 넓혀갈수록 행복의 감정은 저하되다가 마침내 더 이상 비교대상이 없을 때 행복과 불행의 감정은 사라질 것이다. 행복과 불행의 감정이란 남을 배타적으로 의식하는 자의식이 좁고 소인배이고 이기적인 자들일 수록 행복에 민감하여 적극적으로 추구하며 의식이 크고 덕이 있고 너그러운 자들은 행복에 둔감하게 되는 것이다.

행복은 남들의 불행을 배타적으로 의식하고 남들과의 사이에 장벽을 쌓고 스스로 고립을 자초하여 자기 자신 이외의 아무에게도 환영받지 못하는 천박스러운 감정일 뿐이다. 우리는 쾌감 속에서 나를 의식하지 않고 만족할 때 남을 의식하지 않는다. 그러나 행복할 때는 반드시 나를 의식하고 남 또한 배타적으로 의식한다. 이러한 행복이란 자의식의 경계를 분명히 하고 남에 대하여 자신의 이익을 추구한다는 면에서 선이 아닌 악이다. 또한 행복이란 남과의 비교차이를 추구하기 때문에 행복한 자이건 불행한 자이건 남의 고통을 바라며 남을 고통스럽게 하기도 한다. 우리가 가지고 있는 행복추구의 악마적 본성은 자의식을 가지고 있는 우리에게 필연적으로 따라오는 인정하기 싫은 현실이다.

우리가 자신의 행복을 바라는 만큼 누군가는 불행의 자리에서 힘들어 할 수밖에 없다. 합법이든 불법이든 자신을 위하여 남을 파괴 혹은 경쟁하는 행위는 어떠한 방법으로든 그 반대급부로서 똑같은 대가를 치른다. 우리는 항상 원하는 만큼 원하지 않는 것도 함께 받아야만 하는 결과의 양면성으로부터 벗어날 수 없는 것이다. 우리가 행복을 추구하며 남을 파괴한 만큼 우리가 행복을 성취한다 하더라도 우리의 행위는 부메랑이 되어 우리에게로 돌아올 수밖에 없다. 우리의 행복추구로 인한 행위에 의하여 누군가가 불행의 자리에 놓이게 된다면 이들은 자신의 불행을 만회하기 위하여 남을 파괴하게 된다는 것이다.

불행한 자들의 삶은 고통스러울 뿐이고 고통으로부터 쉽게 벗어나지도 못한다. 우린 흔히 말한다, '노력하면 벗어날 수 있다.'고, 이들도 노력을 한다. 오히려 남들 보다 더 많은 노력을 한다. 그럼에도 이들이 불행으로부터 벗어날 수 없는 이유는 노력을 안해서가 아니라 능력이 부족하기 때문이다. 나름대로 최선의 노력을 해도 불행으로부터 벗어날 수 없는 이들이 어느 사회나 반드시 존재한다. 이들은 누구나 마찬가지로 끊임없이 행복을 추구하지만 사회나 행복한 자들이

나 이들의 환경은 이들을 불행의 자리에 묶어놓고야 만다. 이들이 하고자 하는 모든 분야의 일들은 이미 행복한 능력자들이 선점하고 비켜주지 않기 때문이다. 이들이 앞으로 나아가는 순간 행복의 기득권자들은 이들을 가차 없이 밀쳐내고, 이들은 이러한 시도를 되풀이하다가 불행이 정체되고, 정체된 불행으로 인한 고통이 삶의 한계를 지나쳐 마침내 절망에 빠지게 되면 이들은 퇴출되거나 아니면 퇴출되지 않으려 기존의 경쟁방식과 법과 규정에 저항 할 수밖에 없게 되는 것이다. 능력 있는 자들은 법의 테두리 내에서 행복을 쟁취하기 위하여 경쟁하며 남을 파괴하지만, 무능하며 불행한 자들은 법의 테두리를 넘나들며 생존을 위하여 저항하며 남을 파괴하게 되는 것이다. 자신의 이익을 위하여 남을 파괴하는 것은 자연의 이치로 보면 당연한 것일 수도 있다. 약육강식이나 적자생존 경쟁의식과 같은 말로 불리어지며 오히려 부추기는 면 까지도 있다. 이러한 것은 능력 있는 자들의 삶의 방식이므로 사회는 법과 규정을 만들어 이를 용인한다. 우리는 법과 규정 내에서 이루어지는 남에 대한 제재나 경쟁 이러한 것을 파괴라 하지 않고 경쟁이라 하며 이를 용인하지만 힘없고 능력 없는 자들은 남이 만들어 놓은 법과 규정의 범위 내에서 경쟁할 수가 없다. 왜냐하면 필패하기 때문이다. 어느 한 쪽에 유리하게 만들어진 규칙으로 경기를 하니 승패는 뻔할 수밖에 없는 것이다. 때문에 규칙을 스스로 만들지 못하는 자들은 법의 테두리를 넘나들며 반칙을 할 수밖에 없게 되는 것이다. 약하고 능력 없는 자들에게 생존을 위한 반칙은 정당방위이다. 그러나 우리는 이것을 정당방위라 하지 않고 파괴 혹은 범죄라 한다. 이들은 능력이 없기 때문에 남과 경쟁할 수 없고 자신을 개발하거나 개선시킬 수가 없다. 이들은 스스로를 향상시킬 수 없기에 남을 파괴하거나 남의 파멸을 원함으로서 남들과의 갭을 줄이거나 역전시켜 불행으로부터의 탈출을 꾀하게 되는 것이다. 자신을 성취하는 것보다 남의 파멸을 기원하는 것이 훨씬 쉽다고 생각하기 때문에, 이들이 기다리는 것은 세상 어디에서 재난이나 전쟁 혹은 테러가 일어나거나 질병으로 많은 사람들이 희생되는 것 혹은 지인이나 주변사람의 사고나 사망과 같은 남들의 불행과 고통이다. 남들의 불행과 고통만이 이들의 삶을 위로하고 이들은 비로소 자신만이 불행한 자가 아니라는 것에 안도의 한숨을 쉬게 된다. 그러나 세상은 쉽게 바뀌지도 않고 전쟁이나 이변은 원한다고 일어나는 것도 아니다. 스스로 자신을 바꿀 수 없는 자들은 환경이 바뀌길 기대하지만 바뀌어야할 환경은 이들을 불행 속에 가두어 놓은 채 꿈쩍도 하지 않는다.

남들의 고통과 불행이 자신이 쾌감을 느낄 유일한 방법이라고 생각될 때 이들은 마침내 능동적으로 남을 파괴하기 시작한다. 우리가 어떤 행위를 한다는 것은 그 사람이 훌륭하다거나 잘못됐기 때문에 하는 것이 아니라 그러한 행위를 하도록 조건 지어져 있기 때문이다. 네 가지로 나누어 본다.

1. 자의식이 넓고 능력 있는 자들은 자신의 이익을 취하기 위하여 남을 파괴하지 않는다. 이들은 남을 파괴하지 않고 오히려 돕는 것이 자신의 이익임을 안다.

2. 자의식이 넓으나 능력 없는 자들은 자신의 생존을 위하여 어쩔 수 없이 남을 파괴한다. 이들은 법과 규정을 넘나들며 자신의 무능을 죄스러워한다.

3. 자의식이 좁으나 능력 있는 자들은 자신의 이익을 취하기 위하여 경쟁을 통하여 남을 파괴한다. 이들은 법과 규정을 이용하여 남을 파괴하고는 아무런 죄책감도 없이 자신을 자랑스러워한다.

4. 자의식이 좁고 능력도 없는 자들은 자신의 생존을 위하여 남을 파괴하고 남을 파괴함으로서 쾌감을 얻는다. 이들은 법과 규정의 허점만을 찾아다니며 자신의 행위에 대해 아무런 반성도 하지 않는다.

행복과 불행의 감정은 이 사회를 움직이는 원동력이 되기도 하지만 인간성을 파괴하고 잔인함을 즐기는 최악의 감정 상태로 우리를 몰아가기도 한다. 우린 누구나 위의 네 가지를 꼭지 점으로 하는 사각형 속에 포함되어있다. 그중 자의식이 적은 경우는 잔인성이라고 하는 심각한 문제를 일으키기도 한다. 이러한 잔인함은 고착화된 불행으로 인한 고통으로부터 벗어나기 위해서도 행해지지만 최상의 권력자나 모든 것이 충족되어 권태로운 자들, 더 이상 경쟁상대가 없어 행복의 상향욕구에 제동이 걸린 채로 정체되어있는 자들에 의해서도 행해진다. 인간은 행복의 어느 수준에서나 상향되려 한다. 잔인성은 행복의 상향의지가 꺾이는 순간 찾아온다.

남과의 비교와 단절에서 발생하는 행·불행의 감정이란 자의식을 가진 존재의 어쩔 수 없는 비극이다. 이것은 느끼려 해서 느낄 수 있는 것이 아니라 자의식의 경계가 적을수록 민감하게 느끼고 넓을수록 둔감해지는 것이다. 행·불행의 감정이 문제가 되는 것은 남의 불행을 필요로 하고 남이 불행하지 않을 때는 남을 불행하게 만들기도 한다는 것이다. 자신의 감정을 고조시키기 위하여 남의 불행을 필요로 하는 비교에 의한 행복이란 악마적 유혹의 달콤함으로 우릴 구속하고 서로를 파괴하다가 언젠가는 우리를 공멸에 이르게 하는 벗어나기 힘든 숙명이다.

우리는 이러한 비극적 감정으로부터 빠져나올 수 있는가?

우리의 감정이란 의식과 기억 속에 배치되어 있는 관념들의 변화에 의해서 다양한 형태로 나타난다. 관념이 늘거나 줄어드는 과정에서 동적으로 고통이나 쾌감을 느끼고 바뀐 관념의 대상이 자의식 안에 있는가? 밖에 있는가? 에 따라 정적으로 만족·불만족 혹은 행·불행의 감정을 느낀다. 우리가 남에 대하여 상대적 쾌감을 추구하고 그럼으로써 궁극적으로는 모두를 불행케 하는 행복의 감정으로부터 벗어나기 위해서는 우리가 추구하는 대상관념을 자의식 내부에 두면 되는 것이다. 대상관념이 자의식 내부에 있다면 우린 행·불행의 감정이 아닌 만족 불만족의 감정을 느끼게 되는 것이다.

6. 만족

행복은 남과의 비교에 의하여 느껴지는 감정이지만, 만족은 자신의 고유성에 의하여 느껴지는 감정이다.

행복을 위해서는 남들의 통속적 가치를 추구해야 하지만, 만족을 위해서는 자신이 의식하고 있는 자신만의 가치를 추구한다.

행복의 추구는 그 결과를 미래에 상정하지만, 만족은 그 과정자체가 결과의 연속이다.

행복은 고통을 감수해야 하고, 만족은 몰입의 과정을 거친다.

행복은 그 욕구가 끝이 없지만, 만족은 절제에 미덕을 둔다.

우리는 각자의 욕구사정에 따라 욕구의 대상인 가치를 추구한다. 가치를 추구한 결과 행복을 느낄 수도 만족을 느낄 수도 혹은 불행이나 불만족을 느낄 수도 있는 것이다.

우리가 어떠한 가치를 추구하려 할 때 그 가치가 의식 내에 있느냐 의식 밖에 있느냐에 따라 그 추구방법이나 결과는 아주 상반되기 까지 하다.

가치가 의식 내부에 있을 때 우리는 그 가치를 의식(인식+느낌)하고 스스로 그 가치를 추구하며 그 추구과정에서 몰입으로 인한 쾌감을 얻고 결국은 만족감을 얻게 된다.

그러나 가치가 의식 외부에 있을 때 우리는 그 가치를 인식만 하게 되며 가치를 추구하는 것이 아니라 가치의 통속적 대가(포상·명예·금전)를 추구하며 그 과정에서 고통을 감수하고 심한 스트레스를 받으며 만족이 없는 행복의 추구만이 있는 것이다.

우리의 의지는 고통으로부터 벗어나는 것이다. 그런데 무엇인가를 추구한 결과가 오히려 추구한 것과 반대의 결과를 가져온다면 우리는 그것을 추구할 필요가 없을 것이다.

행복을 느끼기 위해서는 자신과 남을 동시에 그리고 정확히 인식해야 하고 행복하다 하더라도 의식 속에서 나와 남을 끊임없이 비교하며 관념을 축적해야 하기 때문에 행복의 추구는 그 결과에 나와 남이라는 축적된 관념이 남아있게 되어 고통으로부터 완전히 벗어날 수는 없는 것이다. 그렇기 때문에 만족을 모르고 끊임없이 행복을 추구하게 되는 것이다. 끊임없는 행복의 추구는 그 자체가 욕구요 고통이다. 고통을 감수해서 얻은 결과가 고통이라면 우리는 고통을 감수하며 행복을 얻을 필요가 없을 것이다. 행복은 비교에서 오는 감정이기 때문에 자신은 물론 남까지도 의식해야 한다. 이때 나와 남의 차이만큼 행복을 느낄 수도 있겠으나, 나와 남이라는 관념이 항상 의식 속에 남아있게 되어 관념으로 인한 고통으로부터 완전히 벗어날 수는 없는 것이다.

그러나 만족은 충족되고 여유롭기 때문에 더 이상 그것에 대하여 의식할 필요가 없음을 말한다. 즉 만족에 대한 추구는 그 추구과정이 몰입으로 인하여 의식속의 고통인 관념이 사라지게 되며 이는 곧 쾌감의 추구와 그 방향이 같아지게 되는 것이다.

행복은 의도와 결과가 역방향이나 만족은 의도와 결과가 순방향이다. 때문에 우리가 의도한 결과를 도출하기 위해서는 행복이 아닌 만족을 추구해야만 하는 것이다. 그런데 우린 어떠한 감정을 느끼기 위하여 가치추구의 대상을 결정하는 것이 아니라, 무엇을 의식하고 나니 어떠한 감정상태가 된다는 것이다. 결국 만족이나 행복은 우리가 선택할 수 있는 문제가 아닌 것이다. 그것은 우리가 의도한다고 되어지는 것이 아니라 우리 자의식의 크기에 따라 후차적으로 결정되는 것이기 때문이다.

우리가 만족·불만족의 상태에 놓이는가, 혹은 행·불행의 상태에 놓이는가, 하는 것은 우리 가치추구의 대상이 자의식 내부인가, 혹은 외부인가, 에 따라 달라지는 것이다. 우리가 자의식 내부를 의식하고 있다면 우린 만족하거나 혹은 불만족 할 수 있다. 그러나 자의식 외부를 피상적으로 의식하고 있다면 당연히 배타적으로 의식할 것이고 행복하거나 불행할 것이다. 때문에 우리가 만약 행복이 아닌 만족을 느끼기 위해서는 의식의 대상을 자의식 내부로 두어야 한다. 이처럼 가치추구의 대상이 의식 속에 있느냐 의식 밖에 있느냐에 따라 우리의 감정은 전혀 다른 반대의 방향으로 치달으며 우리의 행동 또한 전혀 상반된 결과를 초래하게 되는 것이다. 이처럼 우리의 감정은 우리가 선택하는 행위에 따라 결정 나는 것이 아니라 우리의 의식 범위에 따라 결정 나는 것이다. 우리 의식의 범위에 따라, 우리 행위의 대상이 의식의 경계 안에 있느냐 밖에 있느냐에 따라, 우리의 감정을 비롯하여 우리 삶의 수많은 명제들이 반대방향으로 뒤바뀌기도 하며 우리 삶의 가치와 반가치 또한 뒤집어질 수 있는 것이다. 때문에 우리 삶의 결과는 우리가 '어떠한 삶을 사는가?' '어떠한 행위를 하는가?'에 따라 결정 나는 것이 아니라 우리 의식의 크기가 어떠한가에 따라 우리 삶의 의미와 보람 결과가 뒤바뀔 수 있다는 것이다. 그런데 도대체 의식이란 것이 무엇이란 말인가? 알아야 의식이 큰지 작은지 그 범위가 어디에까지 미치는지 구분할 수 있는 것이 아닌가?

7. 의식

우리의 영혼은 어떠한 저항도 없는 존재계에 합일의 상태로 존재했었다. 그러던 어느 날 관념계로부터 절망이라는 악성관념이 떨어져 나와 존재계에 충격을 가하자 존재에 깃들어있던 영혼이 떨어져나오며 자신을 존재로부터 분리시킨 관념에 대항하며 대치하게 되는 것이다. 때문에 관념계와 존재계의 경계지역에는 관념계로부터 떨어져 나온 분리관념과 존재계로부터 떨어져 나온 영혼이 서로 대치하며 갈등하는 전쟁터가 형성되는 것이다. 이러한 전쟁터를 우리는 의식이라 하고 관념과 영혼의 전쟁양상을 우린 감정으로 느끼고 이러한 감정에 의하여 우린 나를 자각하며 삶을 영위하고 있는 것이다.

관념계와 존재계의 경계지역에 있는 의식은 관념과 영혼의 작용에 의하여 형성되지만 우리의 의식 중 필수적이고 지속적이며 주체적인 것은 영혼이기 때문에 우린 영혼을 의식의 주체라 하게 되고 의식의 크기는 영혼이 미치는 영역까지라고 할 수 있는 것이다. 오직 영혼이 미치는 영역에서만 고통과 쾌감을 비롯한 우리의 감정이 생겨나고 영혼이 없이 오직 관념만이 준동하는 영역에서는 느낌이 고갈된 인식은 있을지언정 우리 행동의 방향을 결정하는 감정을 포함한 의식이 결여되어 공허한 사리구분만이 우리의 행동을 통제하고 억제하게 되는 것이다. 그러나 우리의 관념과 영혼은 한 곳에 섞여있어 잘 구분되지 않기 때문에 우리는 의식의 영역과 인식의 영역 또한 잘 구분하지 못하고 살아있는 동안에는 관념이 주체인지 영혼이 주체인지도 구분하지 못할 뿐 아니라 심지어는 관념이 주체인 것으로 착각하여 삶의 방향을 엉뚱한 곳으로 몰아가기도 하는 것이다. 관념의 양이 많고 적어 똑똑한 자와 멍청한 자가 있듯이 영혼의 양이 많고 적어 현명한 자와 어리석은 자가 나뉘기도 하여 관념과 영혼의 비율에 따라 우린 각기 다른 수많은 행동의 방향을 갖게 되지만 관념과 영혼은 우리에게 상반된 행동을 제시하게 되는 것이다. 관념은 인식의 영역을 담당하여 우리의 행동을 통제하고 구속하지만 영혼은 감정을 바탕으로 우리에게 행동의 방향을 제시하게 되는 것이다.

의식이라 하는 관념과 영혼의 전쟁터에는 관념이라는 침략자가 끊임없이 준동하며 의식의 후방에 있는 영혼의 안식처인 존재계를 침범하기 때문에 영혼은 이를 막아내느라 끊임없이 노력하며 고통에 시달리게 된다. 이처럼 관념과 영혼의 전쟁터인 의식 속의 관념은 고통으로 작동하기 때문에 우린 고통으로부터 벗어나기 위하여 의지를 일으켜 의식 속의 관념을 없애려 하게 되는 것이다. 의식 속의 영혼이 이러한 수고를 하는 이유는 오직 존재를 파괴하고 영혼을 억제하는 관념을 제거함으로서 의식의 주체인 영혼을 본래의 고향인 존재에 다가가도록 하고자 함인 것이다. 그런데 의식 속의 관념 욕구 고통은 저절로 사라지지 않고 그 힘이 강력해 영혼만으로 사라지게 할 수 없어 우리의 영혼은 관념을 없애기 위하여 또 다른 관념을 필요로 하고 이들을 의식 내부로 끌어들이는 것이다. 이러한 관념이 바로 가치 관념인 것이다. 의식 속에 배가 고픈 관념이 들어가 있으면 우린 음식을 먹어야 하고 스트레스가 꽉 차있으면 스트레스를 해소할 어떠한 방법을 필요로 하는 것이다. 의식 속에 어떠한 관념 욕구 고통이 있는가에 따라 우리는 그러한 고통을 중화시킬 상대 가치를 필요로 하고 고통을 중화시킬 상대 가치를 충족시키기 위하여 끊임없이 가치와 반가치를 교환하는 것이다. 그리하여 의식을 예전의 공(존재, 관념 없음)의 상태로 환원시키려 하는 것이다. 오직 관념 욕구 고통인 의식 속의 반가치를 없애기 위하여 가치는 끌어들이고 반가치는 배척하려 하는 것이다. 우리의 의식은 가치의 교환이 있을 때마다 반가치를 배척하기 위하여 배타성을 띠며 배타적 경계를 명확히 하여 의식을 자의식화 함으로서 스스로를 고통으로부터 보호하고자 하는 것이다.

의식은 가치의 교환이 반복될수록 스스로를 축소시켜 공고히 하고 아무런 가치의 교환이 일어나지 않으면 배타적 경계를 해체하여 그 크기를 가늠할 수가 없다. 그러나 우리가 살아가면서 시간이 흐르고 공간이 변화하며 우리의 의식 속으로 수많은 가치와 반가치가 들어오고 나가기를 반복하면 우리의 의식은 가치는 받아들이고 반가치는 배척하려 하기 때문에 경계를 만들어내고 가치에 대해서는 친화적이 되지만 반가치에 대해서는 배타적이 되어 끊임없이 가치는 끌어들이고 반가치는 배척하며 의식의 경계를 유동적으로 변화시키게 되는 것이다. 우리의 과거와 미래로부터 영혼의 흐름을 방해하는 반가치가 들어오려 하면 의식은 경계를 만들어 반가치를 배척함으로서 스스로를 보호하고자 하는 것이고 과거와 미래로부터 반가치를 중화시킬 수 있는 가치가 들어오려 한다면 의식은 경계를 풀어 가치를 받아들이려 하는 것이다. 이미 만들어진 결합관념인 과거 속에 가치가 많으냐 혹은 반가치가 많으냐에 따라 우리의 의식은 지금의 크기를 가지고 있으며 앞으로 들어올 미래(환경)로부터 '가치가 많이 들어오느냐?' 아니면 '반가치가 많이 들어오느냐?'에 따라 우리의 의식은 그 크기와 경계를 변화시키는 것이다. 그 결과 우리는 경계 내의 것을 자의식으로 느끼고 경계 밖의 것은 배타적이거나 피상적인 타의식으로 느끼게 되는 것이다.

자의식은 경계를 가지고 그 이외의 것에 대하여 배타적이다. 이러한 자의식은 가치를 교환하며 경계를 침범 받을 때에만 생겨나며 아무런 자극이 없다면 자의식은 생겨나지 않는다. 자극에 의하여 자의식은 배타적 타의식과 동시에 일어나며 남들과 부딪치면서 사안 사안마다 촉수를 뻗어 그 경계를 명확히 하는 것이다.

의식이 커다란 자들은 우리가 그들의 의식 속에 들어가 있기 때문에 그들의 자의식의 크기를 가늠할 수가 없다. 그러나 의식이 작은 자들은 우리가 그들의 의식 밖에 배타적으로 또는 피상적으로만 존재하기 때문에 상대 자의식의 협소함을 느낄 수 있게 된다. 의식의 크기에 따라 그 경계가 명확한 협소한 의식의 소유자들도 있고 경계를 구분할 수 없는 커다란 의식을 소유하고 있는 자들도 있는 것이다. 협소한 의식의 소유자들은 의식의 경계를 명확히 하며 배타성을 띠고 항상 자신을 주장한다. 그러나 커다란 의식의 소유자들은 의식의 경계를 구분할 수가 없고 주변을 배려하고 보살피며 자신을 희생하기도 하는 것이다.

의식이 확장될 때에는 경계를 해체하며 커지기 때문에 나와 남의 구분이 없어 모두를 배려하고 모든 것을 보살필 수가 있다. 그러나 의식이 축소될 때에는 의식의 배타적경계를 뚜렷이 하며 남을 배척하고 자기 자신을 확고히 한다. 아무런 가치의 교환이 일어나지 않는다면 우리의 의식은 무한대로 확대될 것이다. 그러나 우리가 시공 속에 살고 있는 이상 시간이 가고 공간이 변화하면 난무하는 가치와 반가치중에 가치는 끌어들이려 하고 반가치는 배척하려 해 끊임없는 가치의 교환이 일어나고 우리의 의식 또한 그 크기가 유동적으로 변화되어 가는 것이다.

우리의 의식은 현재의 나이다. 의식 속에는 오직 고통만이 잔류하기 때문에 우린 고통에 의해 나를 자각하고 의지를 일으켜 고통을 없앰으로서 나에 대한 자각으로부터 벗어나려 하는 것이다. 이러한 의식은 오직 의식을 둘러싸고 있는 시공의 변화에 의하여 영향을 받기 때문에 우린 의지를 일으켜 의식을 둘러싸고 있는 시공을 변화시킴으로서 그에 따라 의식 또한 변화시키게 되는 것이다. 그 결과 우리는 스스로 만들어낸 시간과 공간이라는 결합관념에 따라 자기만의 고유한 의식을 갖게 되는 것이다.

인식주체와 대상과의 관계에 의해서 나는 이루어진다. 그러나 우리가 인식으로 맺고 있는 관계의 대부분을 우리는 무가치나 반가치로서 단절시키고 우리가 가치로서 느낄 수 있는 관계는 의식 속에 들어와 있는 이 세상 모든 것의 극히 일부에 지나지 않는다. 이러한 것에 우리는 가치를 부여하고 자의식의 범주에 끌어들여 유형무형으로 자신을 지키고 보존하는데 도움을 받으려 하는 것이다. 우리는 인식으로 인하여 나를 형성하지만, 우리는 나 자신의 대부분을 무가치나 반가치로 만들어 무시하고 우리가 실제로 느끼며 가치를 두고 있는 것은 의식이라고 하는 지극히 협소한 일부분에 불과한 것이다. 그러나 이러한 의식이 우리 자신에게는 가장 의미 있고, 내가 자각할 수 있는 유일한 나인 것이다.

모든 사람이 각기 다른 개성과 사회적 지위를 가지고 있는 것처럼,

의식도 사람마다 그 영역이 다양하고 변화무쌍하다. 어느 누구의 의식도 남의 의식과 같지 않고 그 크기 또한 각기 다른 것이다. 어떤 사람의 의식은 겨우 자기 자신의 인식기관이 달려있는 몸뚱어리 정도인 사람이 있는가하면, 어떤 사람의 의식은 자신의 가족은 물론이고 국가 혹은 모든 인류를 상대로 의식을 펼쳐나가는 사람도 있고, 주변의 모든 사물까지도 의식으로 받아들여 주위의 모든 것을 소중히 여기는 사람도 있다. 이러한 의식의 크기에 따라 사람의 성품이나 인격이 결정되는 것이다.

위축된 의식을 가진 사람들이 많으면 세상은 삭막해지고 살벌해질 것이고 확장된 의식을 가진 사람들이 많으면 세상은 따뜻해질 것이다. 위축된 의식을 가진 사람들은 남을 배척하고 경계의 대상으로 생각하며 피해의식에 휩싸여 있는 경우가 많고, 확장된 의식을 가진 사람들은 남을 배려하고 포용하게 된다. 반 가치로 인하여 남으로부터 피해를 많이 당한 사람일수록 남을 경계의 대상으로 생각하고 의식을 자의식화 하며 의식의 영역을 위축시킨다. 그러나 물질적, 정신적 풍요는 주위의 모든 사람들의 의식을 확장시키기도 한다. 때문에 세상이 선한 것처럼 보이기도 하는 것이다. 이는 서로의 의식이 서로를 공유하기 때문이다. 주변 사람들과 의식을 공유한다면 우리는 보다 만족한 삶을 살 수 있다. 나의 의식 속에서 남들은 편안해하고, 남들의 의식 속에서 우리는 편안함을 느끼게 되는 것이다. 이는 의식 안에 우호적인 것이 있고, 의식 밖에는 배타적인 것이 있기 때문이다. 남들의 확장된 의식은 나에게 편안함과 만족을 주지만 의식이 작은 자들은 나에게 불안과 고통을 주게 되는 것이다. 때문에 우리는 의식이 큰 자들을 존경하고 자의식이 작은 자들을 경멸하게 되는 것이다.

우리가 의식이 큰 자들 옆에서 편안함을 느낀다는 것은 우리가 그들의 의식 속에 들어가 있다는 것이고 남들이 나를 가치 있게 생각하고 고통과 연민으로 바라본다는 것이다. 만약 남들의 의식이 작아 나를 배타적으로 바라본다면, 내가 어떠한 고통을 당한다 하더라도 남들은 나를 거들떠보지도 않을 것이고 심지어 나의 고통을 흥미롭게까지 여길지도 모른다. 우리 주변을 보면 우리가 얼마나 남의 고통을 무시하고 흥미로워하는지 알 수 있다. 남의 고통을 느끼나 못 느끼나 하는 것은 그 고통이 자신의 의식의 범위 안에 있는가 아니면 의식의 범위 밖인가의 차이이다. 의식이 넓고 큰 사람은 남의 고통에까지 안타까움을 느끼겠으나 의식이 좁고 옹졸한 사람은 남의 고통을 무시하고 즐기기까지 한다. 때문에 우리는 의식이 큰사람 곁에서 편안함을 느끼는 것이다.

이처럼 주변사람들의 의식의 크기는 우리 자신에게 아주 커다란 영향을 미치게 되는 것이다. 우리가 주변사람들과 의식을 공유한다면 우리는 서로를 배려하고 편안하고 만족스러운 생활을 할 수 있겠으나, 나를 비롯한 주변 모두가 옹졸한 자의식을 갖고 서로를 배척하고 있다면 우리의 삶은 살벌하고 피폐해질 것이다. 이때 자의식의 경계는 배타적이 되고 그 경계를 뚜렷이 하게 되는 것이다.

우리주위에 있는 자들의 의식이 넓으냐 아니면 좁고 옹졸하냐에 따라서 세상은 선하게도 보이고 혹은 악하게 보이기도 한다. 주위에 의식이 넓은 자들이 많은 사람은 세상을 선하게 볼 것이고 주위사람들의 의식이 좁고 옹졸하다면 세상은 악하게 보일 것이다. 이처럼 남들의 의식 크기에 따라서 세상이 선하게도 혹은 악하게도 보이는 것은 그것을 바라보는 내가 남들의 의식 속에 포함되어 있을 수도 혹은 아닐 수도 있기 때문이다. 남들의 의식이 커 내가 그들의 의식 속에 포함되어있다면 세상은 선하게 보일 것이고 남들의 의식이 작고 협소하여 내가 그들의 의식 밖에 경계의 대상으로 존재한다면 세상은 악하고 살벌하게 보일 것이다. 이처럼 선과 악은 행위자의 행위자체에 의하여 구분되는 것이 아니라 그 행위를 바라보는 자의 위치에 의하여 구분되는 것이기 때문이다. 우리가 남들의 의식 속에 들어가 있느냐 아니냐에 따라 선과 악은 판가름 나는 것이다. 세상이 선한가? 악한가? 하는 것은 세상 자체의 문제 혹은 사람 자체의 문제가 아니라 사회의 구성원들이 나를 자신들의 의식 속에 포함시켜 주느냐 아니냐에 따라 세상이 선하냐 아니냐가 결정되는 것이다.

모든 행위는 그 행위를 바라보는 객체가 행위자 자의식의 배타적경계 안에 있느냐 밖에 있느냐에 따라서 선과 악으로 구분된다. 자의식의 배타적경계에 선과 악의 경계가 겹쳐져 있는 것이다.

8. 선과 악

우리는 선이 무엇이고 악이 무엇인지 그 정의를 찾으려고 정말 지겹도록 떠들어 왔다. 선과 악이 사람의 본성이니 자질이니 심성이니 하며 선악을 정의내리기 위하여 단어에 단어를 추가하고 설명에 설명을 추가하여, 알려고 한다는 자체가 몽환에 빠져 헤어 나올 수 없는 정신착란과 같은 결과를 가져온다. 마치 거창한 선과 악이라는 명제를 해석하기 위해서는 어렵고 복잡한 수식어를 아무도 알아듣지 못해야만 비로소 고차원적 해석이 되기라도 하듯 열심히 설명을 하고는 결국엔 아직까지 결론이 나지 않은 아주 어려운 문제라 한다. 이는 아직까지 결론이 나지 않은 문제가 아니라 관점을 가지고 있는 상태에서는 결코 결론을 낼 수 없는 문제인 것이다.

그럼에도 불구하고 선과 악을 마치 인간의 성품이나 자질 혹은 옳고 그름과 같은 것으로 해석하려는 시도가 계속되는 것은 자신의 관점이 관점에 불과하다는 것을 모르고, 마치 자신의 관점이 절대적인 입장에 놓여있다고 생각하는 착각 속에서 나오는 것이다. 어떠한 명제가 관점에 따라 다른 것이라면 그것을 해석하기 위해서는 자신의 이기적 관점을 버려야만 해석할 수가 있는 것이다. 그런데 우리 인간은 자신의 이기적 관점을 버릴 수가 없다. 이기적 관점을 가지고 있는 자들이 관점을 설명한다는 것은 자신을 부정해야만 하는 것인데, 자신을 붙들고 있는 채로 이기적 관점을 가지고 아무리 설명을 하고 정의를 내리려 해도 단어의 나열 일 뿐 결코 설명되어지지 않는 것이다.

이기적 관점을 가지고 선과 악은 정의내릴 수 없다. 단지 주장할 뿐이다. 이것이 선이고 저것은 악이라고, 힘 있고 목소리 큰 자들은 선을 쟁취할 것이고 힘없는 자들은 악을 부여받을 것이다.

사람은 선한가 악한가를 따질 필요 없이 그저 이기적이다. 다만 그 이기의 대상인 자의식의 범위가 어떠한가가 문제이지 선과 악을 따진다는 것은 문제가 무엇이던 간에 답부터 정리하고 문제를 들추어보는 것과 같다. 이러니 답이 나올 리가 없다.

인간은 선이나 악을 행하는 것이 아니라, 이기를 행할 뿐이다. 남의 이기적 행위를 보고 자신의 이기적 관점에 따라 선한 자와 악한 자를 구분한다. 하나의 행위도 그것을 바라보는 관점이 행위자 자의식의 배타적경계 안에 있으면 그 행위는 선이 될 것이고 배타적경계 밖에 있으면 악이 되는 것이다. 선과 악은 어떠한 행위에 의해서 결정 나는 것이 아니라 그 행위를 바라보는 관점의 위치에 의해서 결정이 나는 것이다. 그리고 이러한 관점의 위치를 나누는 것은 행위자 자의식의 배타적경계이다.

행위자의 이기와 관찰자의 이기가 서로 겹친다면 그것이 선이고 두 개의 이기가 분리되어 있다면 그것은 악이다. 이처럼 선과 악 그것은 관점 이외에 그 어떠한 것도 아니다. 선과 악 그것은 어떠한 행위에 의하여 구분이 되는 것이 아니고, 사람의 심성이나 자질에 의하여 구분되는 것도 아니고, 오직 그 행위를 바라보는 관점과 행위자 자의식의 배타적 경계에 의하여 구분이 되는 것이란 말이다.

우리는 항상 이기를 행하도록 되어있다. 그런데 우리는 남들의 이기적 행위를 보고 어떤 행위는 선하다 하고 어떤 행위는 악하다 한다. 어떤 행위를 할 때는 자신의 행위가 선할까 악할까를 생각지 않는다. 위대한 자나 거룩한 자나 도둑놈이나 사기꾼이나 이들은 단지 자신에게 도움이 되는 행위를 할 뿐이다. 이들이 다른 것은 자의식의 범위일 뿐 선악은 없다.

선과 악은 이기적 발로에서 나온 구분이기 때문에 누구나 자신은 선을 주장하고 남에게는 악을 선사한다. 이는 옳고 그름의 문제가 아니다. 남과의 분쟁이 있을 때 선을 쟁취해야만 남에게 악을 덮어씌워 상대를 단죄할 수 있기 때문이다.

선과 악을 구별하려면 이기심이 있어야만 한다. 우린 법과 도덕은 이기심이 없어 공평할 것이라 생각하지만 그것도 커다란 관념으로서 사회적 이기를 가지고 있는 것이다. 다만 사회의 커다란 범위에 우리가 속해있어 사회적 이기를 느끼지 못하는 것뿐이다. 어떠한 절대적 관점이라 하더라도 선과 악을 구분할 수 있는 절대적 관점은 있을 수가 없는 것이다. 선과 악은 이기심에 의해서만 구분이 가능하기 때문에 신이라 할지라도 누군가를 심판한다면 신은 이기적 존재일 것이고 이기적 존재가 아닌 절대적 존재라면 신은 어느 누구도 심판할 수 없는 것이다.

우리의 이기를 만족시키려는 의도에서 선과 악의 구분은 필요하다. 우리는 선한 자들 옆에서 편안함을 느끼고 악한 자들을 경계하고 배척한다. 이는 의식이 넓은 자들에게서 편안함을 느끼고 그 경계가 작은 자들을 경계하고 배척하는 것과 같은 말이다. 우리가 선과 악을 구분하는 이유는 선한(나에게 유리한) 자들과 더불어 살고 악한(나에게 불리한) 자들을 배척하기 위함이다. 그래야만 세상을 편히 살 수 있는 것이다. 그러나 우리 주위에는 절대적으로 선하거나 절대적으로 악한 자들은 없고 그저 어느 정도는 선한 것 같고 어느 정도는 악한 것 같은 어정쩡한 사람들이 대부분이다. 우리 주위에서 절대적으로 악한 자들은 배척할 수 있을지 모르지만 어느 누구도 절대적으로 악하거나 아니면 절대적으로 선 할 수는 없는 것이다. 우리 모두는 의식의 한계를 가지고 있고 그 한계가 유동적으로 변하기 때문에 우린 어차피 어정쩡한 사람들과 더불어 살며 끊임없이 선한 사람들과 악한 사람들을 구분하고 선한 사람들과 부류를 이뤄 살기를 원할 수밖에 없는 것이다. 이는 의식이 큰 자들과 부류를 이뤄 살기를 원하는 것이고 의식이 큰 자들은 우리자신을 그들의 의식 범위에 포함하기가 쉽다고 느끼기 때문이다. 우리 자신이 남들의 의식 속에 들어가 있다면 우린 그들과 더불어 편안하고 안정적이 될 것이다. 이는 어린아이가 부모 곁에 있을 때 안정을 느끼는 것과 같다. 그러나 우리가 남들의 의식 속에 들어가지 못하고 남들 자의식의 배타적경계 밖에 위치해 있다면 우린 항상 불안하고 남들을 경계하며 살아가야만 한다. 이처럼 우리가 주변사람들의 의식 속에 들어가 있느냐 아니냐에 따라 우리자신의 삶은 풍요로울 수도 있고 아주 피폐해질 수도 있는 것이다. 때문에 우리는 선한 사람들과 함께 있기를 원하며, 이는 의식이 큰 사람과 함께 있기를 원하는 것이고, 이는 우리 자신이 남들의 의식의 범위에 들어가 있기를 원하는 것이다. 그렇다, 우리 주위에 의식이 큰 자들만 · 선한 자들만 있다면 우리의 삶은 편안해지고 풍요로울 수 있다. 그러나 이 세상에 선한 자들만 사는 곳이 따로 있는 것도 아니고 의식이 큰 자들만을 모집하여 주위에 배치할 수도 없는 일이다. 그렇다고 주위사람들의 의식을 잡아 늘릴 수도 없는 것이다. 우리가 선한 자들과 같이 있기를 원하는 것은 우리가 주위 사람의 의식의 경계 안으로 들어가야만 삶이 편안해지기 때문이다. 그런데 주위 사람들의 의식이 작아 우리가 그들의 의식 밖에 놓여있다 하더라도 우리 스스로 그들 의식의 경계 안으로 비집고 들어간다면 우린 그나마 조금이라도 편안한 삶을 살 수 있을지 모르는 것이다. 때문에 우린 남들이 나를 배려해주길 바라며 남들의 의식 속으로 들어가기 위하여 기를 쓰며 노력하는 것이다. 그런데 도대체 우린 어떻게 하여야 남들의 의식 속으로 들어갈 수 있단 말인가?

우리가 남들 자의식의 배타적 경계 안으로 들어가는 방법, 아니 적어도 남들로부터 배척당하지 않을 정도만이라도 될 수 있는 방법은 무엇인가? 앞에서 살펴보았듯이 우리의 의식은 보다 가치를 느끼는 것을 의식의 범위에 넣으려 하고 아무런 가치를 느끼지 못하는 것은 배척하려 한다는 것을 살펴보았다. 따라서 우리가 남들 자의식의 배타적경계 안으로 보다 쉽게 들어가기 위해서는 우리 자신을 가치 있게 만들면 되는 것이다. 스스로 가치가 있다면 남들은 우리를 자신들의 의식 내부로 끌어넣고자 할 것이고 만약 아무런 가치도 없이 자신을 만든다면 남들은 우리를 배척하거나 무시하게 되는 것이다.

우리가 세상을 편히 살기 위하여서는 남들의 의식 범위 안으로 들어가야 하고 그러기 위해서는 자신의 가치를 높여야만 한다. 이처럼 자신의 가치를 높인다는 것은 선과 악의 경계가 어정쩡한 남들을 적어도 자신에게 만큼은 선하게 만드는 효과가 있다. 그러기 위하여 우리는 세수도 하고 옷도 치장하며 지식을 축적하기도 하여 자신의 가치를 높이고 보다 많은 가치를 소유함으로서 남들로부터 호감을 사기 위하여 정말 많은 노력을 하는 것이다.

가치를 높이려면 스스로를 가치 있게 만들거나 아니면 유형무형의 많은 가치를 소유해야만 한다. 우린 스스로를 가치 있게 만들고 보다 많은 가치를 소유하기 위하여 항상 갈구하여 왔지만 우린 아직까지 가치의 결핍 속에 살고 있다. 도대체 어떻게 해야만 가치 있게 되고 보다 많은 가치를 소유하게 된단 말인가?

가치는 희소하기 때문에 쉽게 취득되지 않고 우리가 원하는 가치가 어디엔가 꼭 있는 것도 아니다. 때문에 우리는 가치를 어렵게 찾아내거나 만들어 내어야만 하는 것이다. 그런데 도대체 가치라는 것이 무엇이기에 이렇게 취득하기가 힘들단 말인가. 가치가 무엇인지 알아야 주워오건 만들어 내건 할 것이 아닌가.

가치는 저 멀리에 있는 것도 아니고 미래에 저절로 생겨나는 것도 아니다. 가치는 우리의 기억 속 결합관념인 욕구와 결합되어 미래에 깨어나길 바라며 잠자고 있는 것이다. 욕구가 없으면 가치는 존재하지 않고 형상화 되지 않는다. 가치는 욕구에 의해서 형상화되고 구체화되는 것이지 스스로 가치 있는 것은 존재할 수 없는 것이다.

우리가 그토록 원하는 가치는 우리의 기억 속에 욕구와 결합되어 잠자고 있는 미래가치이다. 그러나 미래가치는 기억 속에 잠자고 있어 저절로 현실화 되지 않는다. 우리가 가치를 획득하는 방법은 존재하지 않는 새로운 가치를 찾아 헤매는 것이 아니라 이미 자신이 가지고 있는 기억속의 결합관념 중 욕구와 결합되어 아직 현실화 되지 않은 미래가치를 현실화 시키는 것이다. 미래가치는 현실화 되어 욕구와 결합되어 상쇄될 수 있어야만 비로소 가치로서의 역할을 하는 것이다. 만약 가치가 욕구와 결합되지 않고 미래가치로 계속 남는다면, 우리의 욕구는 해소되지 않고 불안정한 상태 고통의 상태가 지속되고 남들에게는 불안하고 무가치한 사람으로 비추어질 것이다. 때문에 우리는 미래가치를 욕구와 결합할 수 있는 현실가치로 만들어야만 하는데 그러기 위해서는 미래가치를 우리의 의식 전면에 가져다 놓고 작업을 거쳐야만 하는 것이다. 창고에 아무리 많은 곡식이 쌓여있다 하더라도 밥을 해서 밥상위에 올리지 않으면 먹을 수 없는 것과 같이, 과거의 영역에 아무리 많은 미래가치가 들어있다 하더라도, 의식의 전면으로 끌어내어 가공과정을 거치지 않으면 현실가치가 될 수 없는 것이다. 충족되지 않은 미래가치를 가공하여 현실가치화 시키는 과정 그것이 몰입이다.

9. 몰입

몰입은 미래가치를 현실화함으로서 가치를 만들어내고 욕구와 결합시켜 우리를 고통에서 벗어나게 하는 유일한 도구이다. 몰입을 하지 않고는 누구도 고통에서 벗어날 수 없고, 몰입을 한다면 누구나 고통에서 벗어날 수 있다.

만약 누군가가 종교 활동 중에 커다란 기쁨을 얻었다면 그는 몰입을 한 자이다.

만약 누군가가 훌륭한 음악을 듣고 자유와 쾌감을 얻었다면 그는 몰입을 한 자이다.

만약 누군가가 수행을 하다 엄청난 희열을 맛보았다면 그는 몰입을 한 자이다.

만약 누군가가 격렬한 운동을 하며 쾌감을 얻었다면 그는 몰입을 한 자이다.

만약 누군가가 사랑을 하여 즐거운 나날을 살고 있다면 그는 몰입을 한 자이다.

만약 누군가가 도둑질을 하며 짜릿한 오르가즘을 느꼈다면 그는 몰입을 한 자이다.

만약 우리가 일생에 단 한번 만이라도 희열과 쾌감을 느꼈다면 그때 우리는 몰입을 한 것이다.

누구라도 어디엔가 몰입을 한다면 고통에서 벗어나 기쁨과 쾌감을 느낄 수 있는 것이다.

우리가 몰입을 하게 되는 이유는 그로 인하여 욕구를 충족하고 고통에서 벗어나기 때문이다. 몰입은 하려고 해서 되는 것이 아니라 몰입 대상에 대해 어떠한 가치를 느껴야만 할 수 있는 것이다. 일상적으로 지나치는 길거리의 돌멩이나 전봇대와 같은 단순 사물에 몰입을 한다고 되지도 않을 것이고 미친놈으로 생각되기 십상이다. 몰입을 하기 위해서는 그 대상이 우리가 욕구했던 가치를 가지고 있어야만 하는 것이다.

몰입은 노력과 인내를 필요로 한다. 노력과 인내는 저절로 나오는 것이 아니라 가치를 의식하는 데에서 나온다. 아무런 대가가 없는데 땅을 파고 묻기를 반복하는 바보는 없을 것이다. 가치를 의식하면 노력과 인내는 저절로 생기게 되는 것이다. 문제는 가치를 발견하는 것이다. 가치를 느끼지 못하는 것에 매달려 세월을 낭비하며 고통의 시간을 보낼 것이 아니라, 자신이 가치를 느끼는 것을 찾아보는 것이 현명한 일이다. 그러기 위해서는 다양한 경험이 필요하다. 많은 경험에서도 가치 있는 것을 찾지 못했다면, 방법은 단 한가지이다. 더 많은 것을 경험하는 것이다.

가치는 어느 날 갑자기 발견된다. 이는 우리의 욕구가 관념 깊숙한 곳에 숨겨져 있어 쉽게 발견되지 않기 때문이다. 경험은 밭에 쟁기질을 하는 것과 같이, 우리의 조건 지어진 관념의 밭을 뒤집어엎어서 속에 감추어진 욕구를 드러나게 한다. 욕구가 드러나야 비로소 가치가 무엇인지도 알 수 있는 것이다.

일상적으로 생겼다가 금방 해소되는 생리적 욕구가 아닌, 우리 관념 깊숙이 숨겨져 있던 욕구는 쉽게 해소되지 않고, 그것이 숨겨져 있던 시간만큼이나 욕구를 실현하는 데도 많은 시간이 걸릴 수 있고,

실현방법도 초인적인 능력을 필요로 할 수가 있는 것이다. 그러나 한 번 해결하고 나면 반복적으로 같은 욕구가 생겨나지는 않는다. 때문에 몰입을 통한 욕구의 실현 · 가치실현 · 문제의 해결은, 한 사람의 일생에 중대한 분기점이나 업적과 같은 커다란 보상으로 이어지는 경우가 많은 것이다.

우리는 삶의 의미를 찾든 보람을 찾든 혹은 쾌감을 추구하던 아주 다양한 방법으로 살아가고 있다. 우리가 어떠한 방법으로 살아가든 우리에게는 궁극적으로 단 하나의 방향이 있다. 그것은 고통에서 벗어나는 것이다. 자각에서 벗어나는 것이다. 나를 버리는 것이다. 이 세상의 모든 생명은 이미 이와 같은 방향으로 살아왔고 살고 있고 살아갈 것이다. 문제는 효율이고 정확성이다. 많은 노력을 했는데도 엉뚱한 곳에서 결과를 맞이하거나 아무런 성과를 거둘 수 없다면 노력을 할 필요가 없을 것이다. 노력을 한 만큼 효율적이고 정확하게 고통에서 벗어나야만 하는 것이다.

몰입을 하면 효율적이고 정확하게 고통에서 벗어날 수 있다. 몰입은 못해서 그렇지 하기만 하면 좋은 것이다. 그런데 도대체 무엇이 좋은 것인가? 몰입을 하면 쾌감을 느끼고 자유를 만끽하며 창의적이 되고 몰입의 끝에서는 창조적 행위가 나온다. 도대체 몰입과 쾌감은 무슨 관계이고 몰입과 자유 혹은 창조적 행위는 무슨 연관이 있단 말인가?

이러한 것들이 가능한 이유는 바로 관념이 사라지기 때문이다.

몰입을 하면, 우리의 영혼은 단 하나의 대상관념으로 축소되어 들어가고 영혼이 축소되자 기억 속 부유물들은 영혼이 축소된 틈으로 빠져나오며 쾌감을 가져오고 영혼으로 포화된 단 하나의 대상관념만이 의식으로 이루어진 우주전체를 차지하기에, 우리의 의식은 걸릴 것이 없어 자유롭고, 단 하나의 대상관념 이외에 어떠한 관념도 없는 우주와 같이 확대된 단 하나의 대상관념 속에서, 우리의 의식은 유영을 한다. 그러다 하나의 문제를 발견한다. 우리의 잠재욕구 속에서 해결되지 않았던 단 하나의 가치, 문제의 블랙홀이다. 우주의 한가운데에서 의식을 빨아들이는 문제의 블랙홀, 의식은 블랙홀로 빨려 들어가며 짜릿한 쾌감을 느끼다 정점을 지나며 모든 의식을 문제의 블랙홀로 집어넣었을 때 온몸을 비트는 절정의 상태를 지나 앞에 펼쳐진 것은, 이제까지 볼 수 없었고 경험할 수 없었던 전혀 예측하지 못한 새로운 세상이 펼쳐진다. 창조의 행위가 이루어진 것이다. 창조는 우리가 마지막으로 몰입했던 대상관념마저도 완전히 사라진 후에 비로소 나타나는 것이다.

이러한 과정을 통해 몰입은 그 생을 마감한다. 몰입은 우리의 삶속에 들어있는 또 하나의 삶이다. 우리는 어디에 몰입했느냐에 따라서 여러 가지의 삶을 살기도 하고 얼마나 몰입했느냐에 따라서 삶의 진정성이 드러나기도 한다.

몰입 상태에서는 대상관념 이외의 모든 관념이 사라져 대상관념 이외의 어떠한 것도 욕구하지 않기 때문에 모든 것이 무가치해진다. 관념이 사라진 상태에서 어떠한 가치 관념도 더 이상 가치가 아니다. 그동안 추구했던 모든 쾌감의 대상들은 오히려 고통으로 여겨지고, 모든 선은 악이며, 모든 아름다움은 오히려 추함이요 천상의 음악이라도 소음에 불과해진다. 이제까지 추구했던 모든 가치들이 무가치함으로 환원될 때, 우리는 관념없음의 가치를 비로소 느끼게 된다. 모든 가치들이 무가치함으로 환원될 때, 우리는 우리 앞에 펼쳐지는 모든 사물과 사물의 운동에서 경이로움과 환희를 느낀다.

관념없음은 모든 분별을 떠나 어떠한 것도 판단하지 않고 자신의 관점을 드러내지도 않으며 이 세상 모든 것에 그 자체를 부여한다. 모든 사물이 그 자체로서 존재할 때, 모든 것은 경이로움이요 환희 그 자체이다. 오직 관념만이 모든 사물에 고통의 도료를 입힌다. 모든 사물이 그 자체로서 존재할 때, 모든 것은 합일의 상태에 놓인다. 오직 관념만이 모든 사물을 경계 짓고 분리한다.

관념은 무한한 우주에 좁은 길을 내어놓고 마치 선구자인양 우리를 인도한다. 우린 관념이 만들어 놓은 미로를 따라가며 판단하지 않고 회의하지 않는다. 앞사람이 간 길을 가니 편리하고 안전하며 모방과 답습만으로도 삶이 보장되기도 한다. 이런 편리한 삶이 우릴 관념의 미로에 가두어 놓고 압박하기 시작한다. 미로의 벽은 점점 좁아지고 내딛는 발자국은 앞사람의 족적에 정확히 맞추어야만 하는, 복잡하고 아슬아슬한 길로 들어섰다. 관념은 우리에게 긴장과 정확성을 요구하고 의식은 경직되고 날카로워 진다. 관념에 포화된 의식은 살짝 건드리기만 해도 날카로운 관념의 채찍을 휘두른다. 고지식과 형식으로 무장하고 기억력과 지식을 신봉하는, 관념에 의하여 양육된 자들을 선두로 하여, 관념의 채찍에 만신창이가 된 우리는 좀비가 되어 맹신의 발자국을 옮긴다. 다가와야 할 희망과 미래는 손을 뻗으면 뻗을수록 뒷걸음질 치며 걸어온 길은 망각의 늪으로 빠져들고 가야할 길은 짙어지는 안개 속에 시야는 어두워만 간다. 다리는 굳어지고 정신은 혼미해진다. 이제 관념의 짐을 내려놓고 주위를 둘러보아야 한다. 우리가 어디로 가고 있는지, 긴긴 여정에서 모아온 귀중했던 관념의 장신구들은 앞길을 방해할 뿐이다. 모든 걸 내려놓아야만 고개를 들어 앞을 똑바로 볼 수 있고 새로운 길을 선택 할 수 있다. 몰입은 관념의 짐을 내려놓고 휴식의 기회를 제공하며 모방과 답습이라는 관념의 관성에서 벗어나 새로운 창조의 이정표를 제시한다.

우리는 이제까지 관념을 통하여 세상을 바라보았다. 때문에 이 세상 모든 것은 이미 우리의 머릿속에 들어와 있는 것이다. 오늘 걷는 길은 어제도 걸었던 길이고 하늘에 별과 달이 떠있는 것은 학교에서 배워 너무도 잘 알고 있다. 관념은 모든 사물과 사물의 움직임을 요점 정리하여 우리에게 알려준다. 우린 세상을 볼 필요 없이 요점 정리된 관념만을 보고 산다. 알약 하나로 식사를 대신 한 것과 같이 미각과 포만감은 사라졌다. 그러나 몰입은 우리에게 알약을 버리고 미각과 포만감을 느끼라 한다. 관념을 버리고 새로움과 경이감을 느끼라 한다.

어떠한 행위를 하고나서 세상이 달라 보이고 새롭게 보이며 주위의 모든 것에 경이감을 느끼는 것은, 이제까지 모든 사물을 관념을 통하여 보던 것이 어떠한 행위 - 종교행위 몰입 창작 집중 - 를 하고나니 그 행위가 모든 관념을 사라지게 했고 관념이 사라지고 나니 주위의 모든 것이 새롭고 경이롭게 마치 생판 처음 온 별나라처럼 느껴지는 것이다. 때문에 몰입을 한 자들은 몰입을 하는 동안 종종 들뜬 기분을 느낀다. 이는 몰입으로 인하여 관념이 사라짐으로서 느껴지는 쾌감반응 이다. 남들에겐 이상한 사람으로 보이기도 하고 조증이나 조울증과 같은 병적 진단을 하기도 한다. 매일 매일을 일상적인 생활을 하는 사람들은 일상적 관념을 가지고 별 변동이 없는 감정의 생활을 할 수 있다. 그러나 몰입을 한 자들은 관념을 완전히 사라지게 했다가 일상으로 돌아왔을 경우에는 한꺼번에 일상 관념의 충격을 받아야만 하는, 매우 기복이 심한 감정 상태를 갖게 되기가 쉬운 것이다.

몰입이나 종교 활동 중에 커다란 기쁨과 경이감을 느낄 때 우리는 그때의 기분이 세상 어느 것 과도 견줄 수 없는 최고의 상태임을 안다. 이러한 최고의 상태가 바로 관념이 사라진 상태인 것이다. 우리가 느낄 수 있는 최고의 가치는 바로 관념이 사라진 상태인 것이다. 그런데 우리는 관념이 사라진 상태를 의식하지 못하고 그 상태를 촉발시킨 몰입대상에만 의미를 부여하여 몰입대상만을 절대시 하는 사람들을 많이 본다. 마치 평생을 굶주림에 지쳐 있다가 어떠한 음식을 먹고는 그 음식만이 포만감을 줄 수 있다고 주장하는 것과 같다. 우리는 안다. 포만감은 어떤 것이든 배불리 먹었을 때 오는 것이지 특정 음식을 먹어서 오는 것이 아님을, 우리가 개인적으로 가장 가치 있다고 느끼는 것은 특정한 경험을 해서가 아니라 어떠한 경험이던지 그 행위가 우리의 관념을 완전히 몰아내어 쾌감과 절정감을 가져올 때, 우리는 그 행위나 경험을 가장 가치 있다고 말하게 되는 것이다. 그것은 종교 일수도 예술행위 일수도 연구나 학문 일수도 사랑이나 운동 일수도 있는 것이다. 가장 가치 있는 것들의 공통점은 단 하나, 우리의 관념이 사라지게 함으로서 쾌감과 경이감을 느끼게 한다는 것이다.

몰입의 원리를 전혀 깨닫지 못한 자들은 자신이 어쩌다 한번 몰입한 대상을 특화하여 절대성을 부여하는 커다란 실수에 갇혀 버리고 만다. 우리가 어떠한 것에 몰입을 하던지 그 몰입의 끝에는 쾌감과 환희가 따라온다. 이것은 그 몰입의 대상 때문에 느끼는 것이 아니라 우리의 의식 속에서 몰입의 대상이 확대되며 온갖 잡스런 관념을 의식 밖으로 밀어내기 때문에 관념이 사라지며 느껴지는 어떠한 몰입의 과정에서나 나타나는 공통적인 현상이다. 때문에 어떠한 몰입의 대상을 특화해서 절대시한다는 것은 또 다른 몰입의 기회를 박탈하고 영혼을 특정 대상에 구속시켜버리는 우를 범할 수가 있는 것이다.

우리는 살아가면서 수많은 몰입을 할 수도 있고, 긴 세월에 걸쳐 하는 몰입이라면 세대를 거쳐 가며 몰입의 단계를 밟아 갈 수도 있다. 몰입은 궁극적으로 욕구와 가치를 결합하여 욕구와 가치를 실현시키고 소멸시켜 환희와 함께 창조물을 만들어 냄으로서 하나의 사이클을 완성해야만 또 다른 궤도로 진입할 수 있는 것이다. 그런데 어떠한 몰입은 몰입의 완성을 추구하는 것이 아니라, 몰입의 과정 속에서만 만족을 얻으려 하고, 몰입의 대상을 뛰어넘지 못해 몰입 속에 갇혀 있거나, 들어갈 땐 쾌감이었지만 나오는 과정은 더 큰 고통의 대가를 지불해 만신창이가 되어야만 겨우 탈출할 수 있는 소모적이고 자기 파괴적인 몰입이 있다. 몰입이 쾌감을 가져온다고 무조건 해서는 더 큰 부작용에 시달릴 수가 있는 것이다. 세상에 공짜는 없기 때문이다.

누구에게나 고통과 쾌감은 반복되며 시간이 흐를수록 그 파동의 진폭은 확대되어간다. 왜냐하면 우리의 관념이 양적으로 팽창하기 때문이다. 인류 전체를 놓고 보면 문명이 발달하고 진화하기 때문이다. 때문에 나중에 오는 것이 먼저 겪는 것보다 클 수밖에 없다. 쾌감만을 추구하면 결과는 더 큰 고통으로 다가오고 고통을 감수하면 그 대가는 더 큰 쾌감으로 다가온다. 이러한 원리는 몰입에도 적용되어 쾌감을 추구하면 할수록 나중의 결과는 돌이킬 수 없는 불행이 되기도 하는 것이다. 아무리 좋은 몰입이라도 신중히 해야만 하는 것이다.

우리가 몰입을 하게 되는 경우를 몇 가지 나누어 보자.

첫째 어떤 자들은 고통 속에 살면서 잠깐씩 고통으로부터 벗어난다. - 휴식성 몰입이다.

둘째 어떤 자들은 잠깐 들어갔다 나오려고 했는데 쾌감의 기억이 출구를 막아 나오고 싶은데 나올 수가 없다. - 중독성 몰입이다.

셋째 어떤 자들은 고통을 놓아두고 도망을 간다. 고통이 쫒아오지 못 할 곳이라면 어느 곳이라도 들어가서 문을 닫고 꼼짝 않고 있는 것이다. - 도피성 몰입이다.

넷째 어떤 자들은 고통을 마주보고 직시한다. 도대체 어떠한 문제가 있어 고통스러운 것인지 문제점을 발견하고 해결하려 노력한다. - 도전적 몰입이다.

이러한 네 가지의 몰입 중에 휴식성 몰입은 우리가 가장 일반적으로 하는 몰입이다. 취미나 다양한 방법의 스트레스 해소방법이 여기에 해당된다. 휴식성 몰입은 우리가 필요할 때 들어갔다가 원하면 언제든지 나와 다시 일상으로 돌아갈 수가 있다. 일상의 수준이 높을수록 휴식성 몰입을 많이 하게 되며, 일상의 수준이 낮다면 이마저도 하기 힘들 것이다. 그럴 경우 삶이 고통스러워진다. 이러한 휴식성 몰입은 시간과 금전이라는 대가를 지불하지만 부정적 영향 보다는 고통을 순화시키고 의식을 정화시키는 효과가 있다. 그런데 어떠한 경우엔 일상으로 돌아와서도 몰입의 기억에서 벗어날 수가 없는 경우가 있다. 쉬기 위해 잠깐 들어갔던 몰입이 일상의 고통스러운 관념을 완전히 사라지게 하여 고통에서 벗어나고 쾌감까지도 느끼게 했던 것이다. 적은 노력과 비용에 비해 아주 커다란 쾌감을 맛보았을 때, 그것은 잊혀지지 않고 계속적으로 추구하게 된다. 일반적인 휴식성 몰입은 몰입에서 얻는 효과가 노력에 비해 아주 크지는 않기 때문에 그것만을 되풀이 했을 경우 권태와 지루함을 느껴 다시 일상으로의 복귀를 원하게 된다. 그런데 노력에 비해 이득이 아주 크게 느껴진다면 그 효율을 놓치려 하지 않을 것이다. 이때 우리는 중독에 빠지게 되는 것이다.

10. 중독

노력에 비해 쾌감이 극대화 된 몰입으로, 쾌감의 기억이 의식을 차단하여 스스로 빠져나올 수 없어 일상을 파괴하며, 대부분 휴식성 몰입을 동기로 빠져들게 되는 몰입을 우리는 중독이라 한다.

우리의 의지는 고통으로부터 벗어나는 것이고 쾌감을 추구하는 것이다. 때문에 우리는 삶을 효율적으로 살기 위하여 효율적으로 쾌감을 얻어야 한다. 쾌감에 있어서의 효율은 적은 노력으로 커다란 쾌감을 얻는 것이다. 우리가 무엇엔가 중독되는 이유는 그것이 가장 효율적이기 때문이다. 많은 노력과 시간 · 고통을 감수하여 적은 쾌감 만을 얻는다면 이는 비효율적이지만 중독되지는 않을 것이다. 중독되기 위해서는 쾌감에 비해 적은 노력으로 접근할 수 있는 효율을 갖고 있어야만 한다. 그런데 문제는, 처음엔 효율적이었는데 반복 될수록 효율이 떨어지고 급기야 비효율적으로 바뀜에도 불구하고 중독에서 벗어나기 힘들다는 것이다.

반복되는 쾌감은 내성을 높여 불만족으로 인한 갈증을 심화시키고, 반복되는 쾌감의 기억은 기대감을 높여 상대적 일상을 고통으로 만든다. 중독되면 될수록 기대하는 일상과 실제의 일상은 괴리감을 넓혀가고 결국엔 갈망만이 극대화되어 빠져나올 수 없는 고통 속에 갇히게 된다. 처음엔 쾌감을 추구했었으나, 반복되는 쾌감으로 인한 내성에 의하여 '일상을 기준으로 쾌감을 추구하던 것'이 일상이 파괴되어감에 따라 '고통으로부터 탈피하기위한 것'으로 전락한다.

중독에 빠져들수록 중독되어있는 동안은 기능장애에 시달리고 중독으로부터 멀어지면 금단증상에 시달리는 등 심각한 증세로 인하여 삶의 파괴는 가속화 된다. 중독이 우리 인체에 기능장애를 일으키는 것은, 우리 몸의 기억에 의한 기대치와 내성에 의한 욕구불만에 의하여 기대와 현실의 괴리감이 극대화되어 우리 몸이 이를 받아들이지 못한다는 것이다. 적당히 노력하고 적당한 쾌감을 얻고, 고통과 쾌감의 사이클을 적당한 진폭으로 유지해야만 삶의 파동을 길게 가져갈 수 있는데 중독에 빠지게 되면 파동의 폭이 커져 삶의 진행 방향으로의 파동의 길이는 짧아질 수밖에 없는 것이다. 또한 커져버린 쾌감의 폭은 우리의 몸과 마음에 일상적으로 기억되어 다시 예전의 일상으로 돌아간다 하더라도 일상을 일상으로 여기지 못하고 불안정한 상태로 여겨 금단의 증상을 나타낸다. 중독의 금단현상은 우리 몸은 기억을 한다는 것이다. 머리 뿐 아니라 온 몸의 세포 하나하나가 예전의 상태를 기억하고 있다가 그 상태로부터 멀어지면 불안정한 상태에 놓이는 것이다.

쾌감의 기억이 있기 때문에 쾌감을 추구하는 것이지 어떠한 쾌감의 기억도 가지고 있지 않다면 우린 쾌감을 추구하려고 하지 못 할 것이다. 때문에 쾌감의 기억이 완벽하고 최고의 효율을 가지고 있을수록 우리는 병적 중독에 이르게 되는 것이다. 최고의 쾌감을 기억하는 자는 중독에 빠지기 쉽고, 그것이 충족되지 않는다면 갈망이라는 금단증상에 시달려 일상이 처참해지는 것이다. 중독되건 안 되건 최고의 쾌감에 대한 기억은 삶을 처참하게 만든다. 우리가 기억에 의한 병적 중독 상태에서 벗어나려면 쾌감의 기억을 무엇인가로 대체해야만 한다. 더 강도 높은 쾌감이 있다면 즉시 대체할 수도 있겠지만 그렇지 않다면 아주 많은 시간에 걸쳐 기억을 지워나가야 할 것이다. 우리가 병적 중독에 빠지지 않기 위해서는 효율적이거나 완벽한 쾌감을 줄 대상을 미리 인식하고 중독의 심각성을 의식해 그에 대하여 쾌감경험을 하지 않는 것이다. 기억 속에 쾌감을 넣어놓지 않는다면 중독되지는 않을 것이다. 그러나 고통에 절어있는 자들에게 이는 불가능에 가까운 일이 되는 것이다. 우리가 중독에 빠져드는 근본 원인은 우리의 일상이 고통스럽기 때문인데 어찌 고통스러운 자들이 중독이라고 하는 쾌감의 효율을 포기할 수 있단 말인가. 다만 병적인 중독 상태까지는 가지 않는 것이 삶을 유지하는데 유리하다는 것이다.

중독을 통하여 우리가 알 수 있는 것은 효율을 추구하면 추구할수록 비효율로 빠져드는 것과 같이, 삶의 의지가 행위로 바뀌는 순간 행위는 의지에 반하는 결과를 가져온다는 것이다. 우리 삶의 의지는 고통으로부터 벗어나는 것 쾌감을 추구하는 것이다. 그런데 쾌감을 추구하는 삶의 의지가 결국 일상을 파괴하고 삶을 피폐하게 한다면, 산다는 것이 삶을 훼손하고 효율적으로 살수록 비효율을 초래하며 효율을 극대화한 삶의 진폭은 삶을 단축시키고 결국 삶의 완성은 곧 죽음이 되는, 우리의 삶은 심각하고도 우스꽝스러운, 이럴 수도 저럴 수도 없는, 도대체 무엇을 어찌해야하는 것인지, 우린 정말 어이없고 황당한 삶을 살고 있는 것이다.

어떠한 목적이나 목표를 달성하려 할 때 우리는 효율을 추구하고 경제성을 따져 최선의 방법을 선택한다. 그러나 우리의 삶에 있어서만은 효율을 추구할 수 없다. 최선의 삶을 살기 위하여 효율을 추구하면 할수록 중독에 빠져 우리의 삶은 파괴되고 완벽한 삶의 효율은 곧 죽음의 시작이 된다. 삶의 효율이 죽음에 이르는 길이라면 우리는 효율을 추구하지 못할 것이다.

우리가 쾌감을 획득하면 할수록 쾌감은 과거가 되고 전면에 나타나는 것은 고통의 서광이다. 우리의 의지는 쾌감을 획득하는 것인데 의지의 달성은 고통을 불러들인다. 결국 우리는 이러지도 저러지도 못하는 갈등의 연속선상에서 - 이럴까 저럴까 갈등하며, 답을 발견하는 순간 답을 발견했기 때문에 답이 문제가 되고, 목표를 달성했기 때문에 목표가 또 하나의 과제가 되는, 천국에 이르렀기 때문에 천국이 지옥이 되고, 의지가 의지로서 있을 때만 의지일 뿐 무엇인가를 행하는 순간 행위는 의지에 반하는 결과를 가져오는 - 삶의 모순으로부터 빠져나올 수 없는 것이다.

그럼에도 불구하고 우리는 무엇인가를 선택해야만 한다. 우리가 모순과 갈등 속에서 무엇인가를 선택해야만 할 때, 우리는 시간의 이면을 보아야 하고, 공간의 저편을 보아야 하며, 껍데기가 아닌 속을 보아야 하고, 보이는 것에서 보이지 않는 면을 찾아내야 하는, 현명함을 필요로 한다. 현명함이란 보이지 않는 것을 볼 수 있는 능력을 말한다. 현명함이 답을 말해주지는 못 하더라도 갈등과 모순 속에서 선택이 가능하게 한다. 어리석은 자는 눈앞의 것을 선택하고 현명한 자는 멀리 있는 것을 선택한다. 우리는 삶을 살아가면서 수많은 것들을 선택하고 결정하지만, 모든 선택의 동기는 쾌감을 얻기 위한 것이고 그것이 삶의 의지인데, 이러한 삶의 의지가 일상을 파괴하기 때문에 우리는 일상을 견고하게 하기위하여, 고통을 감수하며 시간의 이면 속에서 쾌감을 기대해야 하는 현명함을 필요로 하는 것이다. 쾌감을 추구하면 일상이 파괴되어 고통스럽게 되고, 고통을 감수하면 일상이 견고해져 즐거운 삶을 살 수 있다. 절제와 인내, 노력과 고통의 감수만이 삶을 건강하게 유지할 수 있는 것이다.

그러나 우리는 쾌감을 추구하고 그 대가로 고통을 감수해야만 하는, 혹은 고통을 감수하여 나중에 오는 쾌감을 기대하는, 어떠한 방법으로 살아가더라도 결과적으로 쾌감을 추구하는 삶에서 벗어날 수 없기 때문에, 고통의 대가를 받아야만 하는 중독의 이치와 같은 삶을 살아간다. 어리석은 자나 현명한 자나 직접적으로 쾌감을 추구하건 시간의 이면 속에서 간접적으로 쾌감을 추구하건 우리는 직접적으로 다가오는 고통 혹은 현명하기 때문에 간접적이고 복잡하게 다가오는 고통으로부터 벗어날 수 없는 것이다.

모든 쾌감의 추구는 우리의 몸과 마음을 피폐하게 만들고 삶을 파괴한다. 우리가 쾌감을 추구하건 고통을 감수하건 우리가 염두에 두는 것은 결과적으로 쾌감을 추구하는 것이다. 현명하게도 시간의 이면을 보았다 하더라도 어리석음을 뒤집어놓은 것에 불과하다. 우리가 궁극적으로 추구하는 것은 쾌감이고 삶이 우리에게 궁극적으로 준비해놓은 것은 고통이다.

우리가 중독을 부정적으로 의식하는 이유는 개인적으로는 일상을 파괴하고 그에 따라 사회에도 아무 기여를 하지 못하기 때문이다. 사회는 개인들이 사회의 구성원으로 무엇인가를 기여하기를 요구한다. 우리가 사회에 어떠한 방법으로든 기여를 했을 때 그 대가로 우린 쾌감의 재료를 얻는다. 그런데 어떠한 기여도 하지 않았는데 쾌감을 얻을 수 있다면, 누구도 사회에 기여하려 하지 않을 것이고 사회는 공급되는 양분이 없어 붕괴되고 말 것이다. 때문에 사회는 우리가 너무 쉽게 쾌감을 얻는 것을 두려워하고 제재한다. 사회는 개인의 쾌감이나 만족에는 별 관심이 없다. 오직 사회에 어떻게 기여하느냐에 따라서 개인을 평가하고 제재할 뿐이다. 사회가 개인의 만족에 관심을 두는 경우는 그래야만 개인의 기여도가 높아지기 때문이지 개인의 만족을 목적화 하는 것은 아니다. 우리는 쾌감추구라는 면에서 보면 최소의 노력으로 최대의 효과를 얻고자 하겠지만, 사회는 개인의 효율을 용인하지 않는다. 쾌감에 부합하는 노력과 수고를 했을 때에만, 사회는 그 쾌감의 획득을 인정하게 되는 것이다. 우리가 사회라는 외부와의 관계 속에서 쾌감을 얻으려 할 때 우리는 사회에 노력과 수고 · 고통의 감수라는 시간의 이면을 볼 수 있는 현명함을 지불해야만 한다. 현명함이란 동물적 쾌감의 추구에서 사회적 쾌감의 추구로 넘어가는 조건이다. 때문에 사회는 항상 현명한 자를 원한다. 개인적이건 사회적이건 삶에 아부하기 위하여서는 현명해야만 하는 것이다.

우리가 삶을 현명하게 살기 위해서는 선택을 잘 해야만 한다. 그런데 선택을 하는 데는 한계가 있다. 운명이라는 환경의 거대한 흐름에서 우리에게 주어진 선택의 한계는 우리가 얼마나 현명한가에 따라 극히 제한적이고 한계를 벗어나면 우린 선택을 강요당한다. 현명한 자는 선택의 여지가 있겠지만 어리석은 자는 외줄을 타야만 하는 운명에 놓이게 되는 것이다. 이처럼 우리가 살아가면서 순간순간 행하는 많은 것들의 대부분은 자유로운 선택이 아니라 환경에 의하여 강요된 선택이다. 이러한 서로 상반된 행위가 나오는 것은 관념에 대응하는 힘과 능력이 다르기 때문이다. 어떤 자는 무엇을 할 지 스스로 선택하고 어떤 자는 눈앞에 주어진 일을 마지못해 한다. 선택을 하기 위해서는 여러 가지의 것을 동시에 볼 수 있어야 하는데 눈앞에 오직 한 가지만 보인다면 어쩔 수 없이 눈앞의 것을 취할 수밖에 없는 것이다. 우리가 눈앞의 단 한 가지가 아닌 여러 가지의 것들 중에서 선택을 하기위해서는 시점과 대상 사이에 공간이 확보되어 있어야만 하는 것이다. 이것이 바로 현명함이다. 그런데 넓디넓은 우주 공간에 도대체 무슨 공간을 따로 확보해야 한단 말인가?

11. 관념의 방

우리의 의식은 의식 속에 분리되어 날뛰고 있는 관념들을 처리하기 위해서 끊임없이 의식을 팽팽 돌리며 의식 속 관념들을 제거하고 있다. 배가고픈 신호가 들어와 의식을 압박하면 그것을 제거하기 위하여 밥을 먹어야 하고 배설의 욕구로 의식이 채워지면 우린 화장실로 달려가야 한다. 갖고 싶은 물건이 생기면 우린 욕구를 없애기 위하여 돈을 벌거나 물건을 구입함으로서 욕구를 중화시켜 없애버리게 된다. 우리의 의식 속을 스쳐 지나가는 수많은 관념에 대응하기 위하여 우리는 시시각각 다른 행동을 하며 의식을 중화시키거나 비우고 있는 것이다.

시간이 가며 의식이 많아짐에 따라 미처 처리하지 못한 의식은 과거의 방으로 보내 현재로서의 작동을 보류시킨다. 의식이 포화되어 절망에 빠지지 않으려면 부지런히 의식속의 욕구와 남는 가치들을 과거의 영역으로 보내야만 하는 것이다. 의식이 욕구로 포화되면 절망에 빠지고 가치로 포화되면 욕구충족의 과정이 없어 권태에 빠지기 때문에 우린 절망에 빠지지 않고 쾌감의 기회를 얻기 위해서라도 의식을 비워야만 하고 의식을 비우기 위하여 작동중인 욕구나 가치에 영혼을 덧씌워 작동을 멈추고 과거의 영역에 저장하는 것이다.

과거의 영역에 저장된 관념의 파편들은 때가 되면 의식의 영역으로 나와 고통 혹은 쾌감으로 작동한다. 미래로부터 욕구가 들어오면 가치를 뽑아내어 욕구를 희석시키고 가치가 들어오면 욕구를 뽑아내어 욕구를 충족한다. 때문에 우리가 쾌감을 얻을 기회를 갖기 위해서는 과거의 방에 많은 가치와 욕구를 넣어놓아야만 한다. 그러나 과거의 방 크기는 사람마다 각기 다르기 때문에 커다란 방을 가지고 있는 자들은 많은 결합관념을 넣어놓을 수 있겠지만 방 크기가 작아 적은 결합관념에도 과거의 방이 포화상태가 되는 자들도 있다. 시간이 가며 미래로부터 의식 속으로 가치나 반가치가 들어올 때 그에 맞는 욕구나 가치를 과거의 방에서 꺼내야만 하는데 과거의 방이 포화상태가 되어 있다면 하나를 빼내기 위하여 그 주변의 모든 것을 드러내어 의식 속으로 끄집어내야만 하기 때문에 그야말로 우리의 의식은 난장판이 되고 마는 것이다. 이처럼 과거의 방이 포화상태가 된다면 미래로부터 가치가 들어오건 반가치가 들어오건 대처를 하지 못해 의식 속에서 가치는 작동을 못하고 반가치 만이 작동하여 고통스럽게 되는 것이다. 때문에 우리는 의식을 정화하기 위하여 과거의 방을 정리하거나 여유 공간을 마련하여 필요할 때 효율적으로 사용될 수 있도록 해야만 하는 것이다.

과거의 방에 여유 공간이 있느냐 없느냐에 따라 똑같은 관념이 어떤 자에겐 고통이 되고 어떤 자에겐 생존수단이 된다. 관념이 고통이 되느냐 생존 수단이 되느냐 하는 것은 관념 자체의 문제가 아니라 관념의 방에 여유 공간이 있느냐 없느냐에 달려있는 것이다. 방에 여유 공간이 있는 자들에게 관념은 생존수단이지만, 여유가 없는 자들에게 적정량을 초과하는 관념은 그 자체가 고통이다. 때문에 우리는 적당량의 관념만을 가지고 생존수단의 도구로 활용하여야만 고통에 시달리지 않을 수 있는 것이다. 세상을 살려면 어느 정도의 관념은 반드시 필요하고 많으면 많을수록 생존에 유리해지기 때문에 우리는 기를 쓰고 관념을 축적하려 하지만 우리가 관념을 쌓아놓을 방의 용량은 사람마다 각기 한정되어 있기 때문에 자신의 한도를 지나치면 돌아버리거나 폭발하게 되는 것이다. 때문에 우리는 돌거나 폭발하기 전에 쌓기를 멈추거나 정리를 하거나 덜어내어야만 하는 것이다.

과거의 방에 적당량의 관념만 있다면 우리의 의식은 필요에 따라 적당한 관념을 선택하고 이용할 수가 있다. 그러나 과거의 방이 포화상태가 된다면 우리의 의식은 과거의 방에서 필요한 관념을 찾아내는데 어려움을 겪을 것이고 과거의 방에서 시간에 따라 튀어나오는 욕구들을 선택의 여지없이 고통으로 받아들여야만 한다.

또한 과거의 방에 적당량의 관념만 있다면 우리의 의식은 과거의 방에서 튀어나와 고통으로 작동할 수 있는 관념들을 미리 끄집어내어 능동적으로 고통을 겪음으로서 미래에 닥칠 고통을 줄여나갈 수도 있는 것이다. 이것이 현명함이다. 이러한 현명함은 관념의 방이 크다고 해서 생겨나는 것이 아니라 관념의 방에 여유 공간이 있느냐 없느냐에 따라 결정 나는 것이다. 아무리 과거의 방이 크다 하더라도 과거의 방을 관념의 파편들로 포화상태를 만든다면 지식만 있고 지혜는 생겨나지 않는 고지식한 멍청이가 되는 것이다.

우리가 사는 집의 크기가 사람마다 다르듯 관념의 방도 사람마다 그 용량이 다를 수밖에 없다. 누구나가 관념의 방의 용량에 맞추어 적당량의 관념만을 넣어놓고 산다면 우리의 의식은 자유로이 영혼과 조우할 것이고 삶의 고통은 덜할 것이다. 그러나 사회는 우리들 각자의 과거의 방 크기를 무시하고 누구에게나 더 많은 양의 관념을 축적하기를 요구한다. 만약 용량이 큰 자들이라면 무리 없이 사회가 요구하는 관념을 축적할 수 있겠지만 방 크기가 작은 자들은 금방 포화상태가 되어 시간에 따라 과거의 방으로부터 튀어나오는 욕구로 인해 의식 역시 욕구로 포화상태가 되어 절망에 이르기 쉽고 결국 돌거나 폭발하여 사회에 문제를 일으키게 되는 것이다.

우리는 많은 생각을 해왔고 그에 따라 문명과 문화라는 많은 관념의 덩어리들을 만들어냈다. 이러한 관념의 덩어리들을 활용하기 위하여 우리는 방에 가구를 배치하듯 필요한 관념을 넣고 빼기를 반복하며 활용해야 하는 것이다. 그러기 위하여 우리는 문명의 수준에 맞는 적당한 크기의 관념의 방을 가지고 있어야만 한다. 때문에 문명이 발달함에 따라 관념의 방 크기도 그에 따라 커져왔지만 모든 이들의 방 크기가 똑같이 큰 것은 아니다. 방의 크기가 큰 자들은 문명의 혜택과 함께 의식이 자유로울 수 있고 필요에 따라 영혼으로의 복귀를 시도하기도 한다. 그러나 방 크기가 작은 자들이 남들과 똑같은 문명의 혜택을 보기 위하여서는 남들과 같은 양의 관념을 방에 배치하여야 하는데 이것이 포화상태가 된다면 의식은 꼼짝달싹 할 수가 없고 영혼으로의 복귀를 시도할 수가 없어 고통스러울 수밖에 없는 것이다. 때문에 관념의 방 크기가 작은 자들이 의식의 자유를 느끼기 위하여서는 남들을 따라가려 하지 말고 적은 관념으로 만족하며 살아갈 수 있어야 한다. 그런데 이것이 쉽지 않다. 사회는 이들에게 관념을 축적하고 활용하여 어떠한 역할을 하도록 끊임없이 요구하고 그렇지 않을 경우 사회적 혜택을 거두어 버린다. 때문에 이들은 남들을 따라가기 위하여 적은 방안에 한계이상의 관념을 축적하고 한계이상의 관념은 수시로 의식으로 튀어나와 고통으로 작동하게 되는 것이다. 이들의 의식은 포화상태의 관념 속에서 인내하다 마침내 탈출을 모색하게 된다. 도피성 몰입을 추구하는 것이다.

12. 도피성 몰입

우리는 관념에 매몰되어 고통으로부터 벗어나길 갈망한다. 우리 내부에 있는 총체적 고통이 무엇인지? 왜 그러한 고통이 있는지? 파악하지도 못하고 그저 밀려드는 고통으로부터 벗어나고자 발버둥 치는 것이다. 그러다 의식을 도피시킬 하나의 방을 발견한다. 의식은 도피할 방 앞에 모든 고통을 내려놓고 방으로 들어가 문을 걸어 잠근다. 문을 걸어 잠그는 순간 아무것도 없던 빈방이 고통으로부터 차단되자 쾌감으로 충만해진다. 우리는 쾌감이 영원하길 바라며 꼼짝하지 않는다. 세월은 흐르고 쾌감의 강도는 낮아지며 안락함은 지루함으로 바뀌고 좁은 방 안에서 의식은 쇠약해진다. 이제 그만 나가려 문을 열려하나 오랜 세월 동안 녹슨 자물통은 고장 나 움직이질 않는다. 의식은 좁은 방에 갇혀 지루함과 고통을 호소해도 아무도 들어주는 이가 없다. 더 이상 버티면 고사하고 말 것이다. 이제 문을 부수더라도 나가야만 한다. 쇠약한 몸으로 문에 부딪쳐 보지만 덜그럭 거릴 뿐 열릴 생각을 않는다. 몸이 만신창이가 되도록 부딪친 끝에 마침내 문이 떨어져 나간다. 쾌감의 방은 너덜너덜 해져 또 하나의 고통으로 변했고 의식은 만신창이가 되어 다시 예전의 고통 앞에 섰다. 이제 또 다른 쾌감의 방을 찾아 도망가야 한다.

자신의 내부를 바라볼 수 없고 고통을 직시할 수 없는 자들은 끊임없이 도피처를 찾는다. 내부를 보려 해도 고통을 보려 해도 도대체 자신의 내부에 무엇이 있는지 알 수가 없다. 때문에 이들은 자신이 무엇에 쫒기는 지도 모르고 일단 도망치고 보는 것이다. 이들은 도망치기 위해서 밖을 주시하며 이방 저방 기웃거리다가 마침내 자신에게 적합한 손쉽고 저렴한 하나의 방을 찾아 들어간다. 방문 밖에 모든 고통을 팽개치고 들어가서는 지금의 쾌감이 영원하길 간절히 바란다. 우리가 쾌감의 방 안에 몰입되어 있을 때 우린 과거에 고통 속에서 지내던 것과 전혀 다른 새로운 세상에서 살고 있음을 느낀다. 이러한 몰입의 상태에서 지루해지기 전까지는 항상 기쁨과 설레임으로 하루하루를 살며 삶의 의미와 보람을 느낄지도 모른다. 그러나 영원한 쾌감은 없다. 방문 밖의 고통이 서서히 잊혀져감에 따라 방 안에서 느끼는 쾌감의 강도도 떨어질 수밖에 없는 것이다. 쾌감의 방에서 우리가 쾌감을 느낄 수 있는 이유는 방문 밖에 수많은 고통을 놓고 들어왔기 때문이지, 쾌감의 방에 무엇인가가 있기 때문이 아니다. 우리가 많은 고통을 방문 밖에 놓아두고 들어왔다면 많은 쾌감을 느낄 것이고 슬리퍼 하나만 달랑 벗어놓고 들어왔다면 별 쾌감이 없이 금방 지루하고 답답함에 빠질 것이다. 쾌감이 영원하기 위해서는 끊임없이 사라지는 관념이, 벗어나야할 고통이, 있어야만 하는데 서서히 사라지는 고통은 있다 할지라도, 끊임없이 사라지는 고통은 없다. 때문에 고통이 고갈되면 쾌감도 고갈될 수밖에 없는 것이다. 우리가 몰입했던 쾌감의 대상이 더 이상 쾌감으로 다가오지 않을 때 우린 다시 일상으로 돌아가길 원한다. 그러나 얼마나 오래 도피했느냐에 따라 혹은 그 강도에 따라 일상으로 돌아가는 것은 쉽지 않을 수 있고 때로는 엄청난 대가를 요구하는 경우도 있다. 도피하기 위하여 들어갈 때는 쾌감을 느끼며 들어갔겠지만 나올 때는 고통과 희생을 강요당하는 경우가 있는 것이다. 이는 우리가 들어갔던 방의 상태에 따라 수월하게 나올 수도, 경우에 따라선 방을 부수고 스스로도 만신창이가 되어야만 겨우 빠져나올 수도 있는 것이다. 최악의 경우엔 그 방 안에서 고사되는 경우도 있다. 이런 경우의 몰입은 우리의 인생을 파탄 내어버린다.

만약 우리가 일생에 단 한번만 몰입을 할 수 있다면 어디에 몰입을 하든 그 몰입의 시간은 의미 있고 결코 잊을 수 없는 소중한 시간이 될 것이다. 그러나 우리는 평생에 걸쳐 여러 번의 몰입을 할 수도 여러 가지 다양한 분야에 몰입을 할 수도 있는 것이다. 우리가 몰입을 하더라도 몰입에서 나왔을 경우 다시 일상으로 돌아갈 수 있어야 한다. 몰입에서 나오는 과정이 몰입의 대상과 자신을 파괴하여 몰입 이전보다 오히려 더 고통스러운 일상이 된다면 그러한 몰입은 안하느니만 못한 경우가 될 수 있기 때문에 우린 몰입을 하더라도 도피할 곳의 상태를 먼저 검토해야만 하는 것이다. 지금 상황이 고통스럽다고 아무데나 들어가서 마음 놓고 있다가는 그 곳에서 인생 종치는 경우가 있단 말이다.

이러한 도피성 몰입의 공통점은 진입장벽이 비교적 낮고 고통을 급격하고 완전하게 차단시키는 효과가 있고 또한 일상의 파괴가 극히 미미하다고 생각되어 빠져나올 생각을 않으며 몰입의 완성을 추구하지 않고 과정에서 만족하며 과정 속에 영원히 안주하길 바란다. 이들은 일상으로의 복귀를 거부하고 그곳이 무덤이 되길 바라는 것이다. 복귀해 보았자 일상이 고통스러워질 것이 뻔 하기 때문에 도피성 몰입은 애초부터 몰입대상으로부터 나올 의도를 가지고 있지 않다는 것이다. 그러나 일상의 고통이 잊혀지고 쾌감도 사라지면 일상으로 나올 수밖에 없다. 운 좋게 쾌감이 다하기 전에 명이 다하길 바랄 수밖에 없다.

모든 행위의 동기는 자신의 조건 지어진 고통에 의하여 어떤 것을 선택하도록 조건 지어지고 내몰리기 때문이다. 삶이 힘들고 고통스러워 종교를 갖고 사랑을 하고 취미를 갖는 것이지, 삶이 즐겁고 만족스럽다면 굳이 종교를 찾고 사랑을 갈구하고 취미를 가질 필요가 없는 것이다. 우리가 무언가를 찾고 갈구하는 이유는 어떠한 대상의 가치 때문이 아니라 우리가 그러한 대상에 가치를 부여하도록 고통에 의하여 관념에 의하여 조건 지어졌기 때문이다. 가치는 바라보는 자의 조건에 의하여 형성될 뿐 스스로 나타나는 것이 아니다. 그러나 우리는 우리 내부의 조건을 의식하지 못하고 대상의 가치만을 의식한다.

도망가면서도 도망간다고 말할 수 없다. 무엇이 쫓아오는지 모르기 때문이다. 도망의 원인이 있어야 하는데, 그것이 무엇인지 모른다. 무엇으로부터 도망가는지 알 수 없고 말할 수 없으니, 앞만 보며 그저 어디론가 가고 싶을 뿐이다. 쫓아오는 무언가로부터 벗어나 몸을 숨길 수 있는 곳이면 어디라도 좋다. 튼튼하고 문을 잠궜을 경우 아무도 쫓아 들어오지 못하는 곳, 그곳으로 가고 싶다. 아! 사랑하고 싶다.

이상도 희망도 없이 삶이라는 고통에 절어 있을 때 우리는 사랑하고 싶어진다. 고통에 절어 삶을 살고 있으면서도 딱히 그것이 무엇인지 모르고, 사랑을 하고 싶어 하면서도 딱히 그것이 무엇인지 모른다. 고통에 전 삶이나 사랑이나 단지 삶의 또 다른 형태로 인식될 뿐 그

것이 무엇인지 모른다. 사랑이 무엇인지 알아야 준비도 하고 노력도 하고 시작도 할 것인데 갈망만 할 뿐 무엇을 어찌해야 되는지 알 수가 없다.

우리 주변에 널려있는 사랑, 노래가사나 드라마 · 연속극에 소재가 되어 하루 종일 흘러나오는 사랑, 우리 주위에 넘쳐나면서도 또한 그리도 갈망하는 사랑, 그토록 갈망해도 나타나지 않다가 어느 순간 전혀 예상치 못했던 곳에서 엄청난 충격으로 다가오는 사랑, 사랑은 이런 식이다. 그것은 노력한다고 되어지는 것도 아니고 방법이나 형태가 있는 것도 아니다. 우리가 갈구할 때는 시치미 뚝 떼고 모른 척하다가 어느 날 갑자기 전혀 예상치 못했던 곳에서 예상치 못한 방법으로 우리 앞에 충격과 환희로 나타나 우리를 송두리째 바꾸어 버린다.

사랑을 하면 사랑의 대상인 단 하나의 가치가 우리의 의식을 점령하여 이제까지 우리를 괴롭혔던 의무와 책임 부담 등 모든 고통을 의식 밖으로 밀어내고 의식이 단 하나의 가치로서 꽉 차있는 한 미래로부터 의무와 책임 어떠한 고통도 들어오지 않는다. 시간은 정지되고 단 하나의 가치가 모든 공간을 몰아내어 시공으로 인식되던 이제까지의 우주는 단 하나의 가치로 대체되었다. 이제까지 고통스러웠던 우리 삶의 고통을 한 순간에 몰아내버린 이 기막힌 변화에 우리는 감동하고 환희에 빠진다. 의식이 단 한가지의 것으로 충만 되었을 때 그 이외의 모든 것은 무의미한 인식의 파편일 뿐이다. 오직 한가지의 것만이 시간과 공간의 모든 것을 차지한다. 사랑하는 대상이외의 모든 것은 아주 사소한 것이 되어버려 삶도 명예도 이제까지 삶 속에서 간직해왔던 모든 관계에서 공감대는 사라지고 의식은 공유되지 않아 아무 느낌 없는 인식만이 공허한 관계를 유지한다. 삶은 모든 관계로부터 유리되어 일상은 점점 힘들어져만 간다. 일상을 회복시켜야 하는데 판단할 수가 없다. 판단하려 해도 되어지지 않는다. 그렇게 똑똑하던 내가 바보가 되어버렸다. 무엇을 어떻게 해야 할지 자신이 없다. 세상 모든 것이 나와 유리되어 있고, 나의 일상이 나로부터 유리되어 있다. 손으로 밀고 발로 차려해도 일상은 나의 의지와는 별개로 움직인다. 나의 의지는 고통으로 변한 쾌감의 방에서 나오지 못하고 일상은 아무런 의지 없이 유령처럼 움직인다. 나는 지금 유령의 도시에 가위눌린 채로 살고 있다.

엄청난 충격과 환희로 다가와 어느 순간 절망으로 변해버린 사랑이란 도대체 무엇인가?

13. 사랑

우린 끊임없이 사랑을 갈구한다. 사랑을 해보았던 자나 사랑을 해보지 않았던 자나, 마치 사랑이 저곳에 있는 것처럼 분명한 목적을 가지고 사랑을 갈구하지만, 사랑을 해본자의 사랑도 혹은 해보지 않은 자의 사랑도, 그 누구의 사랑도 같지 않고, 저마다 사랑을 이야기하지만 사랑을 정의내리지도 규정하지도 못하고, 오직 사랑의 결과만을 나열하며, 무한히 많은 사랑의 부산물들이 저마다 사랑임을 주장하여 사랑의 다양성과 방대함은 오히려 사랑이 무엇인지 모른다는 것을 증명할 뿐이다. 끊임없이 사랑을 이야기하고 갈망함에도 불구하고 사랑이 무엇인지 모른다는 것은 사랑의 실체가 과연 존재하는가에 대하여 의심할 수밖에 없게 된다. 우린 사랑의 과정을 겪으며 수많은 환희와 쾌감 그리고 고통을 겪는다. 때문에 사랑에도 무언가 실체가 있어야 하는데 우린 그것을 목적화하거나 정의내리거나 규정할 수가 없다는 것이다. 이는 사랑이 심화될수록 사랑의 실체가 사라지기 때문이다. 사랑을 시작할 때는 분명한 원인과 동기 실체가 존재했었는데 사랑이 진행됨에 따라 실체는 사라지고 결국엔 허망함 속에 사랑의 추억만이 그나마 과정은 존재했었다는 것을 증명할 뿐이다. 이는 사랑이라는 것이 자신의 실체를 부정해야만 하는 실체의 역작용에 의하여 나타나는 반발현상이기 때문이다. 우리의 삶은 고통이라고 하는 분명한 실체를 가지고 있다. 살면 살수록 고통은 축적되고 실체는 명확해진다. 그러나 사랑은 한계에 다다른 고통이라는 명확한 실체로부터 벗어나는 과정으로 그 본질의 역작용에 의해서 만이 나타나기 때문에 우리는 사랑을 정의내리기가 어렵고 사랑을 목적화 할 수 없는 것이다. 사랑은 단지 삶의 고통이 가중되어 절망에 이르렀을 때 절망으로부터 벗어나려하는 의식의 반발작용으로만 나타날 뿐이다. 때문에 사랑은 스스로 움직이지 않고 계획되거나 목적화 되지 않는 것이다. 오직 절망만이 사랑을 만들어 낼 수 있는 유일한 도구가 된다.

공간으로 일컬어지는 미래로부터 '인식의 파편'이 의식 속으로 들어오면, 이에 맞는 결합관념이 과거로부터 분해되어 의식으로 끄집어내어져 미래와 과거가 섞이며 재가공 되면서 느낌이라고 하는 현재가 만들어 진다. 의식에서 만난 미래와 과거는 고통과 쾌감이라는 느낌으로 상쇄되고 미처 상쇄되지 못한 미래와 과거는 또 다른 결합관념으로 재편되어져 과거 속에 다시 축적되고 공간으로 일컬어지는 미래엔 갈망과 두려움을 심어놓게 된다. - 이것이 의식의 작용이다.

미래에선 인식의 파편이 들어오고, 과거에선 분리된 결합관념이 튀어나와, 느낌으로 일컬어지는 현재라는 가공과정을 거쳐, 미래와 과거를 끊임없이 재편해야만 한다. 미래로부터 인식의 파편이 들어오면 의식은 과거로부터 그에 맞는 결합관념을 끄집어내어 쾌감을 느낌으로서 과거를 축소시켜야 하는데, 미래에서의 인식의 파편은 쾌감으로 상쇄되지 않고 또 다시 결합관념을 만들어 냄으로 인해 과거는 축소되지 않고 점점 커져 마침내 절망이라고 하는 한계에 다다르게 된다. - 이것이 우리의 삶이다.

고통이 포화되어 절망에 이른 상태에서 아무런 조치를 취하지 않는다면 우린 절망을 넘어 삶에서 멀어지게 된다. 살기위하여서는 고통으로 포화된 의식과 과거로부터 고통을 뽑아내어 절망으로부터 벗어나야만 하는데 미래로부터 고통을 뽑아낼 가치가 들어오지 않는다. 들어오지 않는 가치를 하염없이 기다리기만 하다가는 절망을 넘어 삶에서 멀어지게 될지도 모른다. 때문에 우린 기다림을 포기하고 가치를 스스로 만들어낸다. 내가 가진 고통에 최적화된 나만의 가치를 만들어내어 고통을 유인하여 뽑아내어야만 하는 것이다. 내가 만들어낸 상상속의 가치는 현실속의 그 어떠한 가치보다 최적화 되고 고통을 뽑아내기에 가장 효율적인 가치가 된다. 그런데 스스로 만든 상상속의 가치는 만져지지 않고 손에 잡히지 않는다. 무언가 형태가 있어야 움켜쥐고 의식 속에 집어넣어 절망에 이른 고통을 뽑아낼 수 있을 것인데 허공을 떠돌기만 할 뿐 의식 속에 넣어 고통과 결합시킬 수가 없다. 무언가 내가 만든 최적의 가치를 가지고 의식 속으로 들어가 고통을 뽑아낼 촉매가 필요하다. 마침내 우리는 의식의 창을 두드리는 몇 개의 인식의 파편들 중 그나마 그럴듯한 하나를 잡아 스스로 만든 최적의 가치를 뒤집어씌워 가치를 뒤집어쓴 인식의 파편을 부여잡고 고통을 뽑아내기 시작한다. 상대의 내용은 보이지 않고 중요치도 않다. 내가 설정한 가치를 온전히 뒤집어쓰고 있기만 한다면 그를 통해 의식과 과거 속에 포화된 고통의 결합관념을 모두 뽑아낼 수가 있다. 이 순간이 지나 가치가 사라지고 과거의 문이 닫혀버리면 기회는 언제 올지 모른다. 가치를 잡고 의식을 고정시켜야만 한다. 의식의 톱니바퀴가 돌아가면 의식 속의 고통을 과거에 저장하느라 고통의 결합관념을 끄집어 낼 수가 없다. 고장을 내어서라도 의식의 톱니바퀴를 멈추어야만 한다. 마침내 의식이 정지되고 가치가 있는 동안 과거 속의 결합관념을 최대한 뽑아낸다. 의식은 욕구로 포화되어 열정이 되고 열정은 가치와 결합하여 쾌감이 된다. 우리는 정지된 의식에 감동하고 환희에 빠져 비로소 - 이것이 사랑임을 깨닫는다.

사랑은, 단 하나의 가치로서 의식이 정지되어, 포화된 과거로부터 고통의 결합관념을 뽑아내는 과정이다.

우리의 삶은 의식을 팽팽 돌려가며 의식 속 고통을 과거에다가 끊임없이 축적한다. 그러다 과거가 포화되면 의식 속의 고통을 더 이상 과거에 저장할 수 없고, 포화된 과거로부터 수시로 튀어나오는 욕구에 의하여 우린 더욱 고통스럽게 되고 마침내 절망에 이르게 되는 것이다. 이때 우린 절망을 넘기 전에 과거의 결합관념을 비워내어야만 한다. 절망을 넘어가면 삶에서 멀어지기 때문이다. 우리의 삶은 의식을 끊임없이 순환시키면서 결합관념을 끄집어내려 하지만 의식을 팽팽 돌리는 우리 삶의 방식으로는 결코 과거를 비워낼 수가 없다. 의식을 멈추어야만 더 이상의 결합관념이 축적되지 않고 단 하나의 가치로서 과거 속에 포화된 결합관념을 지속적으로 뽑아낼 수 있는 것이다. 의식이 멈추지 않는다면 고장을 내어서라도 멈추게 하여야 한다. 그렇지 않으면 우리는 포화된 고통으로 인하여 절망을 넘나드는 위험한 상태에 놓이게 되는 것이다. 사랑은 의식을 멈추어 과거 속에서 고통의 결합관념을 빼냄으로서 살아갈 여유를 확보케 한다. 때문에 우리는 살기 위하여서라도 사랑을 해야만 하는 것이다.

자 이제 사랑을 해야만 하는 이유를 알았으니 우리 모두 사랑을 하도록 하자. 그런데 어떻게 사랑을 해야 하는 것인가? 사랑에 방법이 있다면 우리 모두 그 방법을 배워 사랑을 하면 될 것이다. 그러나 사랑엔 방법이 없다. 왜냐하면 사랑은 그 무엇을 추구하는 것이 아니라, 삶의 목적에서 이탈했을 때 비로소 도달하게 되는, 상태이기 때문이다. 의지를 일으키기 위해서는 의식을 팽팽 돌려야하지만 사랑은 의식이 정지되는 것이다. 사랑은 오직 삶의 반작용으로서만이 도달되는 것이지, 의지나 방법 추구 목적 등에 의하여 성취되는 것이 아니다. 사랑은 오직 조건이 맞았을 때에만 저절로 되는 것이다. 사랑은 아무나 하는 것이 아닌 것이다. 사랑을 하기 위한 조건은 돈도 외모도 학벌이나 성격도 아니고, 단지 사랑을 할 만큼 충분히 고통스러워야만 한다는 것이다. 사랑은 고통을 뽑아내는 것인데 뽑아낼 고통이 없으면 어찌 사랑을 한단 말인가?

우린 누구나 사랑할 자격이 있고, 조건도 갖추었다. 우린 이제 사랑을 할 수 있다. 그런데 도대체 언제 어떻게 사랑을 한단 말인가? 사랑을 하기 위한 방법이 있는 것도 아니고 노력을 해서 되는 것도 아니라면 도대체 무엇을 어찌해야 되는 것인가? 사랑은 의지와 노력에 의해서 되는 것이 아니라 조건이 심화되면 저절로 되는 것이다. 때문에 우리는 사랑을 꿈 꿀 수밖에 없는 것이다. 고통의 포화정도와 깊이에 따라 사랑의 깊이와 시기도 결정 나는 것이다. 그것은 의식이 정지되는 고장이기 때문에 의지로 되어지지 않고 의지로 벗어날 수도 없다. 우리의 삶은 고장에 의하여서만이 비로소 고통에서 벗어날 수 있게 되는 것이다.

인생이라는 끝없는 고속도로를 한 번도 쉬지 않고 달려간다면 아마

끝까지 가지 못 할 것이다. 때문에 여유 있는 자들은 세상을 앞질러 가다가 중간 중간에 휴식을 취하고 다시 간다. 그러나 인생의 뒤편에서 세상을 따라가기가 버거운 대다수의 무리들은 휴식을 갈망하지만 막상 휴게소에 도달해도 쉬어갈 수가 없다. 여유도 없고 남들보다 너무 뒤쳐졌기 때문이다. 이들처럼 스스로 쉬지 못하는 자들은 남들을 쫒아가기 위하여 이미 과열된 의식의 톱니바퀴를 끊임없이 돌려야만 하는 것이다. 그러다 어느 곳에선가 과열된 의식이 고장 나 멈추어 버리면 비로소 정지된 의식에서 엄청난 충격과 환희를 느끼고 경쟁에서 벗어나 정지된 의식에 감동한다.

사랑은 엄청난 충격과 감동으로 다가오기 때문에 우리는 그 속에서 무엇인가 대단한 의미를 찾아보려하지만 사랑 그 자체에서는 아무런 의미도 찾아지지 않는다. 휴식의 중요함은 열심히 일을 했기 때문에 오는 것처럼 사랑의 중요함은 우리의 삶이 고통에 기반을 두고 있기 때문이다. 또한 우리가 순간적으로 강렬한 사랑에 빠지는 이유도 그 사랑의 대상이 대단해서가 아니라 그만큼 절실하게 고통과 지루함 권태로부터 도피하고 싶었다는 것이다.

고통이라는 거대한 괴물에 몸뚱어리를 물린 채 고개를 돌려 괴물의 눈동자와 마주할 수 없다. 그저 혼비백산하여 무엇인가 잡고 싶을 뿐이다. 닥치는 대로 손에 잡히기만 한다면 몸뚱어리를 떨쳐버리고라도 벗어나고 싶다. 의식을 고장 내고서라도 고통의 행진을 멈추고 싶은 것이다. 의식의 톱니바퀴가 멈추어야만 비로소 고통은 환희가 되고 우리 내면에선 엄청난 충격과 변화가 일어나는 것이다.

우리 내면에서 일어나는 엄청난 충격과 변화 그것은 의식의 톱니바퀴가 멈추는 순간 일어난다. 미래로부터 인식의 파편이 의식 속으로 들어오면 과거로부터 그에 적합한 결합관념을 끄집어내어 즐거움이나 쾌감 혹은 스트레스나 고통을 느끼게 된다. 친구를 보는 순간 친구에 관한 결합관념들이 튀어나와 즐거움을 느낄 수도 있고, 가족과 함께 있으면 가족에 대한 결합관념들로 인해 편안해질 수 있다. 음식을 앞에 놓고는 기대감에 침이 나오고, 영화관에 들어서며 즐거워할 수 있어야만 한다. 기다리던 버스가 오지 않으면 짜증이 나고, 사고나 흉악한 장면을 목격하면 괴로움을 느껴야 한다. 어떠한 인식의 파편이 우리의 의식 속으로 들어오느냐에 따라 그에 맞는 결합관념들을 바꾸어 가며 계속 끄집어내어 의식 속에서 현재라는 감정의 작업을 거쳐 과거와 미래라는 시간을 재편해야 하는 것이다. 음식을 앞에 두고 침대라는 결합관념이 튀어나와서도 안 되고, 책상을 보고 먹을 생각을 해서도 안 되는 것이다. 우리의 의식은 끊임없이 들어오는 인식의 파편들을 결합관념으로 매치시키기 위하여 의식을 팽팽 돌리면서 너무나 많은 수고를 해왔다. 그런데 이러한 수고의 결과 우리의 과거는 포화상태에 이르러 더 이상 감정의 부산물인 결합관념을 쌓아놓을 공간이 없어 의식 속에 분리관념으로 남게 되고 우린 고통을 느끼게 되는 것이다. 의식마저 고통의 분리관념으로 포화되면 우린 절망에 빠지고 만다. 절망에 빠지기 전에 과거로부터 고통의 결합관념을 빼내어야만 한다. 그러기 위하여서는 의식을 팽팽 돌리는 이제까지의 방법으로는 될 수가 없다. 과거에 있는 고통의 결합관념을 뽑아낼 가치를 뒤집어 쓸 인식의 파편을 가져와 뒤집어 씌워야만 한다. 정확히 맞지 않는다 하더라도 적당히만 맞는다면, 다급한 김에 고통의 결합관념들을 유인해 빼낼 수 있는 것이다. 대충 걸리기만 한다면 고통의 결합관념을 모두 뽑아낼 때까지 의식을 멈추어야 하는데 삶으로부터 인식의 파편들이 끊임없이 의식을 두드리며 삶을 살라 한다. 삶을 선택할지 사랑을 선택할지, 갈등하지 않으려면 멈추어있는 것만으로는 부족하다. 이참에 아예 고장을 내어 버려야만 한다. 마침내 의식이 고장 나고, 의식이 단 하나의 가치로만 가득 차 더 이상 삶으로부터 인식의 파편들이 들어올 수 없다. 친구를 만나도 아무 느낌이 없고, 가족과 함께 있어도 까마득한 기억으로만 관계 지어져 공감대는 사라지고 어떠한 매뉴얼로 대해야 할지 난감하기만 하다. 사랑의 대상인 단 하나의 가치, 이외에 어떠한 것도 의식으로 들어와 과거로부터 피어오르는 분리관념과 만나 현재를 만들어내지 못한다. 사랑의 대상인 단 하나의 가치 이외의 모든 것은 유령처럼 움직이고 오직 사랑의 대상만이 의식 속에서 고통과 쾌감을 번갈아가며 만들어내고 있다. 의식이 고장 나고 사랑의 대상인 단 하나의 가치가 우리의 의식 속에 있는 한 과거로부터 고통의 결합관념을 마음껏 뽑아내어야만 한다. 의식은 욕구로 가득 차 열정이 되고 열정은 가치와 결합하여 환희로 변한다. 사랑에 빠진 것이다.

우리가 사랑에 빠질 수 있는 것은 우리의 과거가 고통으로 가득차고 의식 또한 고통으로 가득 차 절망에 이르렀기 때문이다. 이러한 절망의 상태에서 아무런 조치를 취하지 않는다면 우린 삶으로부터 멀어지기 때문에 우리의 과거는 미래로부터 가치가 의식 속으로 들어와 고통을 뽑아주기를 하염없이 기다리지 못하고 대상가치를 스스로 만들어 내는 것이다. 아직 절망에 다다르지 않았다면 미래를 하염없이 기다릴 수 있겠지만, 절망에 다다른 자들은 미래를 기다리기만 할 여유가 없는 것이다. 때문에 이들은 절망에 이르게 된 고통을 기반으로 해서 고통을 뽑아낼 가치를 스스로 설정한다. 그것은 앞으로 미래에서 들어올 불확실한 것이 아니고, 스스로의 고통에 의하여 스스로 만든 가치이기 때문에 항상 최적의 가치가 된다. 홍수의 압력을 견디어 내던 둑이 작은 구멍으로부터 무너져가듯, 고통은 스스로를 뽑아낼 작은 가치를 설정하고 모든 고통이 소진 될 때까지 스스로 설정한 가치에 집중한다. 사랑의 대상은 촉매에 불과하다. 지금의 대상이 아니더라도 우리는 스스로 설정한 가치를 누구에게나 덮어씌울 수가 있다. 우린 사랑의 대상을 사랑하는 것이 아니라 스스로 설정한 대상관념을 사랑하는 것이기 때문이다.

고통의 과거에 의하여 설정된 대상관념이 머릿속에 각인되면 모든 것을 각인된 관념을 통하여 보게 된다. 그것이 연인이건 종교이건 우상이건 일단 대상 관념을 거쳐 상대를 보기 때문에 상대의 실상은 문제되지 않는다. 어딘가 모자라고 추한 상대라 할지라도 상대는 아름답고 화려한 모습으로 보일 수밖에 없다. 그러다 어느 순간부터 대상관념사이로 실상이 보이기 시작하면 이 둘을 매치시키기 위한 끊임없는 닦달이 시작되고 마침내 대상관념과 실상과의 괴리를 극복하지 못하면 대상관념은 사라지고 실상만이 남아 사랑의 허탈함을 증명한다. 사랑이 끝난 뒤에는 사랑이 허탈할 수도 있고 혹은 갈망과 아름다운 추억이 될 수도 있겠지만, 어떻게 끝난다 하더라도 사랑하는 동안만큼은 모든 사랑이 똑같은 과정 속에 있다. 사랑은 누구에게나 평등하게 주어지기 때문이다.

단 하나의 대상관념으로 의식이 멈추어 사랑에 빠지면, 주위의 온갖 사물들은 고유의 빛을 발하고 우린 모든 사물에서 신비로움을 느끼게 된다. 이는 우리의 영혼이 단 하나의 대상관념에 몰입해 있는 동안 우리 기억 속 결합관념의 부유물들이 영혼의 축소된 틈으로 영혼의 저항을 받지 않고 다 빠져나왔기 때문에 온갖 사물에서 뿜어져 나오는 인식의 파편들이 의식으로 들어와 그에 맞는 결합관념을 만나지 못해 모든 것을 과거의 결합관념을 통하여 보지 않기 때문에, 사물들은 마치 생전 처음 보는 듯이 빛을 발하게 되는 것이다. 이는 우리의 영혼이 과거 결합관념의 저항 없이 직접 사물을 어루만져 모든 사물에서 영혼의 흔적이 드러나기 때문이다. 또한 우리 주변에 포진해 있는 인간관계와 고통으로 작동하는 의무나 책임 등도 의식 속으로 들어와 그에 맞는 결합관념을 만나지 못해 부담으로 작동하지 않고 그저 무덤덤해 지는 것이다.

의식이 단 한가지로 충만해지면 다른 모든 인식의 파편들은 의식 속 영혼과 결합하지 못해 결합관념이 되어 과거가 되지 않고 사라지게 된다. 사랑을 하면 인식의 파편들이 미래로부터 의식으로 들어와 영혼과 결합하지 못하고 의식을 스쳐 지나가기 때문에 현재라는 작업을 거쳐 과거 속에 결합관념으로 축적되지 않아, 미래로부터 과거로의 시간은 흐르지 않는다. 때문에 우린 사랑이 끝난 후 텅비어버린 세월을 경험하기도 하는 것이다. 그런데 고장 난 의식은 과거로부터 고통의 결합관념을 뽑아내어 열정과 쾌감이라는 작업을 거쳐 미래에다가 갈망을 흩뿌린다. 시간이 거꾸로 가는 것이다. 시간은 현재를 기준으로 미래에서 과거로 혹은 과거에서 미래로 왔다 갔다 한다. 우리는 사랑을 하며 시간이 거꾸로 가기를 갈망하지만, 우리 삶의 시계는 미래에서 과거로만 흐른다. 그 결과 우리는 항상 절망을 시험하게 되는 것이다.

사랑은 아무 때나 이루어지는 것이 아니고, 항상 극한의 상태에서만 이루어지기 때문에 사랑에 빠지면 우린 누구나 열정에 휩싸여 절망과 절정을 넘나드는 극한의 감정기복상태에 놓이게 된다. 이러한 극한의 감정 상태를 만드는 것이 바로 열정이다. 우린 열정을 기대하지만, 열정 자체가 좋은 것은 아니다. 열정은 고통이다. 그것도 욕구에 의해 의식이 포화되는 절망에 가까운 심한 고통이다. 그런데 우리는 열정을 갈구하는 것처럼 생각된다. 우리가 갈구하는 열정은 가치가 가시거리에 있을 때 가치와 결합하여 곧바로 커다란 쾌감으로 이어지기 때문에 쾌감을 가져오기 위한 도구로 인식되는 것이다. 만약 열정만 있고 대상이나 가치가 다가오지 않는다면, 그땐 그것이 비로소 커다란 고통임을 느끼게 될 것이다. 열정은 커다란 고통인데 바로 다음 순간 쾌감으로 이어지기 때문에 고통을 쾌감으로 착각하는 것이다.

열정이란 축적된 고통의 결합관념이 순간적으로 분출되어 의식을 포화시킨 상태이다. 축적된 욕구가 없으면 열정은 생기지 않는다. 미래가치가 씌워진 욕구 결합관념에서 미래가치를 순간적으로 거두어 욕구를 현실화시키면 그것이 열정이 된다. 순간적 고통이 된다. 이러한 열정은 대상이 가시거리에 있을 때 비로소 만들어져야 한다. 대상이 있을 때에만 우린 고통을 버릴 수 있기 때문이다. 대상이 다가옴에 따라 의식속의 고통 뿐 아니라 과거의 영역에 미래가치로 덮여있던 모든 욕망을 모든 고통을 의식의 영역으로 끄집어낸다. 욕구는 커져가고 갈망도 커져가고 모든 고통을 다 뒤집어 쓴 것처럼 고통의 화신이 되어 상대와 접합하며 고통을 쾌감으로 환원한다. 이 얼마나 기다리고 고대하던 순간인가? 이제 과거의 곳곳에 박혀 결합관념으로 잠자고 있던 욕구들을 최대한 끄집어내어 의식을 욕구로 포화시켜야만 한다. 아무리 고통스럽더라도 사랑의 대상이 앞에 있지 않은가? 지금 이 순간이 지나 의식이 돌아가기 시작하면 과거로부터 결합관념을 뽑아낼 수가 없게 된다. 이제 의식을 욕구로 포화시켜 열정을 느끼고 열정을 가치와 결합함으로 환희를 느끼며 이 순간이 영원하길 간절히 바란다.

사랑이 너무나도 좋기 때문에 사랑에 빠진 자들은 사랑이 영원하길 간절히 바란다. 그러나 아무리 간절한 소망이라 할지라도 때가 되면 사랑은 사라진다. 아니 사랑은 애초부터 존재하지가 않았다. 만약 사랑이 있다면 우린 그것을 저장하거나 격리하거나 밀봉해서 필요할 때 끄집어내어 사용할 수 있을지도 모른다. 그러나 삶의 어디에서도 우린 사랑의 실체를 발견할 수가 없다. 사랑은 오직 고통의 반작용에 의하여서만 현상으로 나타나기 때문이다. 사랑은 고통을 뽑아내는 것이다. 뽑아낼 고통이 없으면 사랑은 존재할 수 없는 것이다. 영원히 사랑하려거든 영원히 뽑아내도 고갈되지 않도록 고통을 끊임없이 축적해야 하는데 사랑은 고통을 뽑아낼 수만 있지 축적할 수는 없는 것이다. 영원할 수가 없는 것이다. 시계추가 왔다 갔다 하듯 우리는 삶과 사랑을 여러 번 번갈아가며 할 수는 있을지언정 한 번의 사랑을 영원히 할 수는 없는 것이다. 아쉽고 서글퍼도 어쩔 수 없다. 아쉽다고 사랑의 기간을 연장한다든가 사랑을 완성시키지 않고 미완의 상태로 질질 끌고 가다보면 고통을 뽑아내기도 전에 사랑은 식어버릴 것이다. 때문에 사랑을 할 때는 열심히 사랑만 하는 것이다. 사랑이 끝나면 삶의 방향으로 의식을 돌려야 한다. 아쉽고 서글퍼도 고통을 다 뽑아내어 더 이상 뽑아낼 고통이 없으면 사랑은 종말을 고할 수밖에 없는 것이다. 아쉽다고 고통을 부여잡고 있을 수는 없는 일이다. 사랑의 유효기간은 시계나 달력에 있는 것도 아니고, 상대의 매력에 의해 결정 나는 것도 아니다. 과거로부터 고통의 부유물들을 다 뽑아내면 그때 사랑의 유효기간도 끝이 나는 것이다.

유효기간이 만료되어 사랑이 끝나면 많은 것이 뒤바뀐다. 멈추어있던 의식이 돌아가기 시작하고, 과거에서 미래로 흐르던 시간은 다시 미래에서 과거로 흘러간다. 공중으로 던져진 돌멩이가 정점에서 잠시 멈추듯 우린 마치 무중력 상태에 진입한 것처럼 잠시의 어리둥절함을 거쳐 이제까지와는 완전히 다른 삶을 살아가야만 한다. 사랑의 유효기간이 만료되었다는 것은 사랑의 재료인 고통이 고갈되었다는 것이다. 아쉽더라도 다시 사랑을 하기 위해서는 사랑의 재료인 고통을 긴 시간동안 축적해 나아가야만 하는 것이다.

이처럼 고통이 고갈되어 끝나는 사랑은 행운이다. 대부분의 사랑은 고통이 고갈되기도 전에 다시 고통을 축적하도록 강요받는다. 사랑이 끝나기도 전에 파괴되어 충격과 절망 속에서 다시 고통의 삶에 내던져지는 것이다. 대부분의 사랑은 혼자 하는 것이 아니라 상대가 있기 때문이다. 둘의 사랑이 동시에 시작해서 동시에 끝날 수는 없는 것이다. 왜냐하면 각자 가지고 있는 고통이 다르기 때문이다. 때문에 사랑은 대부분 잃어버리거나 깨어지거나 사라지거나 한다. 유효기간이 만료되지도 않았는데, 아직 뽑아내어야할 고통이 많이 남아있는데도, 다시 고통의 삶을 살도록 강요당하게 되는 것이다.

사랑이 끝났다는 것은 이제 다시 의식의 톱니바퀴를 제대로 돌려야만 한다는 것이다. 이제 다시 삶을 시작해야만 한다는 것이다. 그런데 어찌 삶을 다시 시작하는 것이 마치 벼랑 끝에서 죽음을 받아들이는 것처럼 고통스럽단 말인가. 그만큼 우리의 삶이 고통스럽다는 것이다. 사랑이 끝나서 돌아갈 삶이 고통스럽지 않다면 그깟 사랑이 끝난들 별 문제가 되지 않을 것이다.

의식 속에 오직 사랑의 대상만이 들어 있다가 하루아침에 사랑의 대상이 사라진다는 것은 자기 자신을 통째로 잃어버리는 것과 같다. 때문에 이들은 엄청난 상실감에 어떠한 일을 저지를지 모르는 위험스러운 인물이 될 수도 있다. 이러한 사랑의 종말은 비극을 불러오기도 하고 때로는 참혹한 결과를 가져오기도 한다. 때문에 사랑을 할 수 있다고 사랑을 함부로 해서는 안 되는 것이다. 사랑은 우리에게 엄청난 기쁨과 환희를 가져다주지만 그 이면엔 삶을 송두리째 파괴할 수 있는 부작용이 있을 수도 있기 때문이다. 때문에 우리는 사랑에 대하여 신중하고 조심스럽게 접근해야만 하는 것이다. 그런데 그것은 우리가 하려고 해서 되어지는 것도 조심한다고 안 되어지는 것도 아니다. 삶이 지극히 고통스러운 자들은 아무데서나 의식이 고장 나고, 삶이 그나마 덜 고통스러운 자들은 의식을 고장 낼 장소를 선별하는 것이다.

사람마다 가지고 있는 고통이 다르기 때문에 고장의 방식도 아주 다양하겠지만 순간적이냐 아니면 서서히 진행되었느냐에 따라 사랑이라 하기도 하고 정이라 하기도 한다. 사랑은 단 하나의 충격에 의하여 의식이 한 순간에 고장 나는 경우이다. 그런데 처음엔 별 느낌이 없다가 삶에서 차지하는 시간의 비중이 많다보면 어느 날 문득 의식의 톱니바퀴가 어느 곳에선가 멈추는 경우가 있다. 특별한 가치를 느끼지도 않고 미래를 같이할 만큼 좋아하지도 않는데, 떨어지는 물방

울이 바위를 뚫듯, 긴 시간 반복적 접촉에 의식이 정지되어 버린다. 정이 든 것이다. 사랑에 빠지면 고통을 버린다는 단 하나의 장점만이라도 건질 수 있지만, 정이 들면 고통을 버리지도 못하고 의식은 고장 나 삶이 힘들어진다. 이성은 의식이 돌아가 삶을 살아야 한다고 말하는데 의식이 움직이지를 않는 것이다. 이러한 정은 고독과 외로움 속에서 어느 순간 찾아온다. 고장의 방식에 따라 사랑일 수도 정일 수도 있지만, 사랑과 정은 서로 형태를 바꾸어가며 변화되어간다. 변화되지 않고 사랑과 정 중에서 한가지만을 하게 되는 경우 이들의 관계에 미래는 없는 것이다. 우린 사랑을 하면서 사랑의 대상과 영원히 함께하길 바란다. 그러나 사랑이 끝나면 사랑의 대상과 철저히 남이 되는 자들도 있고 사랑이 끝났다 하더라도 예전 사랑의 대상과 오래도록 함께할 수 있는 자들도 있는 것이다. 이는 사랑을 하는 동안 상대의 반가치 마저 기억 속에 결합관념으로 각인하여 정이 들 수 있느냐 아니냐의 차이이다.

사랑이건 정이건 의식의 고장은 내부로 들어오는 모든 인식의 파편들을 지나쳐 버림으로 우리의 삶은 지독히 피폐해 질 수 있다. 고장난 의식을 가지고 현실적 삶을 산다는 것은 피곤하고 고통스러운 것이다. 이제 그만 의식을 돌려야 하는데 돌아가지가 않는다면 그의 삶은 꿈을 꾸며 가위눌린 상태로 꿈인 줄 알면서도 깨어나지 못하는 악몽의 포로가 된다. 눈앞의 현실에서 아무것도 느낄 수 없어 대처할 수 없고 미래는 파괴되며 오직 상대에 대한 의식만이 존재하여 이제까지 가지고 왔던 가치관과 계획 이상과 희망이 실종된다는 것이다.

의식을 일상적으로 차지하고 있는 것들이 자의식이 되고 바로 진정한 나이다. 그러나 사랑을 하면 단 하나의 가치가 이제까지 자의식을 차지하며 나를 구성하던 가치들을 모조리 의식 밖으로 밀어내고 단 하나의 가치만이 의식을 차지하여 이제까지와는 전혀 다른 사람이 되고 만다. 이제까지의 모든 가치들은 무가치로 환원되고 오직 단 하나의 가치만이 나의 전부가 되어, 과거에서는 열정만이 튀어나오고 의식은 단 하나의 대상으로 꽉 차 이제까지 나의 특징을 이루었던 습관이나 성격 태도 모든 것이 변해버려 완전히 다른 사람으로 환원되는 것이다. 절망이건 절정이건 삶의 한 극단에 도달하면 우린 비로소 다른 사람으로 변화되어 가는 것이다.

절망과 절정은 우리 감정의 진폭 가장 끝에 있어 우리가 흔히 경험할 수 없고 가장 큰 절망이나 절정은 우리 인생을 통 털어 반복되지 않기 때문에 결코 잊을 수 없는 감정의 기억이 되어 우리의 미래에 갈망과 두려움을 심어놓게 된다. 의식을 완전히 장악했던 사랑도 잊을 수 없는 감정의 기억이 되어 어떻게 끝이 나건 살아있는 한 잊혀지지 않는다. 그것은 감정의 정점으로 최고의 고통인 열정을 쾌감으로 승화하여 추억과 함께 미래의 끝에다가 갈망을 심어놓았기 때문이다. 이처럼 열정적 사랑을 경험했던 사람일수록 더욱 열정적인 사랑을 갈구하지만 열정은 쉽게 되풀이 되지 않는다. 첫사랑 혹은 젊은 시절 사랑의 열정은 태어나면서부터 축적되어온 긴 세월의 결합관념을 끄집어내는 열정으로 아주 많은 고통이 소진되어 그 만큼의 고통이 또 다시 축적되지 않는다면 다시는 그와 같은 열정을 경험하기가 힘들어지는 것이다. 이는 그 사랑의 대상 때문이 아니라 그가 장기간 축적해 놓은 결합관념이 최초의 사랑에서 거의 소진되어 버리기 때문이다. 첫사랑의 열정을 다시 느끼려거든 오랜 시간동안 사랑하지 말고 결합관념을 다시 축적해야만 할 것이다.

고통이 포화되어있는 상태에서 의식을 완전히 장악하는 첫사랑이나 열정적 사랑에 빠지면 우린 이제까지의 삶과는 완전히 다른 생전 처음 겪는 느낌을 경험한다. 그리고 그러한 과정을 진정한 삶이니 진정 가치 있는 삶이니 진정한 나를 찾았다느니 감정으로 표현할 수 있는 최고의 감탄사를 연발한다. 진정한 삶 혹은 진정 가치 있는 삶을 우리는 무엇인지도 모르며 쾌감을 느꼈을 때 감동을 느꼈을 때 고통에서 벗어남을 경험 할 때를 진정 가치 있는 삶이라 한다. 그런데 그것이 무엇이란 말인가? 그것이 바로 관념이 사라지는 과정이다. 관념이 사라질 수만 있다면 우린 사랑이 아니라 어떠한 과정에서도 충격과 환희를 맛보며 진정한 삶과 자아감을 느낄 수 있는 것이다.

우린 두 가지의 세상을 번갈아가며 살아간다. 의식의 톱니바퀴가 정상적으로 돌아가는 세상과 의식의 톱니바퀴가 멈추어서 시공을 떠나 겪게 되는 세상, 우린 두 세계를 번갈아가며 그 경계를 지날 때마다 환희와 절망을 겪는다. 이러한 우리의 삶은 두 가지 관점에서 정반대의 상황을 나타낸다. 관념의 관점에서 진정으로 살아있다는 것은 의식 속에 수많은 관념을 집어 넣어놓고 도로에 차바퀴 굴러가듯 관념의 파편들을 밟고 의식을 고속으로 회전시키는 것이다. 온갖 스트레스와 고통에 절어 순간순간이 엄청난 삶의 부담으로 다가와 절망으로 이어진다. 영혼의 관점에서 진정으로 살아있다는 것은 과거에서 의식으로 의식에서 미래로 관념을 뽑아내며 영혼의 흐름에 저항을 없애 영혼의 흐름을 원활히 하며 존재에 다가가는 것이다. 과정은 사랑이고 그 끝은 절정이다. 우리의 삶은 절망과 절정 사이에서 왔다 갔다 하며 어떠한 것이 진정한 삶인지를 끊임없이 탐색하고 갈등한다.

이러한 갈등을 일으키는 삶과 사랑은 정반대의 행태를 취한다.

삶은 의식을 팽팽 돌려야 하지만 사랑은 의식을 정지시켜야 한다.

삶은 과거를 계속 축적해 나아가지만 사랑은 과거를 비워나간다.

삶은 의식의 포화를 강요받지만 사랑은 의식을 비워나간다.

삶은 그 과정이 고통이지만 사랑은 그 과정이 쾌감이다.

우리는 평생을 살면서 삶과 사랑이라고 하는 양 극단을 번갈아가며 살아갈 수밖에 없다. 한쪽으로만 치우치려해도 극단에 다다르면 그 반대의 삶으로 이어진다. 절망에 이르러 사랑을 갈망하지만 사랑은 저절로 이루어지고, 절정에 이르러 이 순간이 영원하기를 간절히 바라지만 간절함은 무참히도 무시된다. 오직 절망에 이르렀을 경우에만 사랑은 피어나고, 사랑의 절정에 다다르면 또다시 삶의 고난이 기다리고 있다. 절망과 절정 사이에서 우리는 방향을 잡지 못하고 우왕좌왕하다가 양 극단에 이르러야만 비로소 의지의 방향을 명확히 한다. 삶은 우리를 갈등 속에 묶어놓으려 하지만, 갈등의 양끝에서 우리의 의지는 분명한 방향을 가리킨다. 그것은 관념으로부터 벗어나라는 것이다. 시간을 되돌리라는 것이다.

사랑이 너무나 좋다보니 누구나 사랑을 추구하고 갈망하며 사랑의 대상만을 갈구하여 사랑의 대상 이외의 모든 것들을 외면하고 무관심으로 일관하며 오직 사랑의 당사자들만 세상의 전부인양 행동하게 된다. 사랑의 대상만을 갈구하고 사랑의 대상 이외의 누구와도 자의식을 공유하지 못하게 되니 모든 이들이 서로를 등한시하고 외면하게 되어 위기의식마저 느끼게 된다. 이대로 가다간 어떻게 될지 모른다. 이기만을 추구하고 쾌감만을 추구하는 이들의 행동을 돌려야만 우린 서로 화목하게 살 수 있는 것이다. 남들이 자신들만 생각하지 않고 나도 좀 생각하도록 해야만 한다. 남들의 의식 속에 나도 좀 넣어주고 자기만을 위하지 말고 나도 좀 배려해주었으면 좋겠다는 것이다. 그래서 우리는 남들에게 말하기 시작한다. 너희들이 그토록 갈망하는 그것만이 사랑이 아니라고, 오히려 그와 반대되는 남들을 위하는 행위들이 훌륭하고 거룩한 사랑이라고, 그토록 갈망하고 하염없이 기다려도 언제 올지 모르는 자기만의 사랑을 하지 말고, 결심하고 노력하면 언제든지 할 수 있는 남을 위한 사랑을 하라고, 그것이 도덕적이고 훌륭하며 거룩하고 위대하기 까지 한 사랑이라고, 많은 사람이 도덕적 사랑을 부르짖다 보니 사랑을 동경하는 자들이나 사랑을 안 해본 자들 혹은 사랑을 하염없이 기다리다 지친 자들은 그것도 사랑이라 하니 아니 오히려 훌륭한 사랑이라 하니, 이제까지 벗어나기 위하여 그토록 노력했던 의무와 책임 부담을 사랑으로 명명하고, 명예와 공명심을 얻기 위하여 사랑에 반대되는 사랑을 한다. 그러고 나서 이들이 느끼는 감정은 행복감이다. 이는 사랑의 대상과의 단절이고 고립이고 배척이다. 행위는 훌륭하다 하지만 의식의 영역에서 전혀 다른 현상이 일어난다. 도덕적 책임과 의무는 의식이 확대되면 저절로 하게 되는 것이다. 그러나 의식의 확대가 쉽지 않다보니 의식이 작은 자들에게 명예와 공명심을 부추겨 사랑에 반대되는 것을 사랑이라 하며 의식을 자극하는 것이다.

우린 죽도록 사랑하고 싶다. 그런데 도덕은 우리에게 제발 사랑 좀 하라 한다.

우린 자의식을 축소하여 쾌감을 느끼고 싶은데, 도덕은 자의식을 넓혀 고통을 감수하라 한다.

'사랑하고 싶다.'는 의식을 고장 내고 싶은데, '사랑하라.'는 의식을 팽팽 돌리라 한다.

우린 사랑을 하며 고통의 삶에서 벗어나고 싶은데, 도덕은 우리에게 고통을 감수하는 삶이 오히려 훌륭한 사랑이라 한다.

도덕을 부르짖는 것은 그 누구도 아닌 바로 우리 자신이다. 우린 스스로는 자신의 이기를 추구하고 남에게는 도덕을 주입하여 나에게 유리한 상황을 만들어 나간다. 자신의 의식은 축소하며 쾌감을 추구하고, 남들의 의식은 넓혀 고통을 감수하라 한다. 자신의 행위나 남들의 행위나 모두 나에게 이로운 방향으로 전개되어야 한다는 것이다. 스스로 하고 싶은 사랑이나 남에게 하라하는 사랑이나, 이는 행위의 문제가 아니라 관점의 문제이다. 모든 관점은 스스로는 악을 추구하고 남에게는 선을 추구토록 하여 항상 자신에게 유리한 상황을 만들어 가고자 하는 것이다. '하고 싶은 사랑'과 '하라 하는 사랑' 이 두 가지 사랑은 정반대의 의식행위이지만 하나의 관점에서 보면 별로 헷갈리지 않는다. 모두 나에게 유리하게 의식을 움직이라는 것이다. 내 것은 내 것이고, 네 것도 내 것이 되어야 한다는 것이다. 사랑은 하고 싶을 때나 하라 할 때나 이기적인 용도로만 사용된다.

남들 보고 하라하는 사랑은 결코 내가 갈망하는 사랑이 아니다. 내가 갈망하는 사랑을 만약 내 주변 사람이 하고 있다면, 나는 그에게 있어서 아무것도 아닌 그저 관계로서 인식만 되어지는 허깨비 같은 무가치한 존재가 될 것이다. 우린 누구나 남으로부터 가치를 부여받고 싶기 때문에 남들에게 이기적 사랑을 하지 말고 도덕적이고 훌륭한 사랑을 하라고 끊임없이 부르짖는 것이다.

사랑하라는 말은 상대에게 가치를 부여하라는 것이다.

네 이웃에게 가치를 부여하고

원수에게도 가치를 부여하고

네 주위의 모든 것에 가치를 부여하고

네 주위의 아무리 사소한 것일지라도 가치를 부여하라.

그래야만 사회가 평온해 진다.

우리 서로 가치를 부여하자

그래야만 우리는 서로를 존중할 수가 있다.

가치 없는 것은 발로 차버릴 것이 아닌가?

그러지 말자는 것이다.

욕구가 있으면 가치는 저절로 생겨난다. 가치를 부여하라는 말은 욕구하라는 말인데 이는 고통이 없는 자에게 고통을 느끼라는 말과 같다. 사랑하라는 말은 배부른 자에게 밥을 먹으라는 말과 같다. '사랑하고 싶다'는 순리이다. 그러나 '사랑하라'는 이치에 어긋나는 말이다. 사랑이란 갈구하는 것이지 의무도 책임도 부담도 아니다. 사랑은 고통으로부터 벗어나는 것인데 이제 다시 고통으로 들어가라 하며 그것이 진짜 사랑이라 한다. 사랑이 너무나도 좋다보니 누구나 하기 싫어하는 의무와 책임 부담에 우리가 가장 갈구하는 사랑을 명명하여 도덕적 행위를 이끌어내려는 것이다.

사랑이란 관점이 가지고 있는 이기의 범위를 표현하는 말일뿐 그 어떠한 것도 아니다. 우리가 아주 다양한 것들을 사랑한다고 할 수 있는 이유는 그러한 것들이 우리의 자의식 속에 있기 때문이다. 우린 자의식 내의 구체적 대상을 사랑한다. 자의식이 크다면 많은 것들을 사랑하며 많은 것에서 의무와 책임 그리고 부담을 느끼는 것이고, 자의식이 작다면 적은 것에 대하여만 의무와 책임을 느낀다. 만약 자의식 속에 단하나의 것만이 존재한다면 그는 사랑에 빠진 것이고 단 하나의 것에만 의무와 책임을 느끼며 살아가는 것이다. 이처럼 사랑이란 자의식의 범위이다. 의식을 하나의 대상에만 매립하면 에로스적 사랑이 되고 많은 범위에 분산시키면 아가페적 사랑이 된다. 자의식이 가족에만 있으면 가족 사랑이고 이웃에 까지 있으면 이웃을 사랑하는 것이다. 자의식이 어디까지 있는가에 따라 사랑의 범위는 달라질 수 있는 것이다. 결국 우린 나를 사랑한다.

나를 위한 사랑이건 남을 위한 사랑이건 아가페건 에로스건 한 개인에게서 나오는 행위가 무엇인가를 따진다는 것은 그의 자의식이 얼마나 큰지를 구분하지 못하기 때문에 행위를 가지고 이러쿵저러쿵 할 수밖에 없는 것이다. 사랑은 모두 이기적인 것이고 인간의 모든 행위는 이기적인 것이다. 다만 자의식이 큰 자의 행위는 이기적인 행위가 이타 행으로 보일 뿐이다. 우리가 남들의 자의식의 크기를 알지 못하다 보니 그 결과인 행위를 가지고 이기인지 이타인지 구분하려는 것이다. 자의식의 존재를 의식하지 못하는 자들만이 이기와 이타를 구분하고 오직 도덕과 교훈 · 명예와 계율 · 공명심에 의해서만이 남을 생각한다. 자의식이 큰 자는 남을 위해서가 아니라 자의식에 의하여 저절로 이타적이 되고 자신의 의식을 확장하여 전체를 지향한다. 그러나 자의식이 협소한 자들은 남들의 시선에 의해서만 이타적이 되고 자의식의 배타적 경계를 공고히 하며 자신을 축소시켜 전체로부터 고립된다.

'하고 싶은 사랑'이건 '하라 하는 사랑'이건 사랑은 절망이라고 하는 최악의 상황에서 벗어나려고 하는 반작용으로 이루어진다. 우린 항상 절망과 절정사이의 어느 지점에서인가 감정의 자리를 차지하고 있지만 방향을 잡지 못하고 넋을 놓고 있다가 절망에 이르러 최악의 상황이 되어야 만이 의지를 가동하게 되는 것이다. 이러한 최악의 상황에서 우리가 선택할 수 있는 것은 악이고 이기일 수밖에 없는 것이다. 이처럼 사랑은 갈 데까지 간 자들이 선택하는 자신을 위해 살아남기 위한 최후의 선택인 것이다. 때문에 사랑은 이기일 수밖에 없고 선이 아닌 악 일 수밖에 없는 것이다. 사랑이 도피인 것은 항상 최악의 상황에서만 일어나기 때문이다.

사랑은 항상 최악의 상황에서 시작하여 절정에 이르러 완성이 되면 사라질 수밖에 없다. 사랑의 완성은 사랑으로부터도 벗어나는 것이다. 우리는 사랑을 갈망하며 영원하길 간절히 바라지만 고통을 뽑아낸다는 사랑의 목적을 완전히 달성하여 사랑이 완성되면 사랑은 종말을 고할 수밖에 없는 것이다. 어느 누구도 사랑의 종말을 원치 않지만 고통이 사라지면 사랑도 사라질 수밖에 없는 것이다.

우린 고통의 삶을 살며 우리에게 축적된 과거의 고통을 뽑아내기 위하여 사랑을 한다. 그런데 뽑고 뽑아도 어디엔가 고통의 잔재가 남아있다. 과거로부터 고통을 모두 뽑아내었는데도 불구하고 아직 남아있는 고통이 있는 것이다. 도대체 잘 뽑아지지도 않고 무언지도 모를 고통의 잔재는 무엇인가? 과거로부터 모든 고통을 뽑아내어도 우리에게 마지막까지 남아있는 고통의 잔재 그것은 바로 나와 내가 사랑하는 사랑의 대상이다. 살아가면서 환경으로부터 주어지는 과거의 고통은 뽑아내었지만 내 속에 잠재되어있는 나 스스로 나를 유지하기 위한 자존감과 품위와 체면 이러한 것들은 고통으로 드러나지 않지만 오랜 세월동안 잠재의식 속에 틀어박혀 나를 형상화 시키며 나를 통제해왔다. 이처럼 살아가기 위한 나 자신의 존재감 이것은 고통의 저 밑바닥에서 고통의 초석이 되어 엄청난 부담으로 작용해왔던 것이다. 또한 사랑하는 사람에게는 사랑하기 때문에 의무와 책임 부담이 존재한다. 사랑하는 자에게 이러한 부담은 그 어느 것보다 중요하고 완전한 부담이자 또한 유일한 고통으로 작용한다. 이제 사랑의 대상인 단 하나의 것이 의식의 전부를 차지하며 절망과 절정 사이를 왔다 갔다 하게 만들고 과거 속에 새로운 결합관념을 쌓아간다. 사랑의 대상으로부터도 벗어나지 않는다면 우리는 고통으로부터 완전히 벗어날 수 없는 것이다. 가장 소중한 단 하나의 것이라 할지라도 그것을 간직하고서는 결코 고통에서 벗어날 수 없는 것이다. 이처럼 스스로의 존재감과 사랑의 대상이 있는 한 우리는 모든 고통에서 해방될 수 없고 사랑은 완성되지 않는 것이다. 고통으로부터 벗어나기 위하여 절망으로부터 시작하여 이제 사랑의 끝까지 왔는데 아직 고통으로부터 완전히 벗어나지 못한 것이다. 마침내 사랑은 마지막 남아있는 고통으로부터도 벗어나기 위한 마지막 사랑의 시도를 할 수밖에 없다. 스스로의 자존감과 사랑의 대상에 의한 고통인 사랑의 대상에 대한 의무와 책임 부담을 떨쳐버리기 위하여 사랑의 주체와 객체만이 남아 사랑으로부터도 벗어나기 위한 사랑의 마지막 시도를 하게 되는 것이다.

마침내 우린 사랑으로부터도 벗어나기 위하여 유일하고 가장 소중한 사랑의 대상을 파괴하기 시작한다. 그동안 소중하고 애지중지했던 사랑의 대상을 열정으로 포화되는 순간을 기점으로 완전히 돌변하여 상대를 모욕하고 상대의 약점을 드러내어 자극하며 야비함과 잔학성을 드러낸다. 가장 비열하고 야비한 자들만이 할 수 있는 행위를 사랑의 끝에 와서 가장 소중했던 사랑의 대상에게 퍼붓는 것이다. 상대에 대한 그동안의 존경과 경의는 사라지고 저주와 욕설을 내뱉으며 상대의 약점과 고통만을 움켜쥐고 상대의 마지막 숨통을 조여 간다. 온갖 수치와 고통을 드러낸 상대는 마지막 신음 소리를 끝으로 스스로의 존재감을 놓아버린다. 파괴된 것이다.

사랑의 대상이 파괴되었다고 모든 고통이 사라진 것은 아니다. 그동안 모든 고통을 넣어두고 사랑의 대상을 감싸주고 보살펴주었던 나라고 하는 포대자루는 고통의 흔적으로 얼룩진 채 우리의 존재감으로 남아있다. 이제까지 우리의 존재를 유지하기 위하여 가지고 왔던 자존심과 인격 그리고 품위와 체면 또는 나타내고 싶지 않아 꼭꼭 숨겨두었던 남들에 대한 열등감과 수치감 이 모든 것들은 우리의 형상이 되어 우리자신을 짓눌러 왔다. 자존감이 되어버린 형상이 파괴되지 않게 하기 위하여 한 순간도 긴장감을 놓지 못하고 자신의 존재를 보존하기 위하여 끊임없는 노력을 해왔던 것이다. 이러한 나의 형상은 스스로 만든 것으로서 그것을 유지하기 위한 끈질긴 노력이 있어야만 하는 것이다. 방심해서도 안 되고 나태해서도 안 된다. 고통스럽지 않다 하더라도 세상 속에 살고 있는 이상 한 순간도 손에서 놓지 않고 항상 지키고 스스로를 감시해야만 하는 것이다. 이러한 모든 고통을 감싸고 있었던 나 자신마저도 버리지 않고는 모든 고통에서 벗어났다고 할 수가 없는 것이다. 마침내 사랑의 끝에서 우린 마지막 고통인 나 자신마저 파괴하기 시작한다. 이러한 자신에 대한 파괴는 상대가 파괴되어감에 따라 가능한 것이다. 만일 상대가 파괴되지도 않았는데 자신을 파괴해버린다면 상대는 파괴되지 않는 고통으로 남아 끊임없이 우리를 괴롭힐지도 모른다. 때문에 우리는 자신을 파괴하기 위하여서라도 항상 상대의 파괴를 확인한다. 상대가 서서히 파괴되어감에 따라 자신의 수치와 고통을 드러내며 상대로 하여금 자신도 파괴되어감을 확인시킨다.

사랑의 주체와 객체 모두를 한꺼번에 파괴하여 사랑으로부터 벗어나고 마침내 모든 고통으로부터 완전히 벗어나고자 하는 사랑의 마지막시도 그것이 섹스이다.

사랑하는 자와의 섹스는 사랑하는 자들의 유일한 고통인 사랑하는 대상에 대한 의무와 책임 부담마저도 파괴하여 벗어나려는 시도로 이어지고 섹스를 통하여 사랑의 마지막 부담에서도 벗어나는 과정으로 우리는 사랑을 완성한다. 사랑의 완성은 사랑으로부터도 벗어나는 것이다. 그 시도가 바로 섹스인 것이다. 때문에 섹스는 상대에 대한 배려나 사랑이 아닌 이제까지 단 하나의 가치로서 애지중지 했던 사랑의 대상에 대한 파괴를 지향함으로서 완전한 해방을 추구한다. 상대에 대한 모욕과 파괴 그리고 잔학성을 표출함으로서, 이제까지 의식의 전부를 차지하던 사랑의 대상을 의식으로부터 몰아내고 그 과정에서 오르가즘을 느끼며 비로소 사랑의 부담으로부터도 벗어나게 되는 것이다.

사랑은 아름다운 것이다. 그것도 사랑의 당사자 모두에게 아름다운 것이다. 왜냐하면 사랑의 당사자 모두의 고통만을 교환했음에도 불구하고 더욱 고통스러워지는 것이 아니라 오히려 쾌감이 극대화되기 때문이다. 이 세상 대부분의 행위는 누군가에게 유리하면 누군가에게는 불리해서 행위의 주체와 객체 사이에 가치와 반가치 혹은 고통과 쾌감의 교환이 일어나 행위의 역학이나 인과가 하나의 영역에서 이루어져 우리가 예측할 수가 있다. 그러나 사랑은 사랑의 당사자 모두로부터 고통만을 뽑아내었음에도 불구하고 오히려 쾌감이 극대화됨으로서 우린 마치 고통이 사라진 것처럼 생각하게 되는 것이다. 그러나 고통은 겪지 않고는 사라지지 않는 것이다. 우린 사랑을 하면 고통이 사라지리라 생각하지만 우리가 사랑하며 뽑아낸 고통은 의식의 벽을 넘어 새로운 고통인 또 다른 의식으로 잉태하게 되는 것이다. 쾌감을 통하여서 고통은 절대 사라지지 않는다. 오직 증폭되어 전가될 뿐이다.

섹스는 모든 생물들의 아주 강력한 욕구이다. 매일 되풀이 할 수 있는 식욕이나 수면욕보다도 욕구의 축적기간이 길며 욕구의 발산 기회도 마음대로 이루어지는 것이 아니다. 이러한 섹스를 우리는 공표하지 못하고 비밀스럽게 간직하며 오직 은밀한 곳에서만 행하게 된다. 이유는 그것이 우리의 최대 고통과 결부되어 자신의 약점이나 수치심으로 드러나기 때문이다. 누구나 똑같은 섹스를 한다면 그것을 숨기거나 하지 않을 수도 있다. 그러나 섹스는 그 횟수도 천차만별이고 방법도 천차만별로서 그 각기 다름이 바로 그가 가지고 있는 최대의 약점인 고통 과거 환경에 기인하기 때문에 수치심을 느낀다는 것이다.

섹스가 수치스러운 것이 아니라 그 동안 자신 속에 감추어 두었던 온갖 부조리들이 섹스의 과정을 통해서 드러나는 것이 수치스럽다는 것이다. 누구나 약점은 감추고 강점은 드러낸다. 그래야만 남에게 이용당하거나 무시당하지 않고 세상을 살 수 있는 것이다. 만일 자신의 약점이 공공연히 드러난다면 그는 모든 사람들로부터 이용당하기 쉬워지고 무시당하거나 심지어는 경멸당할지도 모른다. 때문에 우리는 약점을 철저히 감추기 위하여 오직 은밀한 곳에서만 섹스를 하며 온갖 수치를 드러내고 나와서는 자신이 원래는 그런 사람이 아니라고 시치미를 뗀다. 어떤 자들은 근엄해지고 어떤 자들은 품격과 교양을 나타내며 어떤 자들은 권위를 드러낸다. 오직 섹스마저도 제대로 하지 못하는 자들만이 삶의 무게를 떨쳐버리지 못하고 자신을 감추지 못해 고통에 전 표정으로 삶의 수치를 증명한다.

욕구의 충족이라는 것은 그 자신이 가지고 있는 가장 약했던 가장 고통스러웠던 수치스러워 남에게 말하지 못했던 것들을 원래대로 돌이키는 과정이다. 다만 그 과정 속에서 약점이 드러나 수치를 느낀다는 것이다. 우리가 육체에 대해 수치심을 갖는 이유 중 육체 자체에 수치심을 느끼는 것은 극히 일부일 것이고 육체 중에서 자신의 과거 욕구 고통 그리고 약점을 표현하며 의지와 상관없이 작동하여 마음먹는 대로 통제할 수 없는 육체의 극히 일부인 성기에 관하여 수치심을 갖게 된다. 성기가 작동한다는 것은 이제 그가 감추어 두었던 고통 욕구 환경 과거라는 온갖 약점들이 그것을 통하여서 나타나기 시작한다는 것이다. 때문에 우리는 예민하게 반응하여 과거 속 깊은 것들을 표출하는 그것이 남에게 보여 지는 것을 수치스러워 하는 것이다. 의지와 상관없이 표출되는 자신의 약점이 수치스러운 것이지 성기 자체가 수치스러운 것이 아니다. 우리는 성기를 가린다. 만약 우리의 내부에 있는 고통과 욕구 환경 약점 등이 손등으로 표출된다면 우린 한여름에도 장갑을 끼고 다녀야만 할 것이다. 우리가 진실로 수치스럽게 느끼는 것은 성기가 아니라 바로 우리의 과거인 고통 욕구 환경이다.

이처럼 우린 내면의 고통이 드러나는 것을 수치스러워 한다. 때문에 은밀한 곳에서만 섹스를 하고 식욕이건 수면욕이건 혹은 물욕이건 간에 허겁지겁 욕구를 채우는 것을 꺼려하고 고통에 초연한 척을 하며 내면의 고통을 감추려 노력한다. 이처럼 우린 고통을 감출 수는 있다. 하지만 고통으로부터 벗어날 수는 없다. 왜냐하면 고통은 바로 나 자신이기 때문이다. 가식과 포장과 위선으로서 아무리 감추려 해보았자 고통의 알맹이는 더욱더 단단해질 뿐이다. 또한 고통으로부터 벗어나기 위하여 사랑을 하기도 하고 섹스를 하기도 하며 수많은 쾌감을 쫓아 헤매지만 고통은 완전히 사라지지 않고 전가되어 단지 범위를 넓혀갈 뿐이다. 고통으로부터의 도피나 벗어남은 일시적이고 착각의 동안에만 느껴질 뿐이다. 착각의 순간이 지나면 비로소 형태가 다른 고통이 새로이 포진해 있음을 깨닫게 된다. 내 안의 고통이 바로 나 자신이기 때문에 고통은 나로부터 분리되지가 않는 것이다. 우리가 고통으로부터 진실로 벗어나는 방법은 고통을 겪어 없애버리는 것이다. 고통을 겪는 것만이 재발하지 않고 고통으로부터 벗어날 수 있는 유일한 방법이 될 수 있는 것이다.

고통으로부터 완전히 벗어나기 위하여서는 고통을 겪는 수밖에 없다. 그런데 가만히 앉아 고통을 겪다가는 금방 절망에 빠져버릴 것이다. 절망에 빠지면 우린 아무것도 판단할 수가 없게 된다. 의식이 고통에 점령당해 절망에 빠지기 전에 우리 스스로 고통에 다가가 고통을 해체시켜야 한다. 그것만이 고통에 점령당하지 않고 고통을 없애버리는 유일한 방법이 된다. 다가오는 고통에 점령당하지 않고 도피하지도 않고 정면으로 맞닥뜨려 고통 속으로 들어가 고통을 해체시키는 것이다. 능동적으로 고통을 겪는 것이다. 도전적 몰입이다.

14. 도전적 몰입

우리가 무엇인가를 하고자 할 때는 우리의 마음속에 그것을 하도록 조건 지어진 무엇인가가 있다. 그것이 바로 우리의 관념 욕구 고통이다. 우린 길을 가다 아무 이유 없이 땅을 파고 땅 속을 확인하지 않는다. 도전이란 내가 가지고 있는 관념의 가장 문제되는 부분을 가장 고통을 주는 부분을 해체하고자 함이다.

우리의 관념이란 오랜 기간 축적되고 감추어져 그 내용을 스스로도 알아차리지 못한다. 다만 알 수 없는 고통과 억압으로서 우리를 끊임없이 짓누르며 압박해왔다. 이러한 알 수 없는 고통을 축적하기만 한다면 우리는 절망에 빠져 스스로를 통제할 수 없는 지경으로 몰아가게 된다. 때문에 절망에 빠지기 전에 과거의 영역에 쌓여있는 고통을 해체하여 절망으로부터 멀어져야만 하는 것이다.

우리가 과거의 고통으로부터 벗어나기 위해서는 과거의 고통(관념)을 없애버리면 된다. 그런데 고통은 저절로 없어지지 않기 때문에 우린 가치를 필요로 하고 욕구와 가치가 결합되어야만 비로소 고통도 사라지는 것이다. 그러기 위하여 우리는 가치를 찾아내어야만 하는 것이다. 우리가 고통을 이미 알고 있다면 그에 맞는 가치를 찾기만 하면 될 것이다. 그러나 우린 스스로 고통을 느끼면서도 그것이 무엇인지를 알 수 없는 경우가 많다. 고통을 알아야만 그에 맞는 가치를 찾아내어 몰입의 과정을 거쳐 고통을 소멸시킬 수 있을 텐데 고통이 무엇인지 모른다면 가치가 눈앞에 다가와도 고통을 소멸시킬 수가 없게 되는 것이다.

우리에겐 과거의 영역에서 의식의 영역으로 수시로 튀어나오는 드러난 고통과 과거의 영역에 축적되고 감추어져 알 수 없는 고통이 있다. 드러난 고통은 고통을 알 수 있어 가치를 찾아내기만 하면 되지만 우리의 마음속 깊이 감추어져 알 수 없는 고통은 가치를 찾기 위하여 혹은 고통을 드러내기 위하여 고통을 파헤쳐 들어가는 과정을 필요로 한다. 가치를 찾던 고통을 파헤치던 우리를 고통으로부터 벗어나게 하려는 의도에서 도전의 가치가 있겠지만 우리가 가치에 집중하는가 혹은 고통에 집중하는가에 따라 그 결과는 상반되다시피 전혀 다른 형태로 나타난다.

드러난 고통은 유사하게 분류되고 규격화되어 그에 대한 가치 또한 공통되고 규격화된 가치를 필요로 하기 때문에 우린 이러한 가치를 과학적 가치라 하고 이러한 가치의 집단을 문명이라 하게 된다. 그러나 감추어져 알 수 없는 고통은 그 고통이 축적된 시기나 환경에 따라 고유하며 알 수 없는 방법으로 축적되어 가치를 찾기 위하여서는 고통을 파헤쳐 들어가야만 하는 확인의 과정을 거치게 된다. 이러한 과정의 결과물을 우린 예술이라 하고 예술의 집합을 문화라 할 수 있는 것이다. 이처럼 드러난 고통을 해결하기 위하여 가치에 집중하는 행위는 문명을 만들어내고, 감추어져 알 수없는 고통을 해결하기 위하여 고통에 집중하는 행위는 문화를 만들어 낸다. 문명은 가치를 발견하여 드러난 고통을 해결하지만 그 가치 이면의 부작용은 우리에게 더 많은 고통을 가져온다. 가치라고 하는 문명의 동심원은 동심원 안의 가치보다 그 뒤에 숨겨져 있는 반 가치로서의 외면이 항상 클 수 밖에 없는 것이다. 때문에 항상 가치를 획득하여 편리와 쾌감을 경험한 후에는 반 가치로서의 외면이 작동하여 더욱 커다란 고통에 직면하게 되고 우린 또다시 드러난 고통으로 작동하는 외면을 덮을 가치의 동심원을 찾아 나서야만 하고 이는 또 다른 반가치를 확장하게 되는 악순환에 빠지게 되는 것이다. 문명은 고통을 없애기 위해 끊임없이 발전하지만 문명의 표면은 반 가치로서 더욱 커다란 욕구의 외면을 드러내어 고통은 눈덩이처럼 커질 수밖에 없는 것이다. 이것이 가치를 추구하는 문명의 어쩔 수 없는 숙명이다. 고통으로부터 벗어나려는 행위가 우릴 일시적으로 편리하게 할 수는 있지만 결과적으로는 우릴 더욱더 고통스럽게 만드는 것이다. 반면 문화는 감추어져 알 수 없는 고통을 파헤치고 마음속 깊숙이 억눌려 있는 고통을 드러내어 비로소 가치를 설정하거나 풍화 산화시켜 고통을 배출시킨다. 과학으로 대표되는 문명은 우릴 편리하게 하지만 우릴 불안케 하고 예술로 대표되는 문화는 우릴 편리하게 하지는 못하지만 우릴 편안케 하는 것이다.

문명이 가치를 추구하며 문명의 동심원을 끊임없이 추구함에 따라 문명 속으로 감추어지는 보이지 않는 고통은 끊임없이 축적되어 우리를 고통스럽게 한다. 문명이 발전함에 따라 속으로 감추어지고 억눌려 보이지 않는 고통을 해소하는 것이 문화이다. 때문에 문화는 항상 문명 속에서 피어나며 문명의 뒤치다꺼리를 하느라 수고를 한다. 문명은 항상 사고를 치고 고통을 만들어 내지만, 문화는 항상 문명이 만들어낸 사고를 해결하고 고통을 치워가며 뒤따라 갈 수밖에 없다. 때문에 문명이 없다면 문화는 필요치도 않다. 문화는 문명과 우리와의 고통스러운 간극에 완충역할을 하는 것이다.

문명을 만들어내는 과학이나 문화를 만들어내는 예술이나 우리가 고통으로부터 벗어나기 위해 몰입할 수 있는 것이다. 그러나 과학은 고통에 집중하는 것이 아니라 고통은 외면한 상태에서 가치에 집중하기 때문에 과학으로 인하여 발견된 가치는 고통에 정확히 맞는 가치가 아니고, 오히려 과학적 가치가 발견되면 우리의 관념 욕구 고통은 과학적 가치에 맞추기 위하여 확대 적응 변화의 과정을 겪게 된다. 때문에 과학적 가치는 기존 고통의 일부는 소멸시킨다 하더라도 관념의 확장과 변화 적응의 과정에서 우리의 고통을 더욱 확대시키는 역할을 하는 것이다. 그러나 예술은, 궁극적으로는 가치를 추구하겠지만, 가치 이전에 먼저 고통을 파헤쳐 들어가 고통의 심연 속에 꼭꼭 숨겨져 있는 관념 욕구 고통을 드러내어야만 하는 지난한 과정을 겪어야만 한다. 그리하여 관념의 심연 속 깊숙한 곳의 고통이 드러났을 때 비로소 가치가 설정되든지 아니면 고통 자체를 날려버리든지 할 수 있는 것이다.

과학은 이리저리 하다보면 우연히 그리고 수많은 가치가 발견되기도 하지만 예술에는 우연이란 없다. 예술은 없는 것을 만들어내는 것이 아니라 자신의 심부에 존재하고 있었던 그러나 알 수 없었던 고통을 드러내는 것이기에 반드시 자신의 고통 그것 아니고서는 어떠한 것도 자신의 고통을 대체할 수 없게 되는 것이다.

과학은 드러난 고통에 대한 가치를 발견하기만 하면 되지만 발견된 가치가 우리의 드러난 고통에 정확히 맞아 떨어지지는 않는다. 때문에 가치와 욕구를 매치시키는 과정에서 고통의 확장이 일어나는 것이다. 그러나 예술은 가치를 발견하기 전에 먼저 고통 속으로 들어가 고통을 파헤쳐 파헤쳐진 고통에 의하여 가치가 설정되든지 혹은 고통 자체가 산화 풍화되어 사라지든지 하므로 고통은 확대되지 않고 축소되거나 사라져 우릴 편안케 하는 것이다.

우리가 고통을 일시적으로 해결하는 것이 아니라 - 가치를 추구함으로 더 큰 부작용을 만들어내는 것이 아니라, 고통을 조금이라도 확실히 제거하려면 가치를 쫓는 과학 문명이 아니라 고통을 파헤치는 문화 예술이 고통에 정확히 도전하는 방법이라 할 수 있다. 일시적으로만 고통에서 벗어나서는 안 되고 눈앞의 가치만을 추구하여 그 이면의 부작용과 악순환을 간과해 '가치를 추구하는 목적'이 '고통에서 벗어나야한다는 결과'를 훼손하는 지경에 이르러서도 안 되는 것이다. 결과적으로 고통으로부터 벗어나기 위해서는 과학이 아닌 예술에 대한 몰입이 의도와 결과를 일치시킬 수 있는 방법이 될 수 있는 것이다.

문명이 발전함에 따라 속으로 감추어지고 억눌린 고통을 해결하기 위해서는 과학과 같이 가치를 추구하는 방법으로는 될 수가 없다. 왜냐하면 우리 마음 속 깊숙이 감추어진 고통이 무엇인지를 모르는데 어떠한 가치를 대입한다 해도 고통을 제대로 해소할 수 없기 때문이다. 감추어진 고통을 해소하기 위하여서는 먼저 고통을 파헤쳐 들어가 속에 감추어진 고통이 무엇인지 알아내고 드러내는 과정이 필요한 것이다. 내 속에 꼭꼭 숨겨져 존재하지만 드러나지 않아 알 수 없고 그동안 도피만 해왔던 관념 욕구 고통에 도전하는 것 이는 가장 어렵고 고귀하고 난해한 그리고 이제까지 아무도 해결하지 못했던 문제에 대한 도전이다. 그것이 예술인 것이다.

15. 예술

우리가 어떠한 행위나 대상에 대하여 '예술이다.' '예술적이다.' 라고 말할 때 우린 이미 예술에 대한 정의를 마음속에 가지고 있다. 그런데 '예술이 무엇인가?'라고 묻는다면 우린 답을 하지 못하고 멍해지고 만다. 우리가 '예술이다.' 혹은 '예술적이다.' 라고 할 때 그것은 우리가 예술을 관념적으로 정의 내려서 하는 말이 아니고, 우리의 감정이 어떠할 때 우리의 감정에 어떠한 변화가 있을 때, 그 변화를 주는 대상을 우리는 예술이라 하는 것이다. 우리가 무언가를 예술이라 할 때 우리 마음속에서는 어떤 변화가 일어난다. 그것은 바로 우리의 숨겨져 있던 - 축적되고 감추어졌던 - 지속적으로 억눌려있던 관념 욕구 고통이 그 대상으로 인하여 순간적으로 분출되어진다는 것이다. 이때 우리는 그 대상을 예술이라 하게 되는 것이다.

예술은 마음에 변화를 주는 것이다. '예술이 무엇인가?'하기 이전에 '무엇을 우리는 예술이라 하는가?' 가 예술의 정의를 찾아내는 방법이다. 예술이라는 말 속에는 이미 정의가 내포되어 있다. 모든 정의는 그것 자체로서 결정 나는 것이 아니라, 그것을 바라보고 무엇이라 규정하는 순간 이미 우리의 마음에 의하여 정의는 결정 난 것이다. 우린 스스로 규정을 해놓고 그것을 규정하게 된 자신의 마음을 설명하지 못할 뿐이다. 모든 사물 혹은 현상의 정의는 우리 마음의 변화구조에 의하여 호칭될 뿐이다. 마음을 읽으면 정의는 필요치 않다. 예술은 스스로 존재하지 않고 우리들 자신과 교감할 때에만 예술일 수 있는 것이다. 예술의 주체는 예술이 아니고 우리의 마음이 바로 예술의 주체이다. 어떠한 작품으로 인하여 우리의 마음이 편안해진다면 그것이 예술이고 아무리 훌륭한 예술품이라 해도 아무런 감흥이 일어나지 않는다면 그것은 한낮 장식품에 지나지 않는 것이다. 우리가 예술이 무엇인지 알 수 없는 이유는 예술을 모르는 것이 아니라 우리 마음속의 관념 욕구 고통의 변화를 설명하지 못하기 때문이다.

우리는 예술을 접하고 감동한다. 예술이란 우리 마음속에 감추어진 - 그러나 끊임없이 분출하려고 하는 - 그러나 막히고 억눌려진 고통에 물꼬를 터주는 역할을 한다. 고통의 물꼬가 터지는 순간 우린 감동한다. 감동이란 분출하지 못해 막혀있던 관념 욕구 고통이 한 순간에 터져 나오는 것이다. 감동은 속에 있던 고통이 분출하여 빠져나오는 것이기 때문에 감동을 받으면 우린 편안해진다. 감동을 받게 되면 우린 비로소 자신의 내부 깊숙이 박혀있던 고통이 무엇이었는지 알 수 있게 되는 것이다.

누군가의 행위가 남들에게 감동을 준다면 그는 예술가이다. 남들에게 감동을 준다는 것은 그의 행위가 남들의 고통을 드러내어준다는 것이다. 남들의 고통을 뽑아내어 준다는 것이다. 억눌리고 짓눌린 그러나 무엇인지 몰랐던 고통이 뿜어져 나오게 한다는 것이다. 누군가가 남들의 관념 속 깊은 곳에 숨겨져 있는 고통을 뽑아줄 수 있다면 그는 남들로부터 존경과 사랑을 받게 될 것이다. 이는 과학이나 문명의 발전으로서는 도저히 이루어낼 수 없는 고귀하고 신비스러운 작업이며 그것이 바로 예술인 것이다.

우리가 예술을 한다는 것은 예술의 한 장르를 접하고 작업하는 것을 의미하는 것이 아니라 '우리는 왜 예술을 하는가?' 라는 동기 속에 예술의 의미가 들어있다. 우린 자신속의 응어리진 고통을 풀어헤치기 위해서 예술을 한다. 마음 속 깊이 감추어진 욕구를 해소시키기 위해서 그것을 하지 않으면 고통스럽기 때문에 그것을 삶 속에 그대로 놓아둔다면 후회스러운 삶을 살게 뻔 하기 때문에 힘들지만 꼭 해야만 하는 스스로의 의무감이기 때문에 누군가 지시하거나 남에 대한 의무나 책임이 아님에도 불구하고 스스로의 사명감으로 예술을 한다. 때문에 예술을 하여야만 하는 사람이 만약 예술을 하지 못하고 그 이외의 삶을 산다면, 자신 속에 감추어진 고통을 드러내지 못해 평생을 고통을 간직한 채로 살아가야만 하는 불행한 삶을 살게 되는 것이다. 예술은 축적되고 감추어진 관념 욕구 고통을 해소하는 방법이다. 때문에 드러난 고통보다 감추어진 고통을 더 크게 느끼는 자들은 예술을 해야만 하는 것이다.

우리의 고통을 뽑아내어주고 우리를 편안케 하며 감동을 줄 수 있는 예술을 우리가 할 수 있다면 우린 보다 만족한 삶을 살 수 있을 것이다. 그러나 예술을 하기 위해서는 예술을 할 수 있는 조건이 갖추어져야만 한다. 예술은 아무 때나 누구나 할 수 있는 것이 아니다. 우린 절망에 이르면 판단하지 못하고 도피하게 되기 때문에, 우리의 의식이 절망에 이르기 전 약간의 여유라도 갖고 있을 때에 만이 예술을 시작할 수 있는 것이다. 매일매일 되풀이 되는 우리의 일상 중에 드러난 고통이 우리의 의식을 점령하면, 우린 먹고 살기 바빠 예술은 생각지도 못하게 된다. 드러난 고통을 무시하고 감추어진 고통에 집중할 수는 없는 것이다. 또한 의식이 고통으로 포화되지 않았다 하더라도, 과거의 보이지 않는 고통이 일상의 드러난 고통보다 크게 느껴져야만 우린 예술을 선택할 수 있는 것이다. 또한 예술을 하기 위해서는 절망에 이르기 전이라도, 과거에 축적된 관념으로서 심각한 고통을 느낄 만큼 감수성이 있어야만 한다. 감수성이란 관념에 대한 영혼의 민감도이다. 때문에 영혼이 메마른 자들은 예술을 할 수 없는 것이다. 이처럼 예술을 하기 위해서는 여유와 감수성이라는 조건이 갖추어져야만 하는 것이다. 그러나 이러한 조건이 갖추어졌다고 누구나 예술을 하는 것은 또한 아니다. 예술을 하기 위해서는 반드시 예술적 고집과 스스로에 대한 믿음이 있어야만 하는 것이다.

예술적 고집과 자신에 대한 믿음은 반드시 어떠한 계기를 필요로 한다. 아무런 계기도 없이 언제 이루어질지도 모를 일을 끊임없이 하다가는 아무런 성과 없이 인생을 허비하게 될지도 모르는 것이다. 때문에 예술을 시작할 때는 예술에 대한 자기 확신이 반드시 필요한 것이다. 이러한 자기 확신은 창조라고 하는 예술에 대한 특별한 경험을 계기로 이루어지게 된다. 창조는 관념 속에서 이루어지는 것이 아니다. 창조의 행위가 일어나기 위해서는 반드시 관념을 벗어나 공의 세계로 진입하는 과정이 필요한 것이다. 자신의 관념을 탐구해 나가는 경험을 하다보면 어느 순간 자신의 관념을 벗어나 절정의 상태에서 자유라고 하는 아무런 걸림이 없는 공의 마당으로 진입한다. 관념을 벗어난 곳 그곳을 우리는 설명할 수 없고 묘사할 수도 없지만 오직 관념을 벗어나는 경험을 통하여서만 우린 그곳이 존재한다는 것을 알 수 있는 것이다. 그리고 그곳에서 이루어지는 행위는 우리 자신의 관념으로는 알 수 없다 하더라도 자유롭고 어떠한 걸림도 없이 관념으로 이루어진 어떠한 전통이나 관습 형식에도 구애받지 않는 전혀 새로운 행위가 이루어지는 것이다. 이것이 창조이고 이러한 창조가 일어나는 곳이 공의 마당이다. 공의 마당에 도달해 전혀 새로운 창조의 날갯짓을 한 순간이라도 경험해 보았을 때 예술적 가능성을 스스로 확신하게 되는 것이다. 예술적 창조는 자신의 관념을 뚫고 공의 마당에 도달해야만 비로소 이루어지는 것이다. 이들은 비로소 자신이 관념의 심연을 뚫고 나가는데 어느 정도의 노력이 있어야 하며, 그 깊이가 어느 정도인지 가늠할 수 있게 되는 것이다. 그것을 한 번이라도 경험한 자들은 그 자유로운 창조의 날갯짓을 영원히 잊지 못하며 자신이 노력을 한다면 그 공의 마당이 반듯이 다시 펼쳐지리라는 확신을 가지게 되는 것이다. 만약 누군가가 단 한 번도 자신의 관념의 심연을 뚫고 공의 마당으로 나가보지 못했다면 이들은 예술적 확신은 커녕 두려움과 경외감만을 갖고 살게 되는 것이다. 이들은 다양한 시도를 통해 자신의 관념을 뚫고 나아가 자유를 맛볼 수 있는 계기를 필요로 한다. 다양한 시도를 하다보면 자신의 관념을 뚫고 나갈 관념의 미로를 발견할 수 있는 것이다. 그래도 발견하지 못한다면 방법은 단 한 가지 더 많은 다양한 시도를 하는 것이다.

조건과 계기가 이루어져 일단 예술 작업을 시작하면, 그것을 계획하며 갖고 있었던 두려움과 상상력은 우리가 관념을 조금씩 파헤쳐 들어감에 따라 우리의 눈앞에 펼쳐지는 현실이 되어, 두려움과 상상력은 잦아들고 끊임없는 발자국으로 우린 관념의 심연으로 빠져 들어간다. 우리의 관념 깊숙한 곳의 보이지 않는 고통은 그것이 쌓인 시간만큼이나 그것을 파헤치는 데에도 많은 노력과 시간이 필요하다. 예술의 시작은 의식의 여유에서 시작되지만 일단 시작하고 나면 고통에 몰입한다는 단 하나의 행위로 수많은 절망과 절정을 넘나드는 극한의 상태로 빠져들게 되는 것이다.

예술작업을 하며 스스로의 고통에 몰입을 하면 우리의 의식은 단 하나의 대상관념으로 꽉 차 일상에서의 잡다한 관념은 모두 의식 밖으로 사라진다. 이러한 예술에의 몰입과정은 우리를 일상적 고통으로부터 벗어나게 해주고 우리의 의식을 순화시켜 편안하게 하며 의식 속에 단 하나의 대상관념만이 있을 때 이 세상의 모든 사물들은 어떠한 관념도 뒤집어쓰지 않게 되어 우린 마치 환상의 세계에 있는 듯한 자유를 느낀다. 우리가 예술을 능동적으로 할 수 있다는 것은 우리를 고통에서 벗어나 절정의 상태로 인도하는 고갈되지 않는 가치를 소유한 것과 같은 효과를 갖게 되는 것이다.

예술은 축적되고 감추어진 고통으로부터 피어나지만 그 과정이 쾌감을 이루어내는 도구로서 우리가 고통을 가지고 있는 한 예술의 과정은 우리를 고통으로부터 벗어나게 해줄 수 있는 불변의 가치라고도 할 수 있다. 누구나 예술의 과정을 통하여 쾌감을 만들어 낼 수 있기 때문이다. 예술작업을 하는 동안 우리는 몰입을 하게 되고 무아지경과 신비 그리고 환희라는 몰입을 통한 관념의 사라짐을 경험하며 그 과정을 신비스럽고 시적으로 묘사하지만 이는 단 하나 관념의 사라짐에 대한 경험이다.

예술가는 관념으로부터 벗어나야 만이 스스로의 임무를 수행할 수 있다. 때문에 이들은 관념으로 이루어진 사회적 관습 형식 규칙으로부터 멀어져 사회성과 인간관계는 어리숙하고 바보스러울 수밖에 없다. 모든 예술은 그 과정에서 몰입을 요구하기 때문에 예술가이거나 혹은 예술을 감상하는 자들이거나 일상에서 벗어나고 관념에서 벗어남으로 인한 일탈과 남의 눈에 혼돈스럽게 보이는 경험을 자주하게 되는 것이다. 이는 남에 대한 배려를 요구하는 사회성과 상충되어 사회적으로는 끊임없는 갈등과 고통을 짊어지어야만 하는 숙명에 처하게 된다. 예술가는 하나의 작업을 완수해야만 하는 목표가 있다. 그것은 이들에게 전부이다. 때문에 이들에게 일상사나 대인관계는 하찮고 모든 것이 자신에게 방해만 되는 존재로 느끼게 되는 것이다. 때문에 이들은 작업을 하는 동안 괴팍하고 이기적이며 남에 대한 배려보다는 무시가 우선하고 일상의 하찮은 것들에 대하여 극도로 예민한 반응을 보이기도 하는 것이다. 예술은 몰입을 통해 일상을 벗어나 다른 차원으로의 진입을 필요로 하기 때문에 몸은 비록 이곳에 있다 하더라도 마음은 까마득한 곳에 있어, 이들이 일상의 사소한 것을 살핀다는 것은, 우주를 일상적으로 들락거리며 집안일을 하는 것과 같은 어려운 일이 되는 것이다. 때문에 누구든 예술을 하는 동안만큼은 남에 대한 배려나 주변에 대한 관심에 소홀할 수밖에 없는 것이다. 만약 주변의 모든 것을 세세히 배려한다면 그는 이미 예술의 과정 속에 있지 않게 된다. 예술작업에서의 이기성과 괴팍성은 오히려 그 작업의 순수성을 나타내는 측면이 있는 것이다. 창작의 과정은 의식으로부터 단 하나의 과제 이외의 모든 문제를 의식의 바깥으로 몰아낸 후부터 이루어지는 것이기 때문이다.

예술작업에서 우리는 자신의 관념에 몰입하며 관념의 미로를 파헤쳐나가는 시도를 한다. 그 결과 관념으로부터 행위가 이탈되어 공의 마당에 도달하면 창조의 과정이 이루어진다. 이처럼 몰입 집중 노력이라는 관념의 미로를 파헤쳐나가는 과정을 통하여 행위가 관념으로부터 이탈하면 관념 속에서는 도저히 상상할 수 없었던 기적과 같은 일이 일어난다. 관념의 미로를 걷는 수형자에서 어느 순간 새처럼 하늘을 나는 자신을 발견하게 되는 것이다.

관념의 미로가 어느 곳에서 끝이 날지는 누구도 알 수 없다. 어두운 관념의 터널 속에서 끊임없이 작업을 하다보면 어느 순간 막다른 곳에 다다르고 더 이상 나아갈 수 없음을 느끼고 좌절할 때 비로소 관념사이로 허공이 벌어진다. 끊임없이 관념의 심연을 파고 들어가기만 한다고 공의 마당이 열리는 것이 아니다. 공의 마당은 관념의 끝에 있는 것이 아니라 관념을 놓아버렸을 때 펼쳐지는 것이다. 행위는 허공으로 빠져나가 유영을 하며 창조의 날개 짓을 마음껏 펼친다. 이처럼 창조는 관념을 지나 공의 세계 무의 세계를 통하여 이루어진다. 공에 이르지 못하면 창조는 없다.

관념의 심연을 뚫고 공의 마당으로 나가면 전통과 형식은 사라지고 새롭고 자유로운 고유한 몸짓만이 허공을 가른다. 공의 마당은 무엇이든 창조되는 곳이다. 어떠한 움직임도 새로움이요 무한한 가능성으로 충만한 곳이 바로 공의 마당이다. 공의 정적과 침묵은 창조의 완벽한 준비이며 발판인 것이다.

창조는 자신의 관념의 미로를 헤쳐나아가야만 하는 지극히 힘들고 험난한 과정을 겪어가며 미로를 빠져나가는 순간의 추진력에 의해 공의 세계를 통하여 이루어진다. 관념 속에서 이루어지는 것은 계획이고 설계이고 기획이지만 공의 세계에서는 그 어떠한 것도 완전한 창조가 되는 것이다. 창조는 스스로의 관념을 파헤치다가 관념의 저항이 사라지는 순간 마치 허공에서 아무런 저항 없이 날개 짓을 하듯 춤을 추듯이 이루어진다. 이러한 창조의 행위가 나타나기 위해서는 관념의 세계로부터 공의 마당으로 나가야만 하는 것이다. 공의 마당에 이르지 않고는 어떠한 것도 창조할 수 없기 때문이다. 때문에 관념 속에 살고 있는 우리가 공의 마당으로 나아가기 위해서는 관념을 떨쳐버리고 나아가기 위한 추진력이 있어야만 한다. 그것이 창의성이다.

창의성의 기본은 회의한다는 것이다. 관념과 실재(공)와의 차이를 크게 의식 할수록 회의감은 큰 것이고, 회의감이 들지 않는다는 것은 기존 관념을 이미 완성된 관념으로 간주하거나 관념을 실재로 여겨 받아들인다는 것이다. 관념을 아무런 저항 없이 받아들이는 자들에게 창의성은 기대할 수 없고 창조는 불가능한 것이다. 우리가 회의를 통하여 관념과 실재(공)와의 차이를 의식하는 순간 우린 관념을 부정하고 실재(공)를 선택하게 된다. 이러한 과정을 통하여 우리는 관념의 세계에서 공의 마당으로 나아가게 되는 것이다. 관념에 대한 회의와 부정 없이는 어떠한 창조도 이루어지지 않는 것이다. 기억과 지식이라는 관념에 가치를 두고 있는 자에게서 창의성은 기대할 수 없고 고지식과 매너리즘에 빠진 자에게 창의성을 기대할 수는 없는 것이다. 창의성은 자신이 알고 있는 것에 대한 회의를 통하여 길러진다. 우리는 모르는 것에 대해서는 당연히 회의한다. 이는 수동적으로 회의가 주어진 것이다. 진정한 회의는 모르는 것을 회의하는 것이 아니라, 알고 있고 믿고 있는 것에 대한 회의가 진정한 회의인 것이다. 우리의 신념과 상식 당위성에 대한 회의만이 진정한 회의이다. 이러한 극단적 회의가 아니고서는 모방과 답습 계획과 설계의 단계를 벗어나지 못하게 되는 것이다. 이러한 회의적 성향은 선천적으로 타고나는 경우도 있지만 몰입을 하는 과정에서 생겨날 수도 있다. 몰입을 하면 대상관념의 근본과 세부사항을 확대하여 보기 때문에 모르던 것이 부각되어 대상관념에 대한 회의가 생겨날 수밖에 없다. 이처럼 몰입은 회의가 일어나게 하고 회의는 몰입을 가속화 시킨다. 몰입과 회의는 서로 상승작용을 일으켜 우리의 의식을 관념의 심연 깊숙이 전혀 예측 불가능한 곳으로 인도한다. 때문에 모든 창조물은 계획과 예측을 벗어난 의외성에 그 의미가 주어지는 것이다.

창조란 무에서 유를 만들어 내는 것이 아니라, 무라고 여기던 것에서 유를 발견하는 것이다. 우리는 이제까지 관념을 통하여 세상을 바라보았다. 그러다 보니 세상에서 실재를 보지 못하고 관념이 실재인 양 간주하고 살아왔다. 창조란 관념을 걷어내고 관념 뒤에 숨겨져 있던 실재를 부각시키는 작업이다. 실재를 부각시키기 위하여서는 먼저 거짓을 걷어내어야만 한다. 거짓을 걷어내기 위하여 거짓에 대하여 부정적이어야 하고 부정적이기 위하여서는 회의적이어야만 하는 것이다. 회의란 관념과 실재와의 차이를 발견하는 것이고, 차이를 발견 했을 때 비로소 기존 관념을 부정하고 실재를 새로운 창조물로 맞이할 수 있는 것이다. 이것이 창조의 과정이다.

창조는 보이지 않는 혹은 멀리 있는 가치를 가까이 가져오는 효과가 있다. 욕구와 가치의 거리가 멀면 멀수록 고통은 심화되고, 욕구와 가치가 가까이 있을수록 고통은 줄어드는 것이다. 그러다 모든 욕구와 가치가 결합하면 우린 고통으로부터 벗어날 수 있는 것이다. 우리가 창의적 생각을 해야만 하는 이유는 지금까지의 고통스런 삶을 개선시킨다는 것이다.

창조는 고통에 대한 상대가치를 찾아냄으로서 고통으로부터 벗어나는 것이다. 고통을 외면한 가치창조는 결과적으로 고통을 증폭시키기 때문에 우리는 고통에 대응하는 가치를 발견하기 전에 먼저 고통을 분해하고 파헤치는 과정을 밟아나가야만 하는 것이다. 고통을 파헤쳐 들어감에 따라 가치가 발견되고 끊임없이 고통과 가치를 결합시키다 보면 고통은 크기를 줄여가고 형태를 변형시킨다. 그에 따라 가치 또한 새로워지고 이러한 과정이 순간순간의 창조의 과정이며 마침내 마지막 남은 고통에 마지막 가치가 결합되었을 때 우리는 고통으로부터 완전히 벗어날 수 있는 것이다. 이러한 과정은 하나의 창작에서도 그 사이클이 있지만 우리의 인생 혹은 이 세상의 삶이란 것도 고통으로부터 벗어나기 위한 동일한 사이클을 가질 수 있는 것이다.

창조는 가치를 창조하지만 창조의 궁극적 목적은 가치가 아니고 고통을 상쇄시켜 고통으로부터 벗어나는 것이다. 그리하여 마침내 완벽한 창조는 관념으로부터 고통으로부터 완벽히 벗어남을 의미한다. 따라서 진정한 창조는 새로운 것을 만들어 내는 것이 아니라 기존의 고통을 버리는 것이 되는 것이다. 고통은 저절로 사라지지 않는다. 고통이 사라지게 하기 위해서는 고통을 겪어야만 하는 것이다. 고통에 집중한다는 것은 고통에 직면한다는 것이고 이는 고통을 겪음을 의미한다. 창조는 가치를 설정하게 되지만 이는 그 이전에 고통을 파헤쳐 들어가야만 하고 고통에 직면하여 고통을 겪어내는 과정인 것이다. 가치를 추구하는 과정에서 새로운 가치와 고통은 얼마든지 무한대로 만들어 낼 수 있다. 그러나 가지고 있는 단 하나의 고통을 사라지게 하는 것은 엄청난 용기와 결단을 요구한다. 왜냐하면 고통에 직면하고 그것을 겪어내야 하기 때문이다. 만들어내는 것은 누구나 할 수 있지만 없애는 것은 아무나 할 수 있는 것이 아닌 것이다. 창조의 욕구는 우리에게 고통이 남아있는 한 끊임없이 계속된다. 그리하여 모든 고통이 사라졌을 때 창조의 필요성 또한 사라지게 되는 것이다. 완전한 창조란 관념으로부터 욕구로부터 고통으로부터 완전히 벗어나는 것을 의미하는 것이다.

고통을 외면한 채로 가치에 몰입하여 발견된 가치는 고통에 즉각적으로 대입되어 고통을 상쇄시키지 못한다. 때문에 과학적 가치는 그 것을 우리의 고통에 대입하기 위하여 변화 적응의 과정을 겪어야 하는데 그 과정에서 수많은 부작용이 돌출되어 우리의 고통을 끊임없이 증폭시키게 되는 것이다. 그러나 고통에 몰입하여 고통에 직면하고 겪어가며 설정된 가치는 그 고통을 정확히 알기에 즉각적으로 고통에 대입할 수 있다는 것이다. 때문에 과학적 가치는 욕구와의 괴리를 벌려가고 예술적 가치는 욕구와의 괴리를 줄여가게 되는 것이다.

앞에서 이야기 했듯 우리가 살아가며 의식 속에 드러난 고통을 해결하는 일반적 방법은 세 가지가 있다. 가치를 찾아 고통에 대입하거나, 아니면 고통을 겪거나, 아니면 결합관념화 하여 과거 속에 축적하는 것이다. 이 세 가지 방법이 삶에서 고통에 대처하는 일반적 방법이지만 이러한 방법에 의하여 우리의 과거 속에 결합관념이 축적되고 포화되어 우리는 절망으로 치닫게 되는 것이다.

삶에서의 고통의 해결방법과 예술이 다른 점은 삶은 해결할 수 없는 고통을 끊임없이 과거에 축적시키지만 예술은 삶이 해결하지 못한 과거의 고통을 끄집어내어 과거에 축적된 것을 줄여나간다는 것이다. 이러한 차이가 일어날 수 있는 이유는 예술은 삶과 다르게 가치를 추구하지 않고 고통에 집중하고 직면하여 겪어간다는 것이다. 예술은 고통에의 몰입을 통하여 비로소 가치를 설정하거나 아니면 고통을 그대로 드러내는 방법으로 우리의 고통이라는 문제를 해결하는 것이다.

예술에서의 가치 그것을 우리는 아름다움이라 한다. 아름다움이란 우리에게 유리한 형상을 말한다. 아름다움은 고통에 의하여 상대적으로 조건 지어지기 때문에 우리가 아름다움을 설정하기 위해서는 반드시 드러나지 않은 고통을 파헤쳐 들어가는 과정이 있어야만 한다. 우리의 감추어진 관념 욕구 고통을 파헤쳐 보아야만이 비로소 상대적으로 유리한 형상을 설정할 수가 있기 때문이다. 아름다움이라 하는 우리에게 유리한 형상이란 대상 스스로에 의하여 결정 나는 것이 아니라, 우리의 감추어진 관념 욕구 고통에 의하여 가치를 함유한 대상으로서 조건 지어지는 것이다. 따라서 우리의 관념 욕구 고통이 변하면 아름다움도 그에 따라 변할 수밖에 없고, 영원한 아름다움은 존재하지 않으며, 고통의 조건에 따라 시시각각 변할 수밖에 없는 것이다. 또한 모든 이들의 감추어진 관념이 다 다르기 때문에 어떠한 아름다움도 모든 이들에게 똑같이 아름답지는 않은 것이다. 이러한 아름다움은 오직 고통을 가지고 있는 - 관념을 가지고 있는 자들에게만 존재한다. 그것이 사람이건 동물이건 관념은 욕구는 고통은 스스로를 소멸시키기 위하여 아름다움을 필요로 하게 되는 것이다.

고통에 대응하는 아름다움은 직관적인 방법으로 우리에게 제시된다. 직관이란 수많은 관점과 그에 따른 수많은 논리 환경을 단 하나의 것으로 함축시킨 것을 말한다. 우리의 감추어진 고통은 오랜 기간 동안 해결되지 못했기 때문에 축적되고 감추어진 것이다. 입장을 달리하며 축적된 수많은 고통의 파편들이 축적될 때에는 그 상황과 환경 입장 등이 모두 달라 우리의 감추어진 고통은 무어라 표현할 수 없을 정도로 복잡하고 기괴하게 이루어져 있는 것이다. 이러한 복잡하고 기괴하게 엉키어 누적된 고통을 단 하나의 직관적인 방법으로 표현하는 것이 예술이고, 그 결과 아름다움이라는 예술적 가치가 설정되는 것이다.

우리는 아름다운 형상을 보고 그것이 왜 아름다운 것인지 말로 표현할 수 없다. 그것이 어떠한 형상이건 어떠한 소리이건 어떠한 이론이나 상황이건 간에 우린 아름다운 것을 접하고 넋을 놓거나 감동하게 되지만 그것을 묘사할 수는 없는 것이다. 그것은 수많은 복잡한 관념 욕구 고통을 단 하나의 직관으로 함축시켜 놓은 것이기 때문이다. 이러한 아름다움에 직면하게 되면 우린 관념의 심연 깊숙이 감추어져있던 고통들을 한 순간에 뿜어내게 되는 것이다.

예술은 이처럼 아름다움이라는 가치를 설정하여 고통을 빼내기도 하지만 고통 자체를 끄집어내어 사라지게 하기도 한다. 우리의 마음속 깊이 감추어진 고통은 우리의 숨겨진 고통을 반추하는 작품을 통하여 마음속 깊숙이 응어리졌던 공포와 두려움을 의식 속으로 끌어내어 회고하고 반추하며 고통을 사그라지게 할 수도 있는 것이다. 고통은 숨겨져 있으면 썩고 부패하여 나중에는 예측 못할 방법으로 터져 나오게 된다. 고통의 정체가 무엇인지 모른다고 덮어두기만 하다가는 부패의 압력으로 터져 나와 우리의 의식은 순식간에 모든 고통을 뒤집어 쓴 절망의 상태가 되는 것이다. 이러한 절망의 상태에 이르기 전에 고통을 뽑아내어야만 하는 것이다. 우리의 마음속 깊은 곳에 꼭꼭 숨겨져 있는 고통은 저절로 나오지 않으며 언젠가는 터져 나와 문제를 일으킬 준비를 하고 있는 것이다. 때문에 우리는 꼭꼭 숨겨져 감추어진 고통을 찾아내어 제거해야만 하는 것이다. 이러한 고통을 제거하기 위하여서는 고통 그 자체를 과거의 영역에서 의식의 영역으로 끄집어내어야만 하는 것이다. 감추어진 고통이 의식의 영역으로 드러내어져 영혼의 흐름과 교차되며 산화와 마모의 과정을 겪게 되면 비로소 그 크기를 축소시키게 되는 것이다. 이러한 작업을 되풀이 하다보면 결국 관념의 심연 깊숙이 꼭꼭 숨겨져 문제를 예고하는 고통들을 사라지게 할 수 있는 것이다. 꼭꼭 숨겨져 있는 고통을 의식 속으로 끄집어내는 방법이 회상이고 회고이고 반추이다. 그러기 위한 동기를 부여하는 것이 고통을 나타내는 예술작품일 수 있는 것이다.

이처럼 예술작품은 아름다움과 추함(고통)을 표현하며 우리의 감추어진 고통을 드러내어 사라지게 한다. 예술의 과정은 스스로의 관념을 파고들어가는 지극히 주관적인 과정이지만 예술의 결과는 작품으로서 남들의 고통을 끄집어내어야만 하는 객관적 결과로 평가받는다. 예술은 내 속에 감추어져 응어리졌던 나 자신의 고통을 뽑아내기 위한 동기에서 시작하지만 예술의 결과는 그 결과의 진정성에 따라 보다 많은 이들에게 적용되어 많은 이들의 고통의 문제를 해결할 수가 있는 것이다.

우리가 명상이나 종교 취미 등 고통을 보다 쉽게 뽑아낼 수 있는 것들을 놓아두고, 절망과 절정을 넘나들며 인내를 요구하는 예술을 하는 것은 하나의 작품을 만들어내어 작품으로서의 또 다른 삶을 살기 위한 욕구에 의해서이다. 하나의 몰입의 과정은 또 하나의 삶이다. 그 과정이 끝나면 우린 변화되고 우리의 삶은 작품으로 분열되어져 작품과 나의 각기 다른 삶을 살아가게 되는 것이다. 작품을 만들며 몰입했던 나는, 작품이 완성되면 이미 변화되어져 전혀 다른 내가 되는 것이다. 작품만큼의 고통이 나로부터 빠져나가 예전의 나가 아닌 것이다. 우리는 또 다른 고통을 축적하며 또 다른 몰입을 준비한다. 또 다른 삶을 살게 되는 것이다. 예술은 하나의 가치(고통)를 설정하는 과정이고 가치가 설정되면 고통이 빠져나가 우리는 변화되는 것이다. 빠져나간 고통은 작품이 되어 작품으로서의 삶을 살아가게 되는 것이다.

모든 예술작품은 의도된 것이 아니며 그 작품을 만들어낸 예술가조차도 도대체 어떻게 그러한 작품이 만들어졌는지에 대하여 스스로 의아해하고 감탄할 수밖에 없게 된다. 몰입은 내부의 욕구와 그에 의하여 만들어진 가치를 결합하여, 내부의 고통을 소멸시키는 과정이다. 욕구와 가치가 결합하여 고통이 소멸되기 위해서는, 욕구와 가치가 정확히 맞아 떨어져야 한다. 때문에 몰입의 과정에서는 가치를 욕구에 대입하고 수정하고 비교하고 교정하고 회의하는 과정이 반복되어 그 과정에서 욕구 자체가 변하고 가치도 변할 수밖에 없다. 그렇기 때문에 그 결과는 처음에 계획했던 결과가 아니라 계속 수정되어 완전히 다른 욕구에 대한 가치가 결과로서 나오게 되어있는 것이다. 그렇기 때문에 몰입의 과정에서 욕구와 가치는 수정되고 새로워지며 결과는 전혀 예측하지 못했던 창조의 행위가 되는 것이다. 이때 나온 몰입의 결과는 그 당사자가 가장 놀라게 되어 있다. 왜냐하면 전혀 계획된 것이나 의도된 것이 아닌 상상할 수조차 없었던 전혀 새로운 것이 만들어졌기 때문이다.

예술작품은 예술가에 의하여 만들어진 것이 아니라 바로 자신을 버린 이후로부터 알 수 없는 힘에 의하여 스스로를 조종당해서 만들어지는 것이다. 자신으로부터 벗어나고 관념으로부터 벗어나서 영혼의 흐름에 몸을 맡겼을 때 비로소 천재성이 발휘되어 작품이 만들어지는 것이다. 천재성이란 하늘의 재주를 잠시 빌려 쓴다는 것이다. 그러기 위하여 우리는 관념의 세계에서 공의 마당으로 출타를 해야만 하는 것이다. 이들의 작품은 관념의 세계를 벗어났을 경우에만 완성되는 것이기 때문에 작품이 완성된 후 다시 관념의 세계로 돌아오면 이들은 자신의 작품에 대하여 이해도 해석도 하지 못하고 단지 감상자의 입장으로만 남아있을 수도 있는 것이다.

예술가가 스스로의 고통을 뽑아내기 위하여 하나의 가치(작품)를 설정하면 가치(작품)는 예술가의 마음으로부터 분리되어져 감상자들과의 새로운 관계를 갖게 되며 감상자들로부터 새로운 평가를 받게 된다. 어떤 작품이 감상자들로부터 예술성을 평가받는 것은 그 작품 자체에 의하여 결정 나는 것이 아니라 감상자들의 감추어진 관념 욕구 고통의 정도에 따라 그 작품은 예술 일수도 아닐 수도 있는 것이다. 작가를 떠난 작품은 감상자들에 의하여 각기 다르게 평가될 수밖에 없는 것이다. 어떠한 작품이 많은 이들의 감추어진 고통에 부합한다면 그것은 명작이 될 수 있겠지만 극히 일부 혹은 아무의 고통에도 부합하지 않는다면 그것은 외면되고 마는 것이다. 이처럼 모든 예술작품은 스스로 빛나는 것이 아니라 감상자의 관념 욕구 고통과 교감할 때 비로소 예술로서의 가치를 발휘하게 되는 것이다. 아무리 훌륭한 작품이라 하더라도 감상자의 마음속에 그것과 교감할 관념 욕구 고통이 존재하지 않는다면 그것은 공간을 채우는 장식품에 지나지 않게 되는 것이다. 이러한 이유로 작품이 감상자들과 어떻게 교감하느냐에 따라 작품은 명작이 되기도 하고 장식품이 되기도 하는 것이다. 우리가 감상자로서 어떠한 작품을 대할 때 아무런 감흥이 없는 작품부터 우리의 의식을 편안히 해주거나 충격적으로 다가오는 작품까지 우리는 수많은 작품을 접할 수 있는 것이다. 그러다 정말 위대한 작품을 만나게 되면 우린 고통을 뽑아내는 충격으로 오히려 더욱 고통스럽게 되는 경우가 발생하기도 한다. 위대한 예술 작품은 우리의 깊고 깊은 관념의 심연 속에 농축된 고통의 퇴적물을 풀어헤치기에 이러한 예술작품을 접한 자들은 심각한 후유증을 앓게 된다. 관념의 심부 깊숙이 고함량으로 농축된 고통의 퇴적물을 뽑아내기 위하여서는 그 과정에서 수많은 고통의 부스러기들이 전신으로 퍼져나갈 수밖에 없는 것이다. 대청소를 하는 과정에서 어쩔 수 없이 더 많은 먼지 속에 노출되듯이 위대한 작품은 우릴 편안케 하는 게 아니라 더 큰 고통을 겪게 할 수도 있는 것이다. 다만 그것을 겪고 난 후에 우린 다른 사람으로 변화된다는 것이다.

이처럼 몰입으로 인한 창조물은 많은 이들에게 영향을 미치게 된다. 가치에 몰입하든 아니면 고통에 몰입하든 모든 몰입은 그 행위가 관념을 이탈하여 공의 마당에 흔적을 남기게 되고 그 흔적을 따라 관념의 선이 그어지면 이는 지식이 되어 수많은 자들에게 전파되는 것이다. 지식이 탄생하며 관념이 확장되는 것이다. 모든 관념은 자신의 고통을 파헤치는 몰입의 과정을 거쳐 공의 마당에서 이루어지지만 이렇게 몰입을 통하여 어렵게 이루어진 관념은 지식이 되어 대중들에게 몰입이나 고통의 과정 없이 전파되는 것이다. 몰입을 통하여 어렵게 이루어진 남의 관념을 아무런 고통 없이 받아들인 것 이것이 지식이다.

16. 지식

하나의 관념이 최초로 만들어졌을 때에는 이는 가치로서 그 관념을 만들어낸 자의 고통을 해결하기 위하여 만들어지고 그에게는 최적의 가치가 된다. 왜냐하면 그는 자신의 환경과 입장 관점에 따라 최적의 것을 만들기 때문이다. 그러나 우리가 남이 만들어 놓은 관념을 지식으로 받아들였을 땐 그것이 우리 자신의 고통을 해결하기는커녕 전혀 그렇지 않을 수도 있는 것이다. 관념을 처음 만들어낸 당사자의 입장과 우리의 입장은 그 시대나 환경 관점 이유 목적 등 모든 것이 다 다를 수밖에 없기 때문이다. 때문에 지식은 모든 이에게 똑같이 적용되어서도 안 되고 어떤 이들에게는 문제해결에 유용하다 하더라도 어떤 이들에게는 문제해결은커녕 잘못된 길로 인도하는 사악한 지식이 될 수도 있는 것이다. 이는 앞에 있는 자에게 어느 쪽이 동쪽이냐고 물어본 후 얻은 '앞쪽이 동쪽이다.'라는 답을 '동쪽은 앞쪽이다.' 라고 남들에게 주장하는 것과 같이 지식은 그것을 만들어낸 당사자의 입장을 대변할 뿐 남들에게는 어떠한 문제를 해결하기는커녕 혼돈만을 가져오는 경우도 있는 것이다. 이는 우리의 입장 관점 환경이 각기 다르기 때문이다.

동쪽은 앞쪽이다. 라는 말은 그 말을 하는 사람이 서있는 방향에 따라 그 개인의 상황에서는 맞는 말일 수 있다 그러나 그것이 모든 사람에게 적용되는 것은 절대 아닌 것처럼 우리가 1+2=3 이라 하는 것도 그와 같은 인식을 할 수 있는 입장을 가진 우리 대부분의 사람들에게는 맞는 말이겠지만 어떤 이가 1+2=5 혹은 7이라 한들 그것을 틀렸다고 주장할 수는 없는 것이다. 다만 우리는 1+2=3 이라 하는 동일한 인식의 차원 속에 살고 있을 뿐이지 우리가 알고 있는 지식은 옳고 그름의 영역이 아닌 것이다. 이처럼 지식은 입장에 따라 관점에 따라 가변적이고 차원이 달라지면 전혀 맞지 않을 수도 있는 것이다. 차원이란 하나의 인식방법이 통용되는 영역이다. 차원을 넘어가면 그에 따른 지식은 우리의 문제와 고통을 해결하는 데에는 효력을 발휘하지 못한다. 지식이란 어차피 절대적인 것도 아니고 진리도 아니며 진실은 더더욱 아닌 것이다. 우리는 지식을 활용하여 나에게 유리한 구조물을 만들어갈 뿐이다.

관념은 옳건 그르건 간에 자기화 된 지식이다. 그에 반해 지식은 남들이 만들어 놓은 관념을 그것이 만들어지게 된 동기나 과정을 무시하고 그 결과만을 나열한 것을 말한다. 모든 관념은 문제를 해결하기 위하여 고통으로부터 벗어나기 위한 동기에서 시작하여 고통을 겪어가다가 고통이 해결되었을 때 그 과정과 결과를 기록한 것이다. 때문에 관념은 그것을 만들어낸 자에게는 최적의 답이 될 수 있으나 남이 만들어낸 최적의 답을 수집하여 머릿속에 집어넣었을 경우 이는 최적의 답이 결코 아닐 수 있는 것이다.

하나의 관념이 만들어지기 위해서는 자신의 고통을 파헤쳐 들어가며 고통과 쾌감을 겪어가는 감정적 경험을 해야 만이 그것이 유리한지 혹은 불리한지 관념적 결정이 나게 되는 것이다. 그런데 남들이 자신의 환경 관념 욕구 고통을 해결하기 위하여 자신만의 동기와 관점과 전제 그리고 원인에 의하여 고통을 감수하며 만들어낸 결과를 가져와서 자신에게 적용시키려 할 때에는 이의 적용여부를 고민해야만 하는 것이다. 이는 그 지식이 자신에게 유리한지 아닌지를 구분하지 못하기 때문이다. 하나의 지식이 우리의 삶에 적용되기 위하여서는 그 지식의 전제와 동기 목적 시기 등 수많은 변수를 고려해 보아야만 하는 것이다. 어려운 과정을 겪어가며 지식관념을 만들어낸 자에게는 그 모든 과정이 습득되어있어 적용이 쉽겠지만 남의 관념을 결과로서 받아들인 자들은 그 지식을 자신에게 적용해도 되는지를 알 수 없는 경우가 많은 것이다. 때문에 이들은 남이 만들어 놓은 지식을 이해와 추측 분석 적용이라는 검증의 과정을 통해 원인과 동기 전제를 거꾸로 밟아가는 과정을 필요로 한다. 이러한 과정을 통하여 지식은 점차적으로 관념화 된다. 그러나 이러한 과정으로서도 지식이 만들어진 과정은 완전히 밝혀지지 않고 우리는 결국 불완전한 지식관념을 가지고 자신에게 유·불리를 따져가며 지식의 적용여부를 고민해야만 하는 것이다. 우리는 지식에서 옳고 그름을 가려내려 하지만 옳고 그름은 가려지지 않고 오직 유·불리만이 가려질 뿐이다. 지식의 목적은 고통을 해결하기 위함이지만 아무리 옳은 지식이라 하더라도 그것이 우리에게 적용될 때는 오히려 불리하게 적용될 수도 있는 것이다. 왜냐하면 우리 모두의 고통은 그 원인과 동기 시기 전제가 각기 다르기 때문이다.

관념을 만들어낸 동기가 그것을 만들어낸 당사자의 고통에 기반을 두고 만들어졌기 때문에 유사한 고통을 가지고 있는 자들에게 그 지식은 유용할 수 있으나 그와 상이한 고통에는 그 지식이 적용되지 않는다. 그러나 고통에 기반을 두고 만들어진 관념이 아닌 단지 가치를 추구하기 위하여 만들어진 지식은 오히려 모든 이들에게 적용이 될 수 있으나 누구에게도 당장 직접적인 영향을 주지 않는다. 이러한 지식은 우리의 욕구가 확장되었을 때 비로소 쾌감과 고통을 동시에 가져오기도 한다. 이러한 지식은 그것을 만들어낸 자의 관점이나 환경 고통이 적용된 것이 아니라 동일한 인식의 차원 내에서 동일한 관점에 의하여 만들어진 것이기 때문에 모든 이들에게 적용될 수 있는 것이다. 이러한 지식이 바로 과학적 지식이다. 이러한 과학적 지식은 우리 모두의 동일한 인식방법 동일한 차원 속에서 만들어져 차원을 벗어나지 않는 한 어디에서나 적용이 된다. 그러나 차원을 벗어나 다른 차원에서는 적용이 될 수 없는 것이다. 과학이란 우리 차원의 인식방법이지 차원을 넘어가면 우린 '별 미친놈들 다 보겠네' 라는 말을 들을 수도 있는 것이다. 이처럼 지식에는 예술작품처럼 복잡한 고통을 직관으로 표현하여 적용되는 사람과 적용되지 않는 사람이 극명하게 대조되는 예술적 지식으로부터 고통과 상관없이 몰입하여 만들어내어 차후에 누구에게나 적용되는 과학적 지식까지 동기가 고통인가 혹은 가치인가에 따라 수많은 종류의 지식이 만들어지는 것이다.

우린 지식이 옳으냐 그르냐를 따지는데 지식은 옳고 그름의 영역이 아니라 유·불리의 영역이다. 이는 지식이 당사자의 고통을 해결하기 위한 동기에서 만들어졌기 때문에 지식은 고통을 해결할 수 있느냐 없느냐가 가장 문제되는 것이다. 고통에 연관되어 만들어진 지식일수록 옳고 그르냐는 혹은 유리하냐 불리하냐는 사람에 따라 유동적이고 고통에 연관되지 않고 가치를 추구하여 만들어진 지식은 그 인식의 차원 내에서는 항상 옳은 듯이 받아들여지는 것이다.

우리 인식의 차원에서 어디에서나 적용되는 과학적 지식이라 하더라도 - 그 지식이 절대적이라 하더라도 그것을 이용하여 우리의 고통에 적용시키려 할 때는 이유와 목적 동기 등 수많은 전제조건을 고통에 맞게 혹은 거짓되고 유리하게 변용시켜야 만이 우리의 고통에 적용할 수가 있게 된다. 과학은 우리가 살아가는 인식의 차원에서는 항상 옳은 것이지만 과학을 지식화하여 우리 자신의 고통을 해결하려 할 때에는 자신의 입장에 유리하게 변형하고 그 전제와 목적 동기를 왜곡하여 남에게 제시하는 등 과학이라는 절대적 지식이 우리의 삶 속에 들어와서는 왜곡되고 상대를 기만하는 수단으로 사용되어져 지식을 소유한 자의 이익만을 대변하는 사악한 지식이 되기 쉬운 것이다.

어떠한 절대적 지식도 우리에게 적용될 때는 그 전제의 옳고 그름을 따지기 힘든 경우가 있고 유·불리는 더더욱 따지기 힘들 수 있는 것이다. 옳다고 하여도 유리하지 않다면 우리에겐 아무 소용이 없다. 또한 유리하다 하더라도 옳지 않으면 항구적으로 사용할 수 없고 불안감을 느낄 것이다. 때문에 우리는 옳기도 하며 유리하기도 한 지식을 찾아내어 더 이상 불안하지 않고, 영원히 우리의 관념 욕구 고통의 문제를 해결할 수 있는 지식을 갈구한다. 이러한 지식을 우린 진리라 한다. 우리가 만일 진리를 찾아낼 수만 있다면 우리의 모든 고통의 문제는 해결될 것이다. 그런데 우리는 진리를 찾을 수가 없다. 많은 자들이 자신의 지식을 진리라 하고 진리의 이름으로 전해 내려오는 수많은 경전이 있고 경구가 있음에도 불구하고 우린 아직도 고통 속에서 헤매고 있는 것이다. 우린 그동안 너무 많은 진리를 접해왔지만 어떠한 진리도 우릴 만족시키지 못하고 우릴 속이고 배반하여 우릴 좌절케 해왔다. 이유는 진리는 있을 수가 없기 때문이다.

영원히 변치 않으며 우리에게 유리한 가치를 찾아주는 진리는 존재할 수가 없다. 진리가 존재하기 위해서는 영원한 가치가 우리에게 주어져야 하는데 만약 어떠한 가치가 주어진다면 우리의 관념 욕구 고통은 그 가치로 인하여 소멸되거나 변화되어야만 한다는 것이다. 고통이 소멸되면 나머지 가치는 더 이상 가치가 아니고 또한 고통이 변화되면 이전과는 다른 가치를 찾게 되어 있는 것이다. 따라서 진리도 새로운 진리를 갈구하게 되는 것이다. 만약 영원히 변치 않는 진리가 존재한다면 그것은 우리의 고통에 아무런 영향을 주지 않아 우리는 그러한 진리를 거들떠보지도 않게 되고 진리의 이름을 붙이지도 않을 것이다. 따라서 지식을 진리라 명명하는 순간 진리는 거짓으로 변화되어 갈 수밖에 없는 것이다.

17. 진리

진리는 우리에게 가장 유리한 거짓이다. 진리는 거짓의 반대가 아니라 거짓의 다른 이름일 뿐이다. 누구도 거짓을 이야기하며 거짓이라 하지 않는다. 거짓을 거짓이라 했을 때 그것은 이미 진실이다.

우리는 절대적 진실인 존재(공) 속에 존재한다. 우리는 존재 속에 존재하지만 존재를 알지 못하고 알 수도 없다. 존재는 누군가 알려고 하는 순간에만 자신을 일그러뜨린다. 존재를 일그러뜨리는 것은 우리의 관점이다. 관점을 버리면 존재는 그 자체로서 존재한다. 그것은 말과 글로 표현해야만 나타나는 것이 아니고, 학문으로 규정해야만 가동되는 것도 아니다. 말과 글과 학문은 존재를 가동시키는데 어떠한 촉매제도 되지 않는다. 왜냐하면 존재는 이미 풀가동 중이기 때문이다. 우리가 할 일은 존재를 찾는 게 아니라 거짓을 버리는 데 있다. 존재는 알려하지 않고 표현하지 않고 의식되지 않을 때만 존재한다. 우리가 존재를 찾으려 하는 순간 존재는 관점으로 빨려 들어가는 소용돌이처럼 일그러지고 만다. 이 세상 자체가 존재이다. 다만 우리의 관점만이 존재를 일그러뜨려 진리로 만들려 하는 것이다.

진리는 관점에 의해 변형되다보니, 나의 진리가 남의 거짓이 될 수도 있고, 수많은 거짓과 허상이, 바라보는 관점에 따라 진리가 되기도 한다. 고장 난 시계가 하루에 두 번씩이나 정확히 맞는 경우처럼, 어떠한 거짓도 관점에 따라서는 정확한 진리가 된다. 진리는 지금을 먹고 여기를 먹고 우리를 먹으며 성장한다. 많이 성장했다. 때문에 고통과 부작용과 불합리를 가져왔다. 이제 우리에게 필요한 것은 진리라는 거짓이 아닌 진실이다. 진실은 거짓을 거짓이라 하며 관점과 욕구의 대상을 바라보는 것이 아니라 관점과 욕구의 근원인 나를 바라본다. 이러한 진실은 항상 변화한다. 왜냐하면 거짓이 변화하기 때문이다. 거짓이 변화하는 데 따라 진실은 거짓의 변화에 대응한다. 거짓이 없으면 진실은 필요치 않다. 진실은 거짓에 대응할 뿐 어떠한 고유의 형태도 가지고 있지 않고, 전도될 수 없고 계승될 수 없는 것이다. 그것은 누군가의 자각에 의하여 항상 새롭게 피어날 뿐이다. 진실은 존재위에 덮여있는 거짓을 걷어내어 존재 자체를 드러내지만 우리는 존재를 볼 수 없다. 우리가 볼 수 있는 것은 거짓과 진리라는 이름의 거짓 거기까지이다. 거짓을 들어낸다고 존재가 보여 지는 것은 아니다. 존재는 대상도 아니고 목적물도 아니다. 우린 존재를 보는 것이 아니라 존재 자체가 되는 것이다.

우린 무엇인가를 찾을 때 항상 외부에서 대상에서 찾으려 한다. 그러나 우리의 외부에 존재하는 것은, 우리의 관념일 뿐이고, 나라는 한 점 속에 왜곡되고 조건 지어진 거짓에 불과하다. 우리가 진정 찾아야 하는 존재는 나 자신을 지나 관점을 지나 내부를 통해 진정한 존재에 도달한다. 존재는 욕구의 대상도 아니고 획득되어지는 것도 아니다. 내가 진정한 나일 때 존재는 대상이 아닌 자아로서 느껴질 뿐이다. 그것은 거짓에 대한 자각-진실을 통해 다가갈 수 있을 뿐이다.

이제까지 우리의 생각은 우리 삶의 타성 내에서 작동되어 왔다. 때문에 우리는 진실을 외면한다. 진실은 우리의 목적과 욕구에 부합되지 않고, 우리가 현재 안위하고 있는 현실을 부정하기 때문이다. 진실은 우리의 삶을 꿰뚫어 반성케 하고, 지금, 여기, 우리라고 하는 삶의 이기적 행태를 부정한다. 때문에 우리는 이러한 진실에 충격 받고 진실을 외면하는 것이다. 우리가 위안을 얻는 것은 진실이 아니라, 진리의 이름을 빌린 거짓이다. 우린 착각이라도 확신을 원하고 사실을 보려는 것이 아니라 환상이라도 우리가 원하는 것을 보려한다. 결국 우리에게 세상이 어떠한가는 별문제가 되지 않는다. 다만 문제가 되는 것은 우리가 지금 온갖 거짓 속에서 자신만의 만족을 느끼느냐 못 느끼느냐 하는 것이다. 우리는 만족을 느낄 수 있는 세상을 원하지만 세상은 우리를 만족시키지 않는다. 그렇다고 세상을 바꿀 수는 없다. 세상에 대한 우리 머릿속의 생각을 바꾸는 방법밖에 없다. 때문에 우리는 세상을 희망으로 거르고 믿음으로 거르고 긍정으로 거르고 결국, 우리의 욕구조건에 맞게 생각을 바꾸어 나간다. 그리하여 생각이 한 형태를 이루면 우린 그것을 진리라 명명한다. 세상(공)이 관점과 욕구에 의해, 진리의 이름을 빌린 거짓으로 탄생하는 것이다. 우리에게 있어서 진리는 관점의 조각물이고 욕구에 의해서 조건 지어지는 처세술에 불과한 것이다.

진리의 이름으로 행동하라 한다. 너나 하라 그러라. 진리란 자신의 관점과 욕구에 의해 조건 지어진 그만의 욕구충족 방법이다. 우리에겐 우리의 관점이 있고 우리의 욕구가 있다. 자신의 욕구는 놓아두고 왜 남의 욕구를 충족시키기 위해서 행동하는가? 그것이 자신의 욕구조건과 같다면 행 할 수도 있겠으나 그렇지 않다면 남의 진리에 갈등하지 마라. 실천은 의식 속에서 나오는 것이지 단순히 인식만 한다고 나오는 것이 아니다. 왜 실천하지 않는지 남에게 다그치는 자들은, 남의 욕구조건을 남의 가치를 자신의 욕구조건과 자신의 가치로 바꾸라고 다그치는 것과 같다. 이는 남들에게 자신의 이익을 위하여 희생하라는 것과 같은 것이다. 어떠한 진리도 입장이 다르면 맞지 않다. 너나 잘 하라고 하라. 이 세상엔 수많은 진리 그리고 도덕이 있다. 그중 어떤 사람이 제시하는 진리가 옳다고 생각되면 나머지를 모두 배척하게 되는 우를 범할 수도 있는 것이다.

우리가 남의 진리에 갈등하고 맹목적으로 따르는 이유는 자신의 욕구가 어떻게 조건 지어졌는지 자신이 무얼 욕구하는지 조차 모를 때이다. 우리는 자신의 욕구조건을 알기 이전에 행동하지 않으면 불안하다. 사회에서 낙오되는 것 같고 사회의 일원이 되어야만 그나마 목에 풀칠이라도 할 것 같은, 우리가 이렇게 갈등하는 사이, 소위 사회의 지도자라는 사람들은, 자신의 욕구를 진리로 명명하여 우리에게 들이댄다. 그들의 욕구조건과 맞지 않는 자들은 반발할 것이고, 욕구조건이 유사한 자들은 지지할 것이다. 자신의 욕구조건이 무엇인지조차 모르는 자들은 자신의 관점과 욕구조건을 수정할 것이다. 왜냐하면 그것이 진리라 하니깐. 진리는 우리의 선택을 위한 갈등을 해소시켜준다. 진리는 우리에게 판단의 수고를 덜어주고 우리의 머리를 쉬게 해준다. 때문에 진리의 깃발 아래에는 그것을 따르는 수많은 무리들이 있다. 이들은 유사한 욕구조건을 가지고 진리라는 가치를 추구한다. 이들은 분명한 목적과 의지를 남으로부터 부여받고 스스로의 판단을 거부하며 오직 깃발만을 바라보며 깃발이 움직이는 대로 묵묵히 따라갈 뿐이다. 세상은 판단 없이 사는 자들이 가장 행복하고, 앞이 안 보이는 자들만이 앞으로 나아갈 수 있는 것이다. 그러나 눈을 뜨는 어느 순간 왔던 길을 되돌아가야만 할지도 모르는 것이다. 진리는 신기루와 같이 항상 우리 눈앞에 어른거리지만 진리에 다가가는 순간 우린 진리에 배반당할 수밖에 없는 것이다. 완성된 지식이라 할 수 있는 어떠한 진리도 우리의 문제를 궁극적으로 해결해주지 못한다. 때문에 우리는 진리를 목표로 삼다가도 언젠가는 진리로부터 실망과 좌절을 느낄 수밖에 없는 것이다. 우리가 실망과 좌절을 반복적으로 느끼게 되면 결국 어떠한 진리도 진리가 아님을 깨닫게 된다. 이때 우린 진리라 불리는 불완전한 지식이 옳지 않다 하더라도 이를 도구화하여 생존을 위한 수단으로 삼게 되는 것이다. 이 세상에는 진리를 부르짖는 수많은 지도자들이 있다. 이들은 자신이 부르짖는 진리가 더 이상 자신에게 조차 적용되지 않음을 알면서 남들에게 부르짖는다. 이들은 남들의 진리에 대한 욕구가 얼마나 강렬한지 알기 때문에 진리를 오직 남을 다스리는 도구로 사용하는 것이다. 어떠한 진리도 우리의 욕구를 지속적으로 충족시키지 못하기 때문에 진리를 섭렵한자는 진리로부터 벗어나거나 아니면 진리를 단지 생존을 위한 도구로 사용하게 되는 것이다.

우리가 지식을 추구하는 이유는 진리를 얻기 위한 경우와 지식을 생존의 도구로 삼기위한 경우로 나눌 수 있다. 누구나 지식을 축적하는 초기에는 지식을 통하여 진리를 구하려 한다. 그러다 지식에서 한계를 느끼면 진리를 포기하고 지식을 생존의 수단으로 삼는 것이다. 지식을 자신에게 대입했는데도 불구하고 자신의 관념 욕구 고통의 문제가 해결되기는커녕 오히려 복잡하고 모순에 빠지기 때문이다. 지식을 무한정 받아들이기만 하다가는 문제해결이 아니라 오히려 절망에 빠질 것이다. 절망에 빠지지 않기 위하여서라도 진리로서의 지식을 포기하고 지식을 단지 생존을 위한 도구로 사용하여야만 하는 것이다.

지식이 자신에게 적용될 때에는 고통을 해결하는 도구가 되지만,

그렇지 않을 경우 남과의 경쟁을 위한 무기가 되거나, 자신의 이익을 위하여 남을 파괴하는 흉기가 된다. 지식은 가치를 구별하거나 남의 가치를 가져오기 위한 수단이 되기 때문에 지식을 갖고 있다는 것은 생존의 도구로서 가치를 확보할 수 있는 능력이 있다는 것이다. 우리가 사는 관념의 세계는 지식인과 무지한 자들과의 지식의 괴리에 의하여 힘의 불균형이 형성되고 이는 야생에서의 약육강식의 원리와 같이 지식의 세계에서도 힘의 불균형에 의한 약육강식은 정확히 지켜지고 있는 것이다. 우리는 지식을 가지고 경쟁하고 지식을 가지고 권력을 쟁취한다. 지식은 마치 육식동물의 이빨처럼 그 크기와 날카로움은 생존의 능력으로 작용하며 이를 보다 많이 소유한 자들은 남을 다스리며 생존경쟁의 우위에서 세상을 살아가기가 수월해지는 것이다. 때문에 우리는 지식을 하나라도 더 축적하여 생존을 위한 도구로 사용하려 하는 것이다.

우리가 진리를 위하여 지식을 축적하건 아니면 생존을 위하여 지식을 축적하건 우린 끊임없이 지식을 축적한다. 지식 자체는 영혼과 결합되지 않은 단순관념이라 하더라도 지식을 축적하려 하는 악착같음은 지식을 결합관념화 하여 기억 속에 축적하기 때문에 과거의 영역에 결합관념으로 축적되어 그에 따른 이상과 희망 미래라고 하는 과거의 고통을 잠재우고 있는 미래가치도 덩달아 많아질 수밖에 없는 것이다. 미래가치가 많아질수록 그것을 현실화하기 위하여 더욱 더 많은 지식관념을 축적하며 가치를 찾아내어야만 하는 것이다. 그래야만 미래에 작동할 고통을 쾌감으로 승화시킬 수가 있기 때문에 가치를 찾아내기 위하여 우린 오늘도 열심히 고통의 관념을 축적하는 것이다. 우린 관념으로 인하여 고통스러움에도 불구하고 더욱 더 많은 관념을 추구하게 되는 관념의 미궁에 빠져있는 것이다. 관념으로부터 벗어나기 위하여 관념을 축적해야만 하는 관념의 악순환으로부터 벗어나지 못하는 것이다. 관념이 축적될수록 관념은 우리에게 이상 희망 미래라고 하는 신기루를 끊임없이 만들어낸다. 이제까지의 지식 관념으로 우린 고통받아왔지만 우리 눈앞에 펼쳐지는 이상 희망 미래는 우리의 모든 고통을 해소시켜 줄 것이라고 생각한다. 과거의 이상 희망 미래가 거짓으로 들통 났음에도 불구하고 이제부터의 미래는 우리의 모든 고통을 없애주고 우리를 천국에 이르게 할 것이라고 굳게 믿고 있는 것이다. 도대체 이제까지 속아왔으면서도 또 다시 믿음을 갖게 만드는 이상 희망 미래라는 것은 무엇인가?

18. 이상 희망 미래

이상 희망 미래는 과거를 소멸시키기 위한 의지이다.

우리의 과거는 의식 속의 살아있는 고통과 영혼이 결합하여 저장되어있는 결합관념으로서 그 자체가 고통으로 작동하기 때문에 우리는 결합관념이 있는 만큼 결합관념을 없애려는 의지를 발동시키는 것이다. 결합관념이 많은 자는 이상 희망 미래라 불리는 의지 또한 많아 삶을 치열하게 살아가고 결합관념이 적은 자는 삶의 의지 또한 적어 삶을 여유롭게 살 수도 있지만 무기력해 질수도 있는 것이다. 결합관념이 어떻게 형성되어 있는가에 따라 미래를 형성하는 우리의 의지와 적성 운명이 달라지고 결합관념은 우리의 일거수일투족을 사사건건 간섭하여 우리의 미래 또한 결정짓는 것이다.

결합관념은 그 본질이 고통이지만 언젠가는 영혼이 떨어져 나갈 것이기 때문에 미래를 예고하고 영혼이 떨어져 나가면 그 자리는 가치로서 치환될 것으로 기대하기 때문에 우린 그 본질이 고통임에도 불구하고 결합관념을 미래가치로서 의식하게 되는 것이다. 이러한 미래가치를 우린 이상 희망 미래라 부르는 것이다. 이러한 이상 희망 미래는 그 본질이 고통이기 때문에 시간이 가며 결합관념에서 영혼이 서서히 떨어져나가면 영혼이 떨어져 나간만큼 고통은 분리관념이 되어 의식으로 피어나와 예정된 미래가치와 결합하여 사라져야 하지만 예정된 미래가치가 의식으로 들어오지 않는다면 기다리던 이상 희망 미래는 오히려 절망을 앞당기는 도구로 작동하게 되는 것이다. 결합관념은 영혼과의 결합기한이 한시적이기에 영혼이 떨어져나갈 때까지의 기한동안 우린 이를 이상 희망 미래라는 미래가치로서 의식하게 되지만 그 양이 우리가 감당할 수 있는 한계를 초과하면 고통으로 작동하여 절망에 빠지게도 할 수 있는 것이다. 때문에 우린 삶을 활기차게 살기 위하여서라도 이상 희망 미래라는 미래가치로서 작동하는 결합관념을 많지도 적지도 않은 적당량만을 넣어놓고 살아가야 하지만 이는 오직 현재 작동하고 있는 고통의 작동을 보류하기 위한 목적으로만 만들어지기 때문에 우리의 의지대로 조절할 수 있는 것이 아닌 것이다.

의식 속에 고통이 있으면 우린 고통을 겪는데 온 힘을 소진하기 때문에 아무것도 할 수 없다. 고통을 기억 속에 결합관념으로 보류시켜 놓아야만 이상 희망 미래라는 의지가 만들어져 우린 비로소 고통을 없애버릴 새로운 가치를 찾는데 매진할 수 있는 것이다. 기억 속에 결합관념이 많을수록 우린 미래가치로 의식되는 고통이 현실화되기 전에 미래가치를 현실가치로 대체하기 위하여 더욱더 열심히 가치를 찾아내어야만 하는 것이다. 그런데 우리가 가치를 찾아내면 찾아낼수록 가치의 이면이 드러나는 결과의 양면성으로 인해 결합관념은 점점 더 쌓여만 가고, 이상 희망 미래는 고통과 함께 더욱 커져 우린 더욱더 바삐 움직이며 가치를 찾고, 결합관념은 더욱더 축적되는 관념의 악순환이 되풀이 되어 우리는 의도와는 다르게 이상 희망 미래로부터 점점 더 멀어지게 되는 것이다. 우리의 관점이 추구하는 희망의 동심원은 나라고 하는 관점을 중심으로 만들어지기 때문에 우리가 바라보는 가치로서의 내측보다 그것이 현실화 되었을 때 겪어야 되는 예상치 못한 결과로서의 반가치인 외측이 항상 클 수밖에 없는 것이다. 때문에 우리가 이상 희망 미래를 추구하면 추구할수록 우리의 관념은 비대해지며 고통은 확장되는 것이다.

우리가 추구하는 이상 희망 미래는 오직 영혼과 결합되어 있는 고통을 소멸시키기 위한 목적으로 우리의 기억 속에 결합관념으로 존재한다. 목표는 저 멀리 있는 것이 아니라 바로 우리의 기억 속에 있는 것이다. 우린 생각의 망원경을 먼 곳에 맞추어놓고 미래를 찾기 위하여 열심히 두리번거리지만 보이는 것은 바로 나 자신의 뒤통수 일 뿐이다. 먼 곳을 돌고 돌아 우리가 찾을 수 있는 것은 자기 자신 이외에는 아무것도 없는 것이다. 우리의 생각은 관점이 가지고 있는 이기의 중력에 의하여 결국 나에게로 향해 아무리 밖을 바라보아도 나 자신의 이면 이외에는 아무것도 볼 수 없는 것이다. 때문에 우리가 미래로 나아가기위해 이상과 희망을 설정하여 미래를 움켜쥐는 순간 우리의 현실은 뒷덜미를 잡힌 사람처럼 멈칫거리고 뒤뚱거리며 나 자신으로부터 뒷걸음질 치게 되는 것이다. 미래는 저 앞에 있는 것이 아니라 우리의 시선 뒤에 고통과 함께 붙어있기 때문이다.

이상 희망 미래는 우리의 과거와 정확히 맞아 떨어진다. 현재를 기준으로 과거와 미래는 정확히 대칭을 이루고 있는 것이다. 과거가 사라지면 미래 또한 그에 맞추어 사라지고 과거가 축적되면 그 양만큼 미래 또한 늘어나는 것이다. 과거와 미래는 현재라고 하는 우리의 의식이 처리해야만 하는, 처리하고자 하는, 과제요 부담이다. 현재라고 하는 우리의 의식은 주변에 포진해 있는 과거와 미래를 사라지게 해야 만이 비로소 자유로운 영혼으로 충만해질 수 있는 것이다. 우리는 현재를 중심으로 과거와 미래를 축소해 고통으로부터 벗어나려 하지만 결합관념으로 이루어진 과거와 미래는 점점 커져 고통의 압력을 늘려만 가는 악순환의 늪에 빠져있는 것이다.

우리가 이상 희망 미래를 설정하는 의도는 고통이 사라지게 하기 위함이지만 이상 희망 미래를 추구하면 할수록 고통은 우리의 의도와는 달리 점점 더 많아져 우린 고통으로부터 벗어나기가 더욱 더 힘들어지게 된다. 우린 고통의 늪에 빠져 있으면서도 영혼으로 덮여있는 고통을 고통으로 의식하지 않고 미래가치로 의식해 저 먼 곳을 바라보며 '어디로 가야 할까?' 라는 목적만을 갈구한다. 고통의 늪에서 나오기만 한다면 목적은 사라진다. 우리가 고통의 늪을 벗어나면 목적은 존재할 수가 없는 것이다. 고통을 벗어나면 이상 희망 미래를 설정하려해도 설정할 수 있는 방법이 없기 때문이다. 이상 희망 미래라는 것은 고통의 그림자로서 고통이 만들어낸 의지 이외에 그 어떠한 것도 아닌 것이다. '꿈을 가져라' '야망을 가져라' 말을 많이 하지만 이는 갖고 싶어 갖게 되는 것이 아니고 의도적으로 설정되지도 않는다. 꿈과 야망은 오직 작동하는 고통을 기억 속에 결합관념으로 축적하는 과정에서 저절로 생기는 것이다. 보다 원대한 꿈을 갖고 야망과 도전정신을 가져야 한다는 것은 새로운 고통을 끊임없이 겪어내라는 말이다. 그 결과 가치에 대한 욕구는 끊임없이 증폭되고 결합관념은 더욱 더 축적되어 이상과 희망 미래는 더욱 더 강력해지지만 그 거리는 까마득히 멀어지고 포화된 과거로부터 미래가치가 만료된 결합관념이 의식 속으로 수시로 튀어나와 분리관념인 욕구로 작동하기 때문에 우린 보다 더 고통스러워지는 것이다. 우리의 꿈과 희망으로 도달될 수 있는 것은 고통이 확대되는 것뿐이다. 이상 희망 미래는 신기루와 같이 아름답게 보이지만 그것에 의하여 우린 서서히 절망으로 빠져들고 있는 것이다.

이상 희망 미래를 만들어내는 의식의 작용으로 우리 기억 속의 관념은 사라지지 않고 점점 더 많아진다. 이는 우리가 지금 겪어야할 고통을 겪지 않고 회피하고자 하기 때문이다. 지금 겪어야할 고통을 겪지 않고 과거 속에 일시적으로 저장한다는 것은 미래로부터 이상 희망 미래라는 상대적 쾌감을 빌려왔음을 의미한다. 이상 희망 미래는 미래로부터 빌려온 부채이기 때문에 희망이 클수록 우린 더욱 열심히 일을 하게 되어 있는 것이다. 열심히 일을 해서 가치를 마련한다고 해도 그 과정에서 빚은 늘어만 가기 때문에 갚아야할 가치는 더욱 커지는 것이고 더욱 커져버린 가치를 갚지 못한다면 파산에 이르러 우리는 절망에 빠지는 것이다. 우린 끊임없이 과거의 고통을 유보해준 미래의 빚을 갚아가며 살고 있지만 갚아도 갚아도 빚은 늘어만 가고 우린 관념의 빚을 돌려막기 하면서 파산의 날로 치닫고 있는 빚진 자들 인 것이다. 우리가 미래에서 뽑아낼 수 있는 최대한의 쾌감을 뽑아내고 후손에 전해줄 수 있는 것은, 언제 상환해야 할지 모를 고통을 유보하며 쾌감으로 소진된 결합관념인 문명이라는 빚과, 최대한 뽑고 남은 나머지의 쾌감뿐이다. 우리의 후손들은 선대가 물려준 빚을 뒤집어쓰고 미래가 가까워오면서 우리가 미처 뽑아내지 못한 나머지 쾌감을 뽑아내며 우리의 삶을 되풀이 하고, 가면 갈수록 미래는 풍요로워 지는 것이 아니라 선대가 뽑아낸 쾌감으로 인하여 더욱 척박해져 갈 뿐이다.

문명이라는 것은 이 시대의 결합관념이다. 우린 문명으로 인하여 편하고 빠르고 다양한 쾌감을 느끼며 살아가지만 잠시도 방심하지 못하고 끊임없이 문명의 이면이 만들어내는 문제점을 겪어내고 더 큰 이상 희망 미래가 만들어내는 계획을 수행하며 더욱 더 많은 분야에서 한 순간도 쉬지 못하고 하루하루를 어제보다 더 빠른 속도로 끊임없이 달려야만 한다. 문명의 확장속도가 가속되고 있는 동안은 이상 희망 미래가 보이겠지만 어느 때인가 문명이 가속적으로 확장되지 않을 때 어마어마하게 증폭된 문명은 절망을 향하여 나아가게 되는 것이다. 우린 절망이라는 폭탄을 떠안지 않기 위하여 가치를 긁어모으며 누가 먼저 쾌감을 뽑아내느냐의 경쟁을 동시대 뿐 아니라 미래의 세대들과도 하고 있는 것이다. 우리가 물려줄 수 있는 것은 오직 고통뿐이고 그것 때문에 미래세대는 더욱더 큰 이상 희망 미래를 갖고 실현되지 않는 이상 희망 미래로부터 더욱더 멀어지는 것이다.

이상 희망 미래의 궁극적 목표는 기억 속에 결합관념으로 자리 잡고 있는 관념이 사라지는 것이다. 고통이 사라지는 것이다. 욕구가 사라지는 것이다. 이는 궁극적으로 우리가 있었던 존재의 세계이며 합일의 상태와 같은 것이다. 우리가 추구하는 모든 행동과 목표와 의지는 바로 그 곳을 향하고 있다. 우린 끊임없이 그 곳을 갈구하면서 나아가지만 결과는 그 곳으로부터 멀어지고 있는 것이다. 관념이 없다면 우린 바로 그 곳에 이를 수 있다. 그 곳과 나와의 거리는 정확히 관념만큼의 거리이다. 관념이 축적되는 만큼 우린 그 곳으로부터 멀어지고 관념이 사라지는 만큼 우린 그 곳으로 다가갈 수 있는 것이다. 이 세상 모든 것이 존재이며 합일의 상태이다. 우린 이러한 세상으로부터 분리되는 순간 우리 의식의 주변에 결합관념을 쌓아가며 분리를 고착화하고 견고히 하며 존재라고 하는 원초요 합일의 상태로부터 철저히 고립되는 것이다.

우린 의식 속의 분리관념을 결합관념화 하여 기억 속으로 밀어내는 과정에서 시간과 공간을 만들어낸다. 의식 속의 관념은 영혼의 흐름에 의하여 풍화되고 마모되어 사라질 수 있다. 그러나 그 과정이 고통스럽기 때문에 우리는 고통으로부터 벗어나기 위하여 우선적으로 고통을 의식으로부터 기억의 영역인 시간과 공간 속으로 밀어내는 것이다. 때문에 우리의 의식을 중심으로 시간과 공간이 만들어지고 시간과 공간이라는 거대한 우주의 한 가운데에 의식으로 이루어진 현재가 존재하고, 시간과 공간이라는 거대한 우주의 이면에 원초요 합일의 상태인 존재가 있는 것이다. 나라고 하는 현재는 의식속의 고통을 끊임없이 기억으로 이루어진 시간과 공간으로 내보내며 시공을 넓혀감에 따라 원초요 합일의 상태인 존재로부터 철저히 단절되는 것이다.

우리는 고통으로부터 벗어나기 위하여, 현재라고 하는 의식으로부터 욕구라고 하는 분리관념을 끊임없이 기억의 영역인 시간과 공간으로 결합관념화 하여 밀어내고 있다. 우리의 의식은 나라고 하는 관점이 가지고 있는 의지를 성실히 수행하고 있는 것이다. 고통의 시간적 의지인 희망과 고통의 공간적 의지인 행복을 추구함에 따라 의식이라고 하는 하나의 관점이 시간과 공간을 통 털어 상하전후좌우 할 것 없이 쾌감은 뽑아내고 고통은 토해내며 스스로는 천국에 이르려 하고 주변은 지옥으로 만들어 가는 것이다. 고통이 쌓여가는 주변이 커져감에 따라 시간과 공간은 확대되고 시공의 한 가운데에 천국을 추구하는 우리의 의식이 있다. 의식도 나고 기억(시공)도 나이다. 우린 나 자신을 의식과 기억(시공)으로 분리해서 의식은 쾌감을 추구하고 기억(시공) 속으로는 온갖 고통을 밀어내어 나 자신을 천국과 지옥으로 나누어버리는 것이다. 우리가 추구하는 천국은 의식 속의 천국이요 우리가 배척하는 지옥은 기억(시공) 속의 지옥이다. 천국은 거대한 지옥 속에 점으로 박혀있는 것이다.

우리가 천국에 이르기 위해서는 우리의 관념 욕구 고통 시공을 벗어나야만 한다. 우리의 의식을 둘러싸고 있는 관념 욕구 고통 시공을 뚫고 나아간다면 우린 비로소 천국에 이를 수 있다. 그때 우린 더 이상 천국을 추구할 필요가 없을 것이다. 진정한 천국은 더 이상 추구할 것이 없는 곳이다. 우린 알 수 있다. 시공 너머에 천국이 있다는 것을, 우리가 우리의 의식을 켜켜이 둘러싸고 있는 관념 욕구 고통 시공을 뚫고 나아간다면 우리가 그토록 갈망하던 천국에 도달할 수가 있는 것이다. 그러나 우린 이내 천국을 포기하고야 만다. 우리의 의식을 둘러싸고 있는 관념 욕구 고통 시공은 우리가 뚫고 나아가기에는 너무나 두텁고 까마득하기 때문이다. 우린 고통으로부터 벗어나고자 우리의 의식 주변 기억 속에 너무나 많은 관념 욕구 고통 시공을 쌓아왔던 것이다. 이제까지 쾌감을 추구하며 배척하고 버려두었던 모든 관념 욕구 고통 시공을 파헤치며 다시 겪어야만 천국에 이를 수 있는 것이다. 어느 누구도 자신이 만든 지옥을 다시 겪어내고 싶지는 않을 것이다. 이때 우리는 관념 욕구 고통 시공을 파헤치고 천국에 도달하는 것을 포기하고, 관념 욕구 고통 시공에 철저히 둘러 쌓여있는 우리의 의식만을 천국과 같이 만들려 하게 되는 것이다. 시공 너머의 무한한 천국이 아닌 관념 욕구 고통 시공 속에 철저히 갇혀있는 점과 같은 의식을 천국과 같은 상태로 만듦으로서 순간적으로 천국에 이른 듯 한 감정을 느끼고자 하는 것이다. 우리 의식 속에서 고통으로 작동하는 분리관념을 의식 밖의 기억으로 이루어진 시공 속으로 밀어내어 잠깐이나마 관념 욕구 고통 시공 지옥으로부터 벗어나는 것이다. 이는 관념 욕구 고통 시공 지옥을 뚫고서는 천국에 도달할 수 없는 우리가 관념 욕구 고통 시공으로부터 도피하여 천국을 맛볼 수 있는 유일한 방법이다. 그러나 이러한 방법으로는 천국에 안주할 수도 없고 궁극적으로는 오히려 지옥 속에 철저히 갇히게 되는, 우리 의지의 역작용으로부터 벗어날 수 없는 것이다. 우리의 의지가 역작용을 일으키는 이유는 우리의 의지는 문제를 해결하려는 의지가 아니라 문제로부터 도피하려는 의지이기 때문이다. 도피의 끝은 언젠가는 막다른 곳에 다다르게 되는 것이다.

고통은 버리고 쾌감만을 추구하며 스스로의 자의식을 축소시켜 주변의 모든 것을 타의식화 하며 나만의 행복 나만의 천국을 추구하려 하지만 우리가 시공으로 배척한 고통에 의하여 우리는 점점 더 커다란 압박을 당하게 되어있다. 천국에 이르고자하는 욕구인 이상 희망 미래를 통하여 우린 오히려 절망에 가까워진다. 그러나 우리는 의식을 축소시키며 이를 극복하고 있다. 고통은 의식의 주변에 포진해있는 기억 속으로 밀어내고 의식을 끊임없이 축소시켜가는 것이다. 고통이 아무리 많다고 하더라도 견고한 벽으로 되어있는 의식의 배타적 경계 안쪽의 자의식의 벙커 안만은 아무런 고통 없이 행복을 누릴 수도 있는 것이다. 그러나 벙커의 벽은 두터워지고 외부로 통하는 구멍은 막혀 우린 질식하게 되는 것이다.

우리가 고통으로부터 벗어나기 위하여서는 고통을 의식하지 않으면 된다. 고통은 오직 의식 속에 있을 때에만 느껴지기 때문에 의식 속의 고통을 밖으로 내보내기만 한다면 우린 고통으로부터 벗어날 수 있는 것이다. 그런데 우리가 내보낸 고통은 멀리 사라지는 것이 아니라 바로 우리의 주변에 기억이 되어 시간과 공간으로서 존재한다는 것이다. 따라서 시간이 흐르고 우리가 움직이게 되면 우리가 버려두었던 고통들은 다시 우리의 의식 속으로 들어오게 되어있는 것이다. 우린 자신이 만든 시공을 돌아다니며 의식을 이동시켜 자신의 고통을 버리기 쉬운 고통이 희박하고 가치가 넘치는 공간을 찾아 고통을 끊임없이 토해내지만 내가 토해낸 고통에 의하여 어느 곳이나 고통의 농도는 짙어지게 마련이다. 나와 남이 토해낸 고통에 의하여 이 세상은 어느 곳이나 지옥이 되고 이 세상이 지옥이 될수록 우린 지옥의 한 가운데에서 보다 확실한 천국을 만들어 낼 수 있는 것이다. 지옥을 보아야만 비로소 천국에도 이를 수 있는 것이다. 천국은 저절로 만들어지지 않고 오직 지옥에 의해서만 만들어지기 때문이다.

거대한 시공 속에 나라는 의식을 고립시켜 놓고 의식 속의 고통을 철저히 비워나간다. 의식이 커다랗다면 비워야할 고통이 많아질 수 있으므로 의식을 최대한 축소시켜 언제라도 금방 비워낼 수 있도록 축소시키고 만다. 작아진 의식은 언제라도 금방 쾌감에 빠질 수 있다. 세상은 개인주의와 이기주의가 만연하고 삭막해지지만 그 가운데 고립된 의식은 쾌감을 추구하며 스스로의 천국을 만들어내게 되는 것이다. 존재로부터 철저히 단절된 우린 기억으로부터도 시공으로부터도 철저히 단절되며 스스로를 완벽히 고립시키고야 만다. 이것이 우리가 천국을 추구하는 방법이다.

영원하고 무한한 천국은 시공의 바깥에 존재한다. 우리가 그곳으로 가기 위해서는 우리의 의식을 둘러싸고 있는 시공 관념 욕구 고통을 파헤쳐야만 하기 때문에 우린 스스로 만든 시공 관념 욕구 고통의 장벽을 뛰어넘지 못하고 단절되고 고립된 자신의 의식 속만을 비워나가며 점 속에서의 천국을 추구하는 것이다. 의식 속의 고통을 시공으로 밀어내며 오직 순간적으로만 의식을 비워 시공을 초월한 듯 한 상태에 도달했을 때 우리는 잠시 동안 천국을 경험한다.

우리가 천국에 있다 함은 의식속의 고통을 주변의 기억 속으로 배출하여 의식을 비워냈음을 의미한다. 의식 속의 고통을 의식 주변의 기억 속으로 배출함으로서 스스로는 천국에 이르고 기억 속에서 시간과 공간으로 이루어진 우리의 환경은 우리가 의식하지 않고 배타적 타 의식으로만 의식되는 지옥이 되는 것이다. 의식도 나이고 기억 속에 들어있는 시공인 우주 전체가 나이다. 그러나 우리는 우리 의식의 영역만 나라고 느끼고 자의식 이외의 모든 영역을 타의식화 하여 고통의 배출장소로 활용하는 것이다. 나와 남을 구분함으로서 지옥 속에서 천국을 추구하는 것이다.

우리의 의식은 스스로를 비움으로서 관념 욕구 고통 시공 너머 존재의 세계를 끊임없이 갈망한다. 우린 관념계에 살며 관념을 추구하는 것이 아니라 관념을 끊임없이 배척하고 있는 것이다. 그런데 이처럼 천국을 추구하는 방법은 관념을 의식주변으로 배출시킴으로 관념 욕구 고통 시공을 더욱 두텁게 하기 때문에 오히려 우리의 의식을 존재로부터 철저히 단절시켜 존재로부터 더욱 더 멀어지게 되는 결과를 가져온다.

나 자신을 의식과 기억으로 나누어 끊임없이 의식 속의 고통을 기억 속으로 밀어내지만 언젠가는 더 이상 밀어낼 공간이 없을 때 우린 절망에 빠질 수밖에 없는 것이다. 우리는 고통을 밀어내면서 그것을 자신의 의식 가장 가까이에다가 밀어낸다. 왜냐하면 가장 간편하기 때문이다. 때문에 우리의 자의식은 경계너머의 고통에 의하여 압박당하고 축소되고 매몰되는 것이다. 만약 우리가 고통을 우리의 기억 너머 가장 먼 곳으로 버릴 수 있다면 우리의 자의식은 확대될 수도 있겠지만 이는 자신의 모든 고통을 헤집어 뚫고 나아가야만 하는 아주 힘든 일일 것이다. 때문에 우리는 우리의 자의식 바로 옆에 있는 가족 친구 친지 와 같은 자들에게 고통을 부여함으로서 쾌감을 얻으려 하지만 이는 결국 실망과 반목을 가져와 우리는 오히려 예전의 자의식마저도 기억 속으로 떨쳐내며 스스로를 끊임없이 고립시키고 자기 자신으로부터도 도피하게 되는 것이다.

우리가 의식 속의 고통을 멀리 버리건 가까이 버리건 우린 끊임없이 의식을 비워나간다. 우리가 버린 고통은 언젠가는 다시 의식 속으로 들어오겠지만 우리가 항상 추구하는 것은 의식을 공의 상태로 만드는 것이다. 의식 속의 고통을 버리고 받아들이는 과정이 되풀이됨에 따라 우린 고통과 쾌감을 번갈아가며 느끼겠지만 우리가 추구하는 것은 궁극적으로 의식의 공을 통한 존재의 세계이다. 우린 궁극적으로 공을 통한 존재의 세계를 추구하지만 우린 자신이 추구하는 것이 무엇인지 모른다. 우린 지금의 고통을 버린다는 것이 무엇인지 고통을 버림으로서 도달되는 곳이 어디인지 알 수 없다. 왜냐하면 아직 한 번도 완벽히 버려보지 못했거나 완벽히 버렸다 하더라도 그곳에 도달되어 머무는 시간이 너무나 짧은 순간이거나 도대체 자신이 어찌하다 이곳에 도달했는지 오리무중에 빠지기 때문이다. 우리가 도달하고자 하는 천국에 이르러 의식의 공을 맛보는 순간 의식 주변에 포진해있는 우리가 버린 온갖 관념 욕구 고통 시공은 진공상태인 의식 속으로 순식간에 빨려 들어온다. 우린 살아있는 한 끊임없이 의식 속으로 밀려들어오는 관념 욕구 고통 시공을 밀어내며 관념 욕구 고통 시공과 힘겨운 사투를 벌이고 있는 것이다.

우리가 천국을 추구하고 쾌감을 추구한다는 것은 나의 관념 욕구 고통을 의식 밖으로 내보내려 한다는 것이다. 관념을 의식 밖으로 내보낸다는 것은 우리 삶의 둘도 없는 목적이요 살아가는 유일한 이유인 것이다. 우리의 모든 행위는 오직 의식을 비우는 데에 초점이 맞추어져 있기 때문에 우리는 의식을 효과적으로 비우기 위하여 어떠한 수단과 방법이라도 쟁취하려고 온갖 노력을 다하는 것이다.

우리가 자신의 의식을 비워낼 수만 있다면 우린 천국에 이를 수 있다. 그러나 우리의 의식은 원하는 대로 조절되어지는 것이 아니다. 의식이 조절되기 위해서는 의식을 둘러싸고 있는 공간과 시간이 변하여야만 하는 것이다. 의식은 공간과 시간의 변화에 의해 후차적으로 결정되는 것이지 스스로 결정할 수가 없는 것이다. 때문에 우리는 의식을 조정하지 못하고 기억 속에 시공으로 이루어진 환경을 변화시키려 하는 것이다. 환경을 변화시키면 의식 속의 고통을 보다 쉽게 주변으로 배출할 수가 있기 때문이다.

의식을 둘러싸고 있는 시공이 온갖 가치로 꽉 차있다면 우린 별 노력을 하지 않더라도 의식을 쉽게 비울 수가 있다. 온갖 가치가 의식 속으로 들어오며 의식 속의 반 가치와 결합하여 사라지기 때문이다. 또한 우리 의식 주변이 온갖 고통인 반 가치로 이루어져 있다면 우리의 의식은 비워지기는커녕 오히려 고통으로 꽉 차 우린 절망으로 지옥과 같은 삶을 살아갈 것이다. 때문에 우린 의식을 비우기 위하여 환경을 변화시키려 하는 것이다. 그러기 위하여 우린 환경을 어렵게 조작하기보다 의식을 이동시켜 가치가 많은 곳에 자리 잡으려 하는 것이다. 환경이 좋은 곳에 자리를 잡는다면 의식을 비우기가 수월하기 때문이다. 그러나 아무리 좋은 환경이라 할지라도 가치를 취하고 고통을 배출할 수 없다면 의식은 고통으로 가득 차고야 마는 것이다.

의식 밖의 가치는 저절로 들어오지 않고 의식 속의 고통 또한 저절로 밖으로 나가지 않기 때문이다. 고통과 가치를 이동시키기 위하여서는 도구가 필요한 것이다. 고통과 가치를 이동시키기 위한 도구 그것이 바로 힘과 권력이다. 야생의 세계에서는 육체적 힘이 가치를 얻는 수단이 되지만 관념의 세계에서는 지식권력에 의하여 가치가 재편되는 것이다. 때문에 우리는 가치를 취득해 의식을 비움으로서 천국과 같은 삶을 살기 위하여 권력을 획득하려 기를 쓰는 것이다. 권력을 획득하면 우린 천국에 이를지도 모른다.

19. 권력

권력이란 배타적 생존능력을 말한다. 때문에 권력이 한쪽으로 치우치면 아무 권력도 가지고 있지 않은 자들은 생존에 대한 상대적 박탈감 또한 더욱 커지게 된다. 권력이란 많이 가지고 있어서 생기는 것이 아니라, 내가 가짐으로서 남의 것을 박탈시키고 남을 억제할 수 있음을 말한다. 이는 그 힘의 원천이 무제한이 아니라 제한되어있어 제한된 힘의 원천을 취득하기가 용이하지 않을 때에만 성립된다. 권력은 정치권력으로부터 기득권 그리고 수많은 이해집단 그리고 각종 자격획득 더불어 가정에서의 가장의 지위까지 남들에 대하여 배타적 결정을 할 수 있는 모든 것이 해당된다. 어떠한 분야이건 권력을 획득하면 자신에게 유리한 것을 옳은 것이라 주장할 수가 있고 그 분야에서 힘의 괴리를 이용하여 갈등이 일어나는 사안들을 자신에게 유리하게 결정하고 집행한다. 때문에 권력은 아주 유용한 생존수단이고 우리는 권력을 이용하여 행복을 쟁취할 수도 있는 것이다.

야생의 세계에서는 이빨과 근육 양에 따라 먹이사슬이 결정되지만 관념의 세계에서는 지식의 양에 따라 권력이 배분되고 생존능력이 결정되기 때문에 배타적 생존능력인 권력을 획득하기 위하여 우린 지식을 축적하게 되는 것이다. 사회에는 수많은 전문분야가 있지만 그 중에 한 토막을 붙들고 지식을 축적하면 자격이 주어지고 이는 그 분야에서 만큼은 크던 작던 권력화 된다. 전문가로서의 삶을 살게 되는 것이다. 이처럼 우리는 지식을 어느 정도 축적했느냐에 따라 배타적 생존능력을 획득하고 이를 삶의 수단으로 삼는 것이다. 지식의 옳고 그름은 나중의 문제이다. 일단 많이 축적해야 만이 생존경쟁의 사회에서 남에게 당하지 않고 남을 이용하며 살 수 있는 것이다. 지식은 나에게는 옳고 유리하게 적용되어야 하지만 남에게는 가치와의 교환수단이 되기 때문에 지식의 옳고 그름은 상관없이 나에게 유리하기만 하다면 닥치는 대로 머릿속에 집어넣고야 마는 것이다.

이처럼 어느 분야에서건 지식을 많이 축적하면 권력화 되고 우린 그들을 전문가라 부른다. 야생의 동물들은 날카로운 이빨과 발톱을 생존을 위한 도구로 사용하지만 전문가들은 지식을 생존을 위한 도구로 사용하는 것이다. 자신의 이빨과 발톱을 초식동물에게 빌려주는 육식동물이 없는 것과 마찬가지로 지식도 남에게 빌려주거나 남을 위하여 쓰여 지는 것이 아닌 것이다. 그런데 우리는 사회의 권력자나 전문가들이 마치 우리를 위하여 행동하는 것처럼 생각할 때가 있다. 정치인이 국민을 위해 존재하는 것처럼 생각하고, 법률가는 정의를 위해 존재한다고 생각하며, 의료인은 대중의 건강을 위해 존재하는 것처럼 생각하는 이상한 착각으로 세뇌되었다. 이는 육식동물이 초식동물 주위를 어슬렁거리는 것이 마치 초식동물을 지켜주기 위하여 경비를 서고 있다고 생각하는 것만큼이나 어리석은 생각이다.

육식동물은 배가 고프면 초식동물을 잡아먹는다. 때문에 힘이 약한 동물들은 항상 맹수들을 경계하고 도망갈 준비를 하고 있거나 안전한 장소에 머물러야만 하는 것이다. 이빨과 발톱 근력에 의한 먹이사슬도 이러할진대 이러한 육체적 힘을 단숨에 제압해버린 지식의 먹이사슬의 정점에 있는 지식인들은 맹수의 이빨보다 - 맹금류의 발톱보다 - 덩치 큰 동물의 근력보다 비교가 안 될 정도로 무시무시한 것이다.

그런데 우리는 이러한 지식인을 경계하기는커녕 이들에게 의존하고 요구하고 아부하며 이들의 주위를 맴돌고 있다. 초식동물이 맹수의 주위를 어슬렁거리는 아주 이상한 형국이다. 맹수들의 이빨과 같은 지식인의 생존도구는 품격으로 감추어져 있어 우리 눈에 잘 보이지 않는다. 이들의 날카로운 발톱은 교양으로 다듬어져 아름다운 장식물처럼 보이기까지 한다. 이들이 배가 고파 약자에게 접근할 때는 수많은 논리와 진리를 앞세우고 접근하기 때문에 이들의 손아귀에 잡히기 전까진 알아차릴 수가 없다. 이들은 맹수와는 다르게 먼 미래까지 생각하기 때문에 결정적인 순간이 오기 전에는 오히려 우리를 위하여 수고하기까지 하며 우리를 지식의 울타리 안에 보호하는 듯이 보이기까지 한다. 권력자들은 대중들이 열심히 일을 해서 자신들에게 갖다 바치기 때문에 지식의 울타리 안에 있는 수많은 대중을 자신의 미래 가치로 여겨 권력자의 현재 욕구가 채워지면 권력자는 나중을 위하여 이들을 관리한다. 그래야만 먼 훗날까지 욕구를 채워가며 살아갈 수 있는 것이다. 생존경쟁의 사회에서 남의 가치를 가져와 생존에 이용하는 것은 당연한 일이다. 야생에서는 약한 동물을 잡아먹으면서 생존하지만 관념의 세계에서는 약자를 이용하면서 생존한다. 남을 식량 가치로만 이용하는 시대에서 남들의 아주 다양한 가치를 지속적으로 이용하며 관리하는 복잡한 약육강식의 시대로 들어섰다. 야생의 동물들은 식욕을 채우면 대부분의 욕구가 해소되지만 관념의 세계에 존재하는 지식 권력자들은 그들이 가지고 있는 관념의 양만큼이나 욕구도 많고 다양하기 때문에 다양하고 교묘한 방법으로 지속적이며 영구적으로 남들의 가치를 이용하며 욕구를 해소해야만 하는 것이다.

관념이 많은 자들은 고통도 많다. 고통이 많다는 것은 고통을 상쇄시킬 보다 많은 가치를 필요로 한다는 것이다. 때문에 지식인들은 고통을 상쇄시킬 가치를 남보다 더 많이 확보해야만 한다. 의식 속에 존재하는 즉각적 고통보다 과거의 영역에 결합관념으로 존재하는 온갖 고통과 그에 대응하는 이상 희망 미래라고 하는 앞으로의 과제까지 이들은 양적으로의 가치 뿐 아니라 먼 미래까지 내다보아야 하는 시간적 가치까지 많은 가치를 필요로 하는 것이다. 지식권력은 자신이 가지고 있는 지식만큼이나 욕구가 크고 그에 따른 이상 희망 미래 또한 크기 때문에 존재하는 가치만으로는 욕구를 해결할 수가 없는 것이다. 이들은 가치를 훼손하여 지금의 욕구를 채우는 것보다 가치를 오래도록 유지하고 보존하여 미래에까지 지속적으로 욕구를 채워야만 하기 때문에 가치를 관리한다. 야만의 삶에서 사회적 삶으로 변하는 것이다. 사회란 육체적 권력으로부터 지식권력으로 넘어가는 과정에서 자연스럽게 형성된다. 육체적 권력은 그 고통이 단순하여 본능적 욕구만 채우려 하지만 지식권력은 그 고통이 복잡하고 다양하며 광범위하여 장기적인 욕구까지를 다 채워야 하기 때문에 사회를 만들어 가치를 다스리고 관리해야만 하는 복잡하고 지속적인 욕구충족의 방법을 필요로 하는 것이다. 때문에 이들은 물질적 가치뿐 아니라 가치를 지속적으로 생산해 낼 수 있는 생명을 관리한다. 이 세상의 가치는 무한한 것이 아니라 지극히 한정되어있고 대부분의 가치는 지식권력자들에게 우선 배분되었기 때문에 권력자들은 자신이 소유한 가치를 조금씩 나누어주며 대중의 생명을 이용한다. 대중은 자신의 생명을 여러 권력자들에게 나누어 지불하며 지속적인 생명유지를 보장받지만 보장받는 생명을 자신을 위해 사용하는 것이 아니라 권력자를 위해 사용하게 되는 것이다. 자신의 고통을 해소하는데 사용하여야할 생명을 스스로는 고통을 겪어가며 생명을 유지하는 데에만 급급하게 된다. 지식문명이 발달하면서 교통수단이 빨라지고 가치의 교환방법이 다양해지면 우린 모든 분야에서 생명의 유지비용을 지불해야만 생명을 유지할 수 있는 기본가치를 획득하여 살아갈 수 있게 되는 것이다. 생명을 유지할 수 있는 대부분의 기본가치는 이미 권력자들에게 몰수되었기 때문이다.

생명이란 고통을 해소하기 위하여 유지된다. 생명의 탄생부터 죽음에 이르기까지 모든 생명은 자신의 고통을 해소시키기 위하여 끊임없이 움직이는 것이다. 그리하여 모든 고통이 사라지면 생명의 존재이유도 사라지는 것이다. 생명은 고통이 사라지게 하는데 필수적인 수단이다. 그런데 권력자들은 자신의 생명뿐 아니라 남의 생명까지도 자신의 고통을 해소시키는데 이용한다. 자신의 닳지 않는 지식을 제공하고는 남이 스스로를 위해 사용하여야할 생명의 일부 혹은 대부분을 자신을 위해 사용토록 하는 것이다. 지식인은 지식을 제공하고 어리석은 자들은 자신의 생명을 제공하게 되는 것이다.

지식권력이 문제가 되는 것은 권력의 비대칭으로 인하여 우매한 자들을 착취하기 위한 수단으로 아주 유용하게 사용되어질 수 있다는 것이다. 이세상의 가치는 무한한 것이 아니라 제한되어 있고 가치의 획득수단인 지식권력은 끊임없이 확대되고 분파된다. 치열한 경쟁 속에서 제한된 가치를 수많은 지식권력이 나누어야만 하기 때문에 이들의 자의식은 협소해질 수밖에 없고 이들의 지식은 도구가 아닌 무기나 흉기가 되는 것이다. 지식을 자신의 이익을 위하여 사용하는 것은 당연한 일이다. 그런데 문제는 지식을 남들의 가치와 교환하는 것이 아니라 남들의 가치를 교묘히 갈취한다는 것이다. 남을 파괴하고 갈

취하더라도 어리석은 자들은 이를 알아차리지 못하기 때문에 공공연한 갈취가 우리 눈앞에서 이루어지는 것이다. 이는 아는 자와 모르는 자와의 사이에 엄격한 괴리가 존재하기 때문이다. 이 세상엔 어두운 곳이 있고 모든 범죄와 착취 가해가 일어나는 곳이 바로 어두운 곳이다. 그런데 이 어두운 곳은 어리석은 자들의 무지를 바탕으로 권력자들에 의해 존재한다는 것이다. 우린 항상 대중이 지식권력을 감시할 수 있는 투명하고 밝은 사회가 만들어지길 바라지만 지식권력은 끊임없이 자신의 영역을 우매한 자들이 알 수 없는 미지의 영역으로 넓혀간다는 것이다. 정의는 모든 대중이 알고 있는 빤 한 영역에서만 이루어지고 지식의 괴리가 벌어지면 그곳에서는 자유로이 어둠속의 행위가 이루어지게 되는 것이다. 무지한 자들에게 지식의 영역은 밝음이 아니라 어둠의 영역이기 때문에 무지한 자들은 어둠의 영역에서 지식인들에게 알게 모르게 엄청난 폭력을 당하는 것이다. 자신보다 나은 지식인을 경계하지 않는다면 지식의 폭력을 당하다 돌이킬 수 없을 때 후회하게 될 수밖에 없는 것이다. 지식은 도구로 사용될 수도 있지만 흉기로도 사용될 수 있기 때문이다. 도구는 꾸준히 사용되어야 그 효과를 볼 수 있지만 흉기는 단 한 번의 사용으로도 치명적이 될 수 있는 것이다. 지식인들은 지식의 판매효율성과 경제성을 추구하기 때문에 법이 허용하는 범위 내에서 극한의 이득을 추구한다. 이때 우리는 치명적이 되는 것이다. 우리가 물건을 살 때에는 이것저것 비교해보며 선택을 할 수 있지만 무지한 자들이 지식을 구매할 때는 지식을 비교할 능력이 없기 때문에 지식을 강매 당하듯 한다. 지식의 옳고 그름은 따질 수 없고 전문가라는 지식인에게 가장 유리한 방법으로 거래가 성립되는 것이다. 자신의 많은 가치를 지불하고 불량지식을 가져왔다 하더라도 그것이 양질의 지식일 것이라고 생각할 수밖에 없다. 의심스러워도 따질 수 없고 불만스러워도 제대로 표현할 수가 없다.

사회에는 수많은 범죄가 난무하고 우린 범죄의 표적이 되지 않기 위하여 항상 경계하고 조심한다. 때문에 무지한 자들에 의하여 일어나는 범죄는 이를 예방하거나 당한 후라 하더라도 즉각적으로 인지할 수가 있다. 그런데 지식인들에 의해서 일어나는 남들에 대한 가해는 즉각적으로 인지할 수도 없을 뿐 아니라 가해가 일어났는지 조차 모르고 지내는 경우가 많고 설사 자신에 대한 가해를 알아차렸다 하더라도 법의 한계를 벗어나 있기 때문에 그들을 제재할 수단조차 마련되어있지 않아 오히려 법에 의한 가해행위가 합법이라는 미명하에 공공연히 행해지기도 하는 것이다. 이처럼 지식권력은 무지한 자들에 대한 가해를 합법화하고 정당화 하게 되는 것이다.

그럼에도 불구하고 우린 지식인들에게 기대하고 의존하며 보호받고 살아간다. 우린 누구나 생명으로의 가치를 가지고 있기 때문이다. 우리의 생명가치는 많은 권력자들에게 골고루 분배되어 그들의 지식가치와 교환되어진다. 우리가 단 하나의 지식권력에 의하여 지배를 받는다면 우린 극단의 착취를 당할지도 모를 일이다. 그러나 사회에는 수많은 지식권력이 존재하고 이들은 대중이 가지고 있는 제한된 생명가치를 지속적으로 이용할 수 있도록 가치를 관리하여야만 하므로 특정한 지식권력이 미래가치를 혼자서만 독식하도록 놓아두질 않는다는 것이다. 때문에 우린 이들의 견제에 의하여 보호받을 수도 있는 것이다. 그러나 만일 우리가 특정 지식권력의 내부로 깊숙이 들어가거나 밀착해 있으면 이외의 권력에서 감시가 불가능해져 자신의 가치를 송두리째 잃을 수도 있다. 때문에 우린 어떠한 지식권력에도 너무 의존해선 안 되고 모든 권력으로부터 너무 떨어져도 안 되는 권력의 숲속에서 중심을 잘 잡아야 만이 그나마 세상을 수월하게 살 수 있는 것이다. 우린 왜 이런 아슬아슬한 삶을 살아야만 하는가? 우린 누군가의 견제를 받지 않으면 남을 무한히 착취하고 남의 착취에 걸려들지 않기 위하여서는 항상 긴장해야만 하는 야생의 삶과 전혀 다르지 않은 관념의 삶을 살고 있는 것이다. 아무리 그렇다 하더라도 지식권력이 아무리 무시무시하다 하더라도 우린 야생에서의 삶보다 관념계에서의 삶이 훨씬 살기 좋은 세상이라고 생각한다. 이는 우리 모두가 현재 지식으로 무장한 포식자의 반열에 들어섰기 때문이다. 그러나 잠깐 방심하는 사이 우린 권력의 먹이 감이 되어 권력의 야만성을 몸소 체험하게 될지도 모른다. 야만적 권력으로부터 벗어나기 위하여 권력을 분산시켜 서로의 감시기능을 확보한다 하더라도 권력이 분산되면 대중은 수많은 권력으로부터 다양한 보호를 받지만 이는 또한 철저하고 완전하고 세세하게 착취당한다는 것과 다름이 아니다. 이는 권력자들도 마찬가지이다. 아무리 힘이 센 권력이라 하더라도 자신의 분야를 벗어나면 또 다른 권력에게 당할 수밖에 없다. 우린 수많은 분야의 지식에 의존해서 살고 있지만 세상의 모든 지식을 통달할 수도 없고 권력자를 비롯하여 모든 개인은 오직 한 가지의 분야에서만 남보다 우월할 수 있는 것이다. 때문에 자신의 분야를 벗어나면 또 다른 권력 앞에 우매한 대중이 될 수밖에 없는 것이다. 자신의 분야에서는 남을 착취하거나 방어할 수 있어도 또 다른 분야에서는 착취의 대상이 될 수 있는 것이다. 근력이 세더라도 이빨에 당할 수 있고 이빨이 세더라도 발톱에 당할 수 있는 것이다. 다만 지식관념의 세계에서는 당해도 자신의 분야가 아니면 자신이 당하는 것인지 혜택을 받는 것인지 잘 알아차리지 못한다는 것이다.

권력자나 대중이나 자신의 영역에서 권력을 추구하며 남의 가치를 빼앗는 것은 이 세상의 순리이다. 다만 나의 것을 빼앗기기 싫은 이기가 남들의 착취행위를 문제시 할 뿐이다. 우린 야생에서의 약육강식은 오히려 인정하면서 지식권력은 남들을 위해 살아가야 한다는 자기중심적이고 이기적인 바람이 있다. 우린 권력자들로부터 권력은 대중을 위하여 존재한다고 끊임없이 세뇌 받고 있기 때문이다. 그래야만 대중이 권력자들로부터 도망가지 않고 권력의 사정거리 안으로 들어오기 때문이다. 대중들의 이러한 바람 때문에 권력자들은 어리석은 대중의 이기를 이용하여 대중을 기만하고 자신의 악마성을 선의로 포장한다.

어떠한 존재도 남을 위하여 살아가지 않는다. 남을 위한다는 것은 중력이 사라지는 것만큼이나 불가능한 일이다. 모든 존재는 남을 훼손하여 남의 가치를 가져와야 만이 자신의 욕구를 중화시켜 존재의 목표를 이룰 수 있는 것이다. 공기 중에 떠다니는 작은 먼지부터 우주라는 거대한 물질까지 그리고 관념으로 이루어진 모든 생물체는 남의 가치를 빼앗아 자신의 고통을 중화시키는 것이다. 질량을 가지고 있는 물질은 주변의 것들을 당기고 움직이는 생물체는 남을 물어뜯어 먹고 남들이 저항을 할 때는 교묘하게 뒤통수를 치며 고도의 기만과 사기 위선 가식 까지 이 모든 것이 남의 것을 가져오기 위해서 행하는 방법일 뿐이다. 누구나 자신은 보호하고 남은 훼손시켜야만 가치를 가져올 수가 있는 것이다. 그런데 남의 것을 가져오는 데에는 항상 위험이 따르기 때문에 보다 안전하고 효율적인 방법으로 남의 것을 가져오기 위하여 지식을 축적하고 권력을 획득하는 것이다. 가치 획득을 위한 수많은 교활한 방법이 전면에는 선과 배려를 내세우며 마치 남을 위한다는 이 세상에 존재할 수 없는, 그렇기 때문에 오히려 모든 존재의 희망이고 미래가치로서 설정만 되어질 수 있는, 바람을 마치 현실에서 자신에게 만은 존재한다는 대중에 대한 권력자의 기만은 오히려 생존을 위한 고도의 기법인 것이다. 이들이 생존을 위하여 어떠한 방법을 취하든 어쩔 수 없는 일이다. 이들에게 가치를 빼앗겨 권력을 비대하게 만들어주는 어리석은 대중이 문제가 되는 것이지 삶의 속성이자 너와 나의 속성이며 지식관념이 추구하는 권력은 존재하지 않는 명제를 기만과 위선을 통하여 남들의 가치와 교환하는 최고의 생존수단인 것이다.

권력자들은 많은 것을 가져오기 위하여 진리와 이상 희망 정의 당위라는 닳지 않는 지식을 제공하고는 대중으로부터 수많은 가치를 흡입한다. 대중은 권력이 제공하는 어마어마한 가상의 가치를 받아들고 자신의 현실가치를 제공하지만 대중이 받아들인 가상의 가치는 현실화 되지 않고 결국은 스스로 박탈당하고 마는 것이다. 이처럼 남의 것을 효율적으로 가져올 수 있는 도구가 바로 지식권력이다. 때문에 권력은 가질수록 생존에 유리하게 되는 것이다. 야생에서는 생존하기 위하여 남을 그냥 잡아먹기 때문에 포식자들을 경계하며 잡아먹히지 않으려고 주의를 기울여 먹이가 될 수 있는 동물들은 포식자의 주위에 다가가지 않아 항상 포식자와 먹이 사이의 거리가 유지된다. 그러나 지식권력은 남을 쫓아 다니지 않고 먹이 감이 스스로 찾아오게 된다. 어리석은 자들은 권력자가 포식자가 아니라 무언가를 나누어주는 사람으로 착각하기 때문이다. 권력자들은 항상 무언가를 준다. 진리와 이상 희망 정의와 평등 그리고 미래라는 자신의 고통에 의하여 설정되어진 존재할 수 없고 존재하지도 않는 어마어마한 것들을 제공하며 대중으로부터 현실적인 것들을 긁어가는 것이다. 이들이 제공하는 어마어마한 것들은 실체도 없고 결코 현실화 되지 않지만 어리석은 자들의 삶에 대한 공포와 두려움이 있기에 제시될 수 있는 것이다. 권력은 결코 정의를 찾고 미래를 생각하고 진리를 추구하는 것이 아니라 자신의 생존을 위하여 가치를 가져오기 위해서 대중의 공포와 두려움 그리고 약점을 이용하는 것이다. 권력이 대중의 약점을 파악하면 권력은 대중의 약점을 치유하는 것이 아니라 약점을 확대 재생산하며 끊임없이 착취를 하게 된다. 어리석고 무지한 대중은 자신이 착취를 당하는지도 모르는 채 권력이 만들어 놓은 지식관념 속에 갇혀 사육되고 있는 것이다. 누구나 생존을 위해서 권력을 추구한다. 권력은 옳고 그름의 문제가 아니라 이 세상에서 생존하기 위한 도구이고 이 세상의 생존방식일 뿐이다. 권력이 없는 자는 단순하게 남의 것을 가져오지만 권력이 많을수록 남들보다 어마어마하게 가져오면서도 이들은 마치 포식자가 아닌 베푸는 자들로 인식된다는 것이다. 무지한 자들은 눈앞에서 물물교환을 하지만 지식권력은 이상 희망 정의라는 존재하지 않고 존재할 수 없는 미래를 약속하며 무지한 자들에게 효용성 없는 약점의 치유제를 제공한다. 이들은 결코 대중의 약점을 치유하지 않고 치유할 수도 없지만 이를 알 수 없는 약점이 있는 자들은 이들에게 매달린다. 대중의 약점을 이용하여 권력은 유지되는 것이다.

권력은 생존의 수단이고 남들의 가치를 가져오기 위한 도구이기 때문에 권력자들은 남들보다 많은 가치를 소유하게 되고 수많은 권력자들이 세상의 가치를 싹쓸이 해버리면 대중은 결핍의 약점을 드러낸다. 약점이 드러난 자들은 그 약점을 손아귀에 쥔 자들에 의하여 쉽게 조종당하고 쉽게 착취당한다. 약점은 쉽게 상처를 입고 이를 보호하기 위해서는 보다 많은 가치를 지불해야만 하기 때문에 가치의 결핍을 느끼는 자들은 끊임없이 일을 해야만 하고 이들이 일을 해서 만들어낸 가치는 수많은 지식권력자들에게 우선 배분되어 이들은 지속적으로 결핍된 생활을 할 수 밖에 없다. 남들의 약점을 움켜쥔 권력자들은 보다 쉽게 가치를 획득할 수 있고 많은 가치를 소유하게 되지만 자신의 가치를 나누어주거나 빼앗기지 않으려 가치의 획득수단인 지식을 독점하고 자신들의 지식이 널리 퍼지는 것을 차단하며 어리석은 자들에게 이미 전달된 지식은 자신에게 유리하도록 이를 음해한다. 그래야만 이들은 지식을 지속적으로 팔아먹을 수가 있는 것이다. 이들은 어둠 속에 들어와 불을 밝히려는 자들을 끊임없이 음해하며 새로운 어둠을 만들어가는 것이다.

어둠 속에서 권력자들은 누구도 할 수 없는 것들을 자신만은 할 수 있다고 장담하기 때문에 권력의 기만을 알아차리지 못하는 어리석고 무지한 자들은 스스로도 할 수 없는 선행과 정의 도덕과 순수를 자신이 아닌 권력자들에게 요구하며 그들로부터 선행과 베풂을 요구한다. 그러나 권력자들은 가져가는 자들이지 베푸는 자들이 아니다. 우리는 남보다 더 잘 뺏어가는 자들에게 나누어주길 바라는 불가능한 기대를 하고 있는 것이다. 나에게 가치가 필요하다면 뺏어가는 자가 아닌 나누어주는 자에게 요구하여야 함이 마땅하다. 그런데 도대체 누가 자기의 가치를 나누어준단 말인가. 우린 결국 나보다 힘이 약한 자들로부터 가치를 가져와야만 하는 것이다. 그러기 위하여 작은 권력이나

마 획득하려 애쓰는 것이다. 그리하여 국가의 커다란 권력부터 가정 내의 조그만 권력까지 권력의 먹이사슬은 그 힘의 크기에 따라 가치를 흡입하며 권력을 공고히 하고 보다 많은 가치를 흡입하기 위하여 끊임없이 권력을 추구한다. 모든 자들이 권력을 추구함에 따라 이 세상의 가치는 더욱더 고갈되어 모든 자들이 가치의 결핍을 느끼게 되고 그 결핍만큼 더욱 고통스럽게 되면 권력을 추구하는 모든 이들은 가치를 획득하기 위하여 무리한 방법을 강구하게 된다. 우리가 가치를 필요로 하면 스스로 가치를 만들어내어 충족시키면 되겠지만 이러한 방법은 우리 의식 속 욕구의 대상인 미래가치를 몰입(노력)을 통하여 현실가치화 시켜야 하기 때문에 우리의 의식이 미래가치를 의식 속에 포함하여 몰입을 할 수 있을 만큼 커야만 하는 것이다. 때문에 의식이 작은 자들은 이러한 몰입(노력)을 통한 가치의 충족을 할 수가 없게 되는 것이다. 때문에 의식이 작은 권력자들이 욕구를 충족시킬 수 있는 방법은 남들로부터 가치를 가져오거나 주변의 반가치를 가치로 변화시키는 방법 밖에 없는 것이다. 그런데 어느 누구도 자신의 가치를 남에게 나누어 주려하지 않고 또한 주변의 반가치는 저절로 가치로 변화하지 않는다. 때문에 우린 남의 가치를 빼앗거나 주변의 반가치를 가치로 변화시키기 위하여 힘을 이용한 강제수단인 폭력을 사용하게 되는 것이다. 누구도 폭력의 사용은 좋은 것이 아니라 하겠지만, 우리에게 힘이나 권력이 있다 하더라도 의식이 협소하여 욕구(반가치)를 포용할 수 없을 때, 가치획득을 위하여 어쩔 수 없이 사용되어지는 것이다. 우리가 폭력을 사용하지 않고 가치를 만들어내려면 반가치를 의식하고 몰입을 통하여 반가치를 가치화 하면 되겠지만 우리의 의식은 모든 반가치를 의식할 만큼 크지 않고 오히려 의식을 자의식화하며 축소시켜 의식간의 괴리를 벌려나가 오히려 폭력을 당연시하며 불가피하게 만들고 마는 것이다. 이처럼 우리의 의식이 한계 지어져 있을 때 우리의 모든 교류는 힘의 괴리와 의식의 괴리가 동반되어 폭력화되어 나타나는 것이다.

폭력은 반드시 의식 밖의 (반)가치를 힘을 바탕으로 현실가치화 하려 하기 때문에 의식이 작은 권력이 가치의 결핍을 느낄 때 필연적으로 행하게 되는 것이다.

20. 폭력

폭력이란 힘의 괴리와 의식의 괴리가 동반되어 가치가 교환되는 것이다. 폭력은 스스로에게는 가치를 만들어내지만 남에게는 스스로 만들어낸 가치보다 엄청나게 많은 반가치를 부여하여 남을 절망에 빠지게 하고 엄청난 잉여의 고통이 세상에 잔류하게 되어 세상 또한 절망에 빠지고 결국 멸망케 하는 단 하나의 원인이 된다.

폭력은 스스로 현실가치를 만들어내는 과정이다. 우리는 욕구에 대응하는 가치를 만들어내기 위해서 번영을 갈구하지만 번영은 욕구에 대응하여 항상 후차적으로 만들어지기 때문에 우리의 현실적 욕구는 항상 현실가치의 결핍을 느끼게 되고 우리 관념의 구조가 점점 복잡해지고 기이해짐에 따라 욕구도 기이해져 우리는 주변에 존재하지 않는 복잡하고 기이한 가치를 욕구하게 되어 욕구는 해소되지 않고 고통은 축적되어 절망을 넘나드는 삶을 살게 되는 것이다. 우리가 욕구하는 가치가 어디엔가 있어야만 하고, 찾아져야 하는데 가치가 찾아지지 않는다면 우린 절망에 빠질 것이다. 이때 우린 절망에 빠지지 않기 위하여 남의 가치를 빼앗거나 의식 밖에 반 가치로 존재하는 남들을 자신의 욕구에 맞게 변화시켜 현실가치화 할 수밖에 없는 것이다.

현실가치를 스스로 만들 수 있는 방법은 두 가지의 방법이 있다. 하나는 앞에서 살펴본 바와 같이 기억 속의 안정된 결합관념인 욕구를 의식 속으로 끌어내어 몰입(노력)을 통하여 현실가치화 하는 방법과 또 하나는 의식 밖의 반가치를 폭력을 사용하여 나에게 맞는 현실가치로 변화시키는 것이다. 의식이 큰 자들은 결합관념으로부터 뿜어져 나오는 욕구를 의식 속에 포함할 수 있어 몰입을 통하여 미래가치를 현실가치로 만들어 내지만, 의식이 작은 자들은 스스로의 욕구를 포용할 수 없어 몰입을 통하여 가치를 스스로 만들어 내지 못하고 힘을 이용한 강제수단인 폭력을 사용하게 되는 것이다. 폭력은 반드시 의식 밖의 반가치를 힘을 바탕으로 현실가치화 하려 하기 때문에 의식이 작은 권력이 가치의 결핍을 느낄 때 필연적으로 행하게 되는 것이다.

폭력은 우리를 자신들의 욕구에 맞게 변화시키려 하기 때문에 우리를 억제하고 통제하고 강제한다. 남의 가치를 단발적으로 빼앗는 물리적 폭력보다 더한 폭력은 남을 변화시키려 하는 지적 폭력이다. 우리는 가치를 빼앗기면 다시 가치를 취득하든가 아니면 가치를 빼앗기기 전에 방어조치를 할 수도 있다. 그러나 교육이나 지식 종교 사상적으로 행해지는 폭력은 눈에 보이지도 않고 스스로 폭력을 당하는지조차 알 수 없이 통제나 구속에 지속적으로 노출되어 우리의 영혼까지도 저당 잡히게 되는 것이다.

폭력은 자신의 욕구에 맞지 않는 남들을 자신의 욕구에 맞추어 자신의 가치로 변형시켜 욕구충족을 가능케 하고자 하는 절망에 다다른 자들의 막다른 선택이다. 폭력은 남의 것을 빼앗는 물리적이고 단순한 폭력이 있는가 하면 이보다 더 폭력적인 결과를 가져오는 지적 · 논리적 · 종교적 · 도덕적 · 법적 · 사상적 폭력이 있다. 물리적 폭력이건 지적 폭력이건 모든 폭력의 공통된 원인 그것은 바로 자신의 욕구충족에 방해가 되는 반가치의 것들을 자신의 욕구의 대상인 가치로 변화시키고자 하는 것이다. 때문에 폭력은 그 결과가 어떠하든지 간에 폭력의 원인은 가치를 획득하여 고통으로부터 벗어나고자 하는 가치획득에 어려움을 겪는 힘 있는 자들의 생존욕구인 것이다. 때문에 폭력은 세상을 살아가기 위한 불가피한 선택일 수밖에 없는 것이다.

폭력은 항상 상대를 제압하고 굴복을 요구하기 때문에 반드시 힘을 바탕으로만 행해진다. 우리가 폭력을 통하여 상대로부터 동조나 굴복을 얻어냈다 하더라도 그것으로 폭력이 종식되지는 않는다. 상대가 힘이 약해 굴복했다 하더라도, 그러한 굴복은 저항이 감추어져 있을 뿐 상대의 힘이 축적되면 저항은 표출되게 되어있다. 때문에 폭력은 상대를 무력화시키기 위하여 끊임없이 행해지게 되는 것이다. 설사 상대가 자신의 견해에 완전히 동조했다 하더라도, 그러한 동조는 폭력의 집단화 과정에 불과하다. 우리의 견해가 상대의 관념체계와 유사할 경우, 우리는 상대의 폭력을 폭력으로 여기지 않는다. 이러한 유사한 관념체계를 가진 사람들이 모여 사회의 한 부분적 집단을 이루었을 때, 이들은 하나의 폭력집단이 된다. 우리에게 수많은 관념이 있는 한, 우리는 사회라고 하는 복합적 집단 속에서 어떠한 명칭을 부여하지 않았다 하더라도, 항상 여러 가지의 폭력집단에 복합적으로 속해있게 되는 것이다.

우리는 자신과 견해가 같은 폭력집단에 스스로 들어가기도 하고 아니면 거대폭력에 대한 저항을 최소화하기 위하여 집단에 순응하기도 한다. 또한 혼자서는 행할 수 없는 폭력을 집단의 힘을 빌려 행하기도 하고, 자신의 불안정한 견해를 집단 속에서 확신을 얻고 위안을 받기도 한다. 이러한 집단은 우리의 이해관계나 친분 가치관이나 성향 등에 따라 다양하고 변화무쌍한 것으로, 이들은 유기체와 같이 자신의 집단을 확장하거나 때론 소멸하기도 하는 것이다.

폭력에는 상대를 변화시키려는 혁신적 폭력 - 폭행 전쟁 설득 훈계 처벌 등 - 과 현재의 상태를 유지시키고 변화하지 않으려는 보수적 폭력 -질서와 도덕 그리고 법과 규칙 등 - 이 있다. 우리는 흔히 질서나 법과 도덕 등은 사회를 유지시켜 나가기 위한 유용한 관념이고, 폭력은 남을 침해하고 강제하는 나쁜 개념으로 인식하기 쉽다. 이는 우리가 공기 속에 살면서 공기의 고마움을 잊고 지내듯이, 사회라는 거대폭력 속에서 살다보니, 사회의 폭력성을 잊고 있는 것과 같다. 그러나 사회적 규정은 다수의 이득이나 사회의 유지에 유용한 것이지, 그것이 모든 개인에게 유용한 것은 아니고, 더군다나 그것이 다수의 의견이라 하여 무조건 옳은 것은 더더욱 아니다. 그럼에도 법과 도덕 질서가 지켜지고 있는 것은, 사회가 가지고 있는 힘이 개인의 힘을 월등히 능가하기 때문이다. 폭력은 반드시 힘을 바탕으로 하여 표출된다. 그러나 그 힘이 월등하고 극명하게 대비될 경우에, 그런 폭력은 표출되지 않고 행사되지 않더라도, 마치 행사된 것과 같은 상태의 복종을 얻어내고, 상대를 철저히 통제하고 억제한다. 이러한 사회의 법과 도덕 질서는 그 존재자체 만으로 폭력행사의 모든 결과를 갖고 있다. 사회가 폭력적인 것은, 그 사회가 독재국가이거나 부조리와 비리 부패에 의하여서만 폭력적이 아니라, 사회의 발전이나 존재 자체가 폭력적이라는 것이다.

사회는 우리를 통제하고 억제하지만 우리는 사회의 통제를 잘 인식하지 못할 수가 있다. 아니 우리는 통제를 받으면서 어떠한 거부감도 느끼지 않고 사회의 통제에 너무나도 잘 적응해왔다. 우린 사회의 질서에 대하여, 수십 년을 공부하고 받아들인 우등생들이기 때문에, 사회의 통제를 열등한 자들을 통제하기 위한 기득권으로 생각하고, 통제로서의 사회적 폭력을 지지하는 입장에 서게 되기 때문이다.

지금 우리들은 사회적 폭력의 편에 서서 평화로움을 느끼고 있을지 모르지만, 남보다 열등하거나 남들과 이질적인 자들이 있다면, 이들은 사회로부터 순식간에 추방당할 것이고 그때 이들이 당하는 것이, 법과 질서의 폭력일 것이다. 이처럼 우리사회는 법과 질서의 경계를 넘나들며 살아가는 열등한 자들과 낙오자들을 통제하며, 결국엔 그들을 이 사회로부터 영원히 격리하여 퇴출 시키고야만다. 이들은 법과 질서와 발전이라는 사회적 폭력의 희생양이 되는 것이다.

우리사회의 법과 질서는 진화하고 발전한다. 사회가 진화 발전함에 따라 사회의 관념 또한 진화 발전할 것이고, 사회의 구성원중 이를 따라가지 못하는 자들은 서서히 퇴출 될 것이다. 사회의 발전이 수많은 세대를 관통하여 이루어지기 때문에, 우리는 자신이 퇴출되는 것을 느끼지 못할 뿐이지 시간을 꿰뚫어 보면, 우리는 결국 모두 다 퇴출된다고 보아야한다. 흘러가는 강물을 따라가지 않고 가만히 있다면, 엄청난 물의 저항을 느끼듯이 이 세상이 진화하고 발전할 때, 그것을 따라가지 못한다면, 이 세상으로부터 엄청난 폭력을 당하게 되는 것이다. 이 세상의 흐름에 동참하지 않고 도태되는 자들은 가만히 있음으로 인해, 남들보다 조금 느리다는 이유로, 세상으로부터 배척당한다. 이처럼 우리 사회는 이 사회와 보조를 맞추면서 살아가는 이들을 원한다. 사회와 보조를 맞추면 가치 있는 동반자가 될 것이고, 보조를 맞추지 못한다면 사회는 그에게 폭력을 행사하는 것처럼 느껴지는 것이다.

법과 질서는 우리 사회를 유지하고 발전시키기 위하여 반드시 필요한 것이지만, 우리는 항상 법과 질서의 경계를 이탈하고 싶은 잠재적 욕구가 있다. 때문에 우리는 파격을 찾아 일탈을 하거나 규격화되지 않은 삶을 꿈꾸기도 하는 것이다. 우리는 잠재된 폭력으로부터 벗어나고 싶은 것이다. 폭력으로부터 벗어난 곳 그곳엔 무엇이 있나? 그곳엔 무엇이 있는 것이 아니라 그곳엔 무엇이 없다. 바로 관념과 견해가 없다. 그곳이 폭력이 없는 곳이다. 폭력이 없는 곳에서 우리의 영혼은 자유롭게 움직인다.

우리가 그토록 벗어나고 싶어 하는 폭력이 우리에게 다가올 때 우린 힘으로 맞서거나 피할 수밖에 없다. 상대보다 힘이 세면 폭력을 물리칠 것이고 그렇지 않으면 폭력에 동조하거나 폭력으로부터 멀리 달아날 것이다. 다가오는 폭력은 어쩔 수 없다 하더라도 문제는 우리 스스로가 폭력에 다가가 피폭된다는 것이다. 그 대표적인 것이 행복의 추구이다. 행복을 추구하기 위해서는 스스로 가치를 느끼지 못하는, 그러나 통속적 대가가 주어지는, 통속적 가치를 추구하여야 하는데 우리가 대가를 바라는 만큼 가치의 강요도 함께 받아야만 한다. 이때 폭력에 노출되는 것이다. 돈을 벌기 위하여 하기 싫은 노동을 한다거나, 상사나 직장동료로부터 멸시와 냉대를 참아내어야만 하고, 명예나 직위를 얻기 위하여 자신의 본성에 반하는 아부와 친분을 강요당하듯이 통속적 가치를 얻기 위하여 스스로의 자유를 폭력에 헌납한다. 생존 자체가 고통일 수 있지만 생존을 넘어서서 추구하는 통속적 행복에의 추구는 스스로 폭력에 다가가 피폭됨을 의미한다.

우리가 어떠한 가치를 추구하느냐에 따라 우리는 폭력에 다가가기도 하고 혹은 멀어질 수도 있다. 우리가 만일 통속적 가치를 추구한다면 이는 스스로 그 가치를 의식하는 것이 아니고 남들이 정해놓은 가치를 맹목적으로 받아들여야만 하기 때문에 자신의 행동 또한 남들에 의하여 통제되고 강요받는다. 그러나 만일 우리가 추구하는 가치가 스스로 의식하고 있는 자의식 내의 것을 추구한다면 남으로부터 어떠한 가치도 가지고 오는 것이 아니기 때문에 남들의 통제로부터 자유로울 수 있는 것이다.

행복이냐 만족이냐에 따라, 추구하려는 미래가치가 자의식 밖에 있느냐 안에 있느냐에 따라, 폭력에 노출되어 고통을 감수하느냐 아니면 몰입으로 인한 쾌감과 자유를 느끼느냐 하는 전혀 상반된 과정에 놓이게 되는 것이다.

우리가 폭력에 노출되지 않기 위하여서는 통속적 가치에 의해 판단되는 행복의 추구가 아닌 스스로 의식하여 몰입할 수 있는 자의식 내의 가치를 추구하면 된다. 이는 만족을 느끼기 위한 것이고 스스로 그 가치를 의식하고 있기에 가치를 강요받지 않고 그 가치에 스스로 몰입하게 된다. 우리 의식의 크기가 작고 협소하다면 우리는 폭력의 가해와 피해자가 동시에 되겠지만 의식이 크다면 폭력으로부터 조금이나마 자유로울 수도 있는 것이다.

우리는 누구나 자유를 원하고 우리의 자유가 남에 의하여 억제되고 침해되는 것을 원치 않기 때문에 남에 의한 폭력이 나 자신에게 행해지는 것을 원치 않는다. 그러나 남을 향한 스스로의 폭력은 항상 준비되어있다. 견해가 다른 자들끼리 살아가는 좁은 사회에서 자신의 견해에 따른 자유를 조금이라도 확보하기 위해서는 견해가 다른 자들을 제재할 수밖에 없는 것이다. 그러기 위하여 우리가 할 수 있는 것은 스스로 폭력의 가해자가 되는 것이다. 내가 싫어하는 폭력을 남에게는 행사하게 된다는 것이다. 내가 싫은 것은 남도 싫어한다고 생각하는 것이 일반적이나, 폭력을 바라보는 관점은 그렇지 않다. 폭력은 바로 나 자신의 주관과 직접적으로 연결되어 있기 때문에, 우리는 그것을 판단하지 못하고 절대적으로 생각할 수밖에 없는 것이다. 주관이란 고통이 뚜렷한 것을 말한다. 주관이 뚜렷한 자들은 고통의 원인인 관념이 많고 관념의 구조가 편중되고 고착되어 있다는 것이다. 때문에 주관이 뚜렷한 자들은 자기주장이 강하고 명확하며 자신과 이질적인 자들에 대하여 폭력적일 수밖에 없는 것이다. 폭력은 폭력자의 입장에서 보면 당연하고 절대적인 정당성으로 의식되고 피 폭력자의 입장에서 보면 부당하고 불합리하고 벗어나야 할 과제로서 의식된다. 폭력은 그 힘의 사용이 정당 하냐 그렇지 않으냐의 문제가 아니라, 폭력자와 피폭력자가 서로 대립하느냐 아니냐의 문제이다. 왜냐하면 우리는 어떠한 것이 정당한지 따질 수 없기 때문이다.

우린 스스로의 정당성은 누구나 알고 있다. 그러나 모든 자들이 자신의 관점에서 자신의 정당성을 주장하기 때문에 우리는 항상 서로 대립하며 힘의 괴리에 따라 폭력이 난무하는 세상을 만들어 나가는 것이다. 이 세상에 폭력이 만연하게 되면 모든 개개인의 서로 다른 정당성과 정의가 서로 충돌하며 고통을 만들어내고 새로이 만들어지는 고통에 따라 고통을 중화 할 수많은 새로운 가치가 설정되면 가치를 충족시키기 위하여 새로운 폭력이 행해지게 되고 이러한 과정이 무한히 반복되면 이 세상은 무한한 번영을 하게 되는 것이다. 번영의 과정에서 가치가 만들어지면 반드시 그 이면엔 가치보다 더 큰 반가치가 함께 만들어진다. 그런데 반가치는 가치와 함께 발현되지 않고 시간과 공간 너머에 감추어져 있다가 우리가 예측하지 못하는 순간 엉뚱한 곳에서 드러나게 되어 언젠가는 미래세대가 모든 부조리를 뒤집어쓰고 고통 속에서 절망을 시험하게 되는 것이다.

우린 먼 미래에 일어날 일에 대해서는 나와 아무런 상관이 없는 것이라고 애써 외면한다. 그러나 다음 세대의 일이건 아니면 먼 미래의 일이건 그것은 지금의 우리들이 연결고리로서 어떠한 삶을 사느냐에 전적으로 달려있는 것이다. 그런데 우리는 바로 다음 세대와 같이 눈에 보이거나 아주 가까운 미래에 대해서는 의식을 하는 듯 하지만 아주 먼 미래에 대해서는 나와 전혀 상관이 없는 것으로 치부하고 마는 것이다. 우리의 의식은 나라고 하는 관점을 중심으로 의식의 동심원을 그려가며 시공이 멀어질수록 의식이 희미해지다가 마침내 의식이 미치지 않는 곳에 대해서는 아무런 느낌도 의미도 없어져 무시하게 되는 것이다. 이는 우리의 의식이 관점을 중심으로 한계 지어져 있기 때문이다. 때문에 우리는 의식이 미치는 한계 내에서는 한계내의 구성원들을 배려하지만 의식이 미치지 않는 미래세대에게는 고통을 떠넘기며 아무런 죄의식도 갖지 않게 되는 것이다. 때문에 우리 모두가 가지고 있는 관점의 이기는 미래로부터 가치를 가져오고 모든 고통을 의식이 미치지 않는 먼 미래로 끊임없이 밀어놓아 언젠가는 미래세대가 모든 고통을 떠안고 어마어마하게 증폭된 고통을 겪어내어야만 하는 것이다. 우린 그 시기가 우리에게 닥치지 않도록 고통을 끊임없이 미래세대에게로 전가하고 있는 것이다.

우린 의식이 만들어낸 시간과 공간에다가 고통을 밀어내어 쾌감을 느끼며 고통은 쾌감에 비해 존재하지 않는 것처럼 여기게 된다. 그러나 고통은 존재하지 않는 것이 아니라 단지 시간의 저편에 감추어져 있는 것일 뿐이다. 때문에 시간이 가고 공간이 변화하면 언젠가는 미래세대의 구성원들이 과거세대가 미루어둔 고통을 한꺼번에 떠안고 절망을 겪게 되는 것이다. 우리는 의식 속에 그들이 들어와 있지 않기 때문에 나중세대야 그러거나 말거나 그러한 것은 내 알 바가 아니라는 것이다. 나는 지금의 쾌감을 느끼면 되었지 나중세대야 고통을 느끼건 말건 그것은 너희들이 알아서 하라는 것이다. 지금 나만의 고통으로도 버거운데 의식할 수도 없는 너희까지 생각할 수는 없다는 것이다.

우리가 이처럼 생각할 수 있는 이유는 우리와 미래세대와는 의식이 단절되어 있기 때문이다. 때문에 우리는 우리의 고통을 마치 남이라 여겨지는 미래세대에게 떠넘기며 아무런 의식도 하지 않는 것이다. 또한 이러한 고통의 떠넘김이 아무런 저항 없이 이루어질 수 있는 이유는 이러한 가치와 반가치가 만들어지는 시점에 미래세대에게는 고통과 쾌감을 판단할 아무런 능력이 없다는 것이다. 우린 아무런 힘이 없어 판단을 할 수 없는 미래세대와 일방적 거래를 하게 되는 것이다. 이처럼 힘의 괴리와 의식의 괴리가 극대화된 미래세대와 일방적 거래를 하며 우린 아무런 문제의식도 느끼지 못하지만 언젠가는 모든 반가치와 고통이 미래세대에게로 전가되어 발현된다는 것이다. 이처럼 문제가 되는 폭력은 우리 눈앞에서 이루어지는 물리적이고 즉각적인 폭력이 아니라 전혀 폭력이라 생각지 못하는 상태에서 이루어지는 것이다. 시공을 뛰어넘거나 선과 배려를 내세우며 감추어져 고통이라는 폭력의 결과물이 시간과 공간을 멀리 뛰어넘어야만 드러나게 되는 것이다. 이러한 폭력은 아무런 저항도 하지 못하고 자신이 당하는지도 모르지만 언젠가는 이유도 알 수 없이 우리를 고통과 절망에 휩싸이게 하는 것이다.

모든 행위는 가치와 반가치를 동시에 만들어낸다. 그런데 이러한 행위가 행위자 자신을 상대로 행해져 행위자가 가치와 반가치 모두를 받아들였을 경우 우린 이러한 행위를 폭력이라 하지 않는다. 다만 가치와 반가치를 관리하지 않았을 경우 먼저 받아들인 것보다 나중에 받아들이는 것이 항상 클 수밖에 없기 때문에 우리는 먼저 가치를 받아들이고 나중에 반가치를 받아들이는 자를 어리석은 자라 하고 또한 반가치를 먼저 받아들이고 가치를 나중에 받아들이는 자를 현명한 자라 하게 되는 것이다. 이러한 행위는 남과의 교류에 의해서 발생하는 것이 아니기 때문에 우리는 이러한 행위를 폭력이라 하지 않지만, 어떠한 행위가 남과의 교류에 의해 가치를 획득하고자 했을 경우 행위자는 먼저 가치를 획득하고 나머지 반가치는 자신보다 힘이 약한 상대에게 부여하게 되기 때문에 이러한 행위를 폭력이라 하게 되는 것이다. 모든 생명간의 거래행위는 폭력적 요소가 내포되어 있지만 우린 어떠한 거래행위에 있어서는 폭력을 눈치 채지 못하거나 오히려 폭력적인 것을 사회적 미덕이나 훌륭한 덕목으로 칭송하게 되기도 한다. 이는 가치와 반가치가 시간 혹은 공간의 차를 두고 발현되기 때문이다.

모든 행위는 가치와 반가치를 동시에 만들어내지만 반가치가 언제 어디에서 발현되느냐에 따라 우린 나쁜 행위와 좋은 행위를 구분하게 되는 것이다. 반가치가 우리에게 즉각적으로 발현되면 우린 그 행위를 폭력이라 하고 우린 그러한 행위자들을 단죄하게 되지만 반가치가 눈치 챌 수 없는 먼 곳이나 먼 미래에 발현되면 우린 먼저 받아들인 가치로 인해 그 행위를 훌륭한 덕목으로 여기게 되기도 하는 것이다.

우리가 어떠한 행위를 폭력이라 부르는 것은 그것이 공동체의식 내의 구성원에게 일방적으로 고통과 반가치를 부여하기 때문이다. 그리고 그 구성원이 바로 내가 될 수도 있기 때문에 우리는 그러한 행위를 폭력이라 하고 배척하려 하는 것이다. 그러나 어떠한 행위가 남에게 일방적으로 고통과 반가치를 부여했다 하더라도 그러한 남이 시간과 공간을 뛰어넘어 지금의 공동체 의식 속에 들어와 있지 않다면 우리는 공동체 밖의 남에게 고통과 반가치를 부여하는 행위를 폭력이 아니라 오히려 사회적 미덕으로 칭송하기까지 하는 것이다. 왜냐하면 그래야만 지금의 공동체 안으로 가치를 가져오게 되기 때문이다. 이처럼 우리는 어떠한 행위의 옳고 그름을 따지는 것이 아니라, 단지 우리에게 유리하냐 불리하냐를 가지고 폭력이냐 아니냐를 구분하는 것이다. 아무리 나쁜 짓이라 하더라도 우리의 공동체에 이득이 된다면 그 행위는 칭송을 받을 수도 있고 아무리 훌륭한 짓이라 하더라도 지금 시점의 공동체를 훼손하게 된다면 폭력으로 여겨지게 되는 것이다.

모든 행위는 가치와 쾌감을 전면에 내세우며 이루어져 그 행위가 이루어지는 시점에서는 폭력으로 인식되지 않고 오히려 삶의 미덕으로 여겨져 존경과 추앙의 대상이 되기도 하지만 이러한 행위가 만들어내는 부작용인 고통과 반가치는 시간과 공간을 뛰어넘어가며 무한히 증폭되어 발현될 수도 있는 것이다. 이처럼 폭력으로 여겨지지 않지만 언젠가는 고통으로 발현할 행위를 완전한 폭력이라 할 수 있는 것이다.

드러난 폭력은 단죄하고 기피하여 이 세상에서 점차 사라질 수 있다. 그러나 폭력으로 느껴지지 않는 폭력 - 완전한 폭력은 우리가 기피하는 고통과 반가치를 시간과 공간 뒤에 감추어가며 끊임없이 행해져 이 세상은 무한히 확장되고 번영하는 것이다.

21. 번영

모든 존재는 가치와 합일을 이루어 존재의 문제를 해결코자 한다. 그것이 존재의 의도이고 목적이다. 만약 존재가 의도대로 가치와 합일하여 목적을 달성한다면 그것은 존재의 소멸을 의미하게 된다. 이 세상이 소멸되지 않고 무한히 확장되고 번영하는 것은 이 세상의 문제가 해결되지 않고 점점 더 확대되기 때문이다. 모든 존재는 가치를 지향하지만 그 과정에서 가치보다 폭력에 의한 반가치와 부조리가 더욱 더 많이 만들어지기 때문에 이 세상은 무한히 확장되고 번영 할 수밖에 없는 것이다.

번영은 폭력과 부조리의 결과물일 뿐 그 어떠한 것도 아니다. 폭력은 가치를 지향하기 때문에 폭력의 결과물도 전면엔 가치를 내세우지만 가치의 이면엔 아직 드러나지 않은 고통이 잠재되어 고통으로 드러나기만을 기다리고 있는 것이다. 번영은 전면에 가치를 내세우며 이루어져 우린 마치 세상에 가치가 충만한 것처럼 느끼지만 가치를 살짝 걷어내면 고통과 비명 신음소리가 난무하는 아수라장이 펼쳐지는 것이다. 우린 단지 가치만을 바라보며 고통을 외면하고 있을 뿐이다.

지금의 쾌감을 얻기 위하여 멀쩡한 것을 분해했는데 가치는 지금 발현되어 쾌감을 느끼며 사라져가지만 반가치는 가치에 가려져 눈에 보이지 않고 마치 없는 것처럼 생각되다가 나중에 발현되거나 먼 곳에서 엉뚱한 자들에게 넘겨지게 되어 우린 지금의 세상엔 가치만이 있고 그에 비해 반가치는 존재하지 않는 것으로 여기게 되는 것이다. 이처럼 가치는 지금 이곳에서 발현되지만 반가치는 시간과 공간 너머에 감추어져 가치와 반가치가 시간과 공간의 차이를 두고 발현되는 것을 완전한 폭력이라 할 수 있다. 이러한 황당한 일들이 가능한 이유는 우리의 의식이 한계 지어져 있어 지금 여기를 벗어난 의식 너머의 남들에 대하여 아무런 의식도 할 수 없기 때문이다. 우리가 멀쩡한 것들을 분해하여 가치는 의식 안으로 끌어들여 쾌감을 느끼고 나머지의 것들은 의식 밖으로 내팽개치면 의식 밖 어디선가 반가치로 발현하여 세상을 지옥으로 만들어가는 것이다. 이처럼 의식이 한계 지어져 있을 때 우리의 행위는 지금은 전혀 폭력적이지 않고 오히려 삶의 미덕으로 여겨져 우리에게 쾌감을 가져온다 하더라도 나중엔 완전한 폭력으로 드러나게 되는 것이다. 지금 여기서 느끼는 쾌감에 의하여 주변과 미래에는 고통이 쌓여가고 그 결과 아무렇지도 않던 세상이 번영이라는 이름으로 쾌감을 추구함에 따라 오직 고통만이 남아 세상을 지옥으로 만들어 가는 것이다.

번영이란 지옥의 심화 확산 이외에 그 어떠한 것도 아니다. 지옥이 심화되고 확산되어야 만이 지옥 속에 점점이 박힌 천국도 만들어 질 수 있는 것이다. 우린 지옥 속에 박혀있는 점 속의 천국을 추구하기 위하여 지옥을 심화시키고 확대해 나간다. 밀려오는 지옥의 압력을 버텨가며 점 속에서 의식의 진공이라는 쾌감을 맛보기 위해서는 밀려오는 지옥의 압력에 힘이 빠지지 않도록 권력의 지렛대를 부여잡고 진공의 벽을 받치고 있어야만 한다. 누군가 권력의 지렛대를 툭 차버리는 순간 지옥의 고통이 관념이 나의 모든 것을 삼켜버릴 수 있으니 주변의 모든 것을 경계하며 한 순간도 방심하지 말고 의식을 팍팍 돌려가며 나만의 진공상태를 보수해 나아가야만 하는 것이다. 그러다 어느 순간 힘이 빠지면 지옥 속에 점으로 된 의식의 진공은 다시 지옥이 되고 어느 곳에선가 또 다른 권력의 지렛대가 지옥을 헤집고 행복이라는 자기만의 의식의 진공을 만들기 시작한다.

지옥이 심화되고 확대될수록 권력의 쾌감도 짜릿하고 다채로워지며 이 세상이 지옥의 구렁텅이가 되어야 만이 그 한가운데에서 권력을 가진 자들은 쾌감을 느껴가며 천국이라는 행복구역을 유지할 수가 있는 것이다. 각 분야의 수많은 권력자들이 가치를 흡입하기 위해서는 누군가가 그들에게 필요한 가치를 공급해 주어야만 한다. 대중들이 그들에게 가치를 공급하여 고통에 허덕여야만 그들은 행복해질 수가 있는 것이다. 지식권력과 문명이 발달하면 할수록 권력은 세분되고 심화되어 각 분야의 권력자의 숫자는 많아지며 이들은 스스로의 고통만큼이나 더욱 더 많은 가치를 필요로 하기 때문에 가치를 뽑아낼 저변의 확대가 필요한 것이다. 가치를 남에게 빼앗기는 자들은 고통에 시달릴 수밖에 없지만 그들에 의하여 권력은 허기를 채울 수가 있는 것이다. 권력자들에게는 세상이 번영될수록 이 세상이 지옥이 될수록 행복의 기회는 많아지는 것이다. 때문에 이 세상은 권력자들의 욕구에 의하여 번영을 필요로 하고 번영의 길로 나아가는 것이다. 이 세상의 가치는 일정하게 주어졌기 때문에 대중에게 있어서는 사회구성원의 숫자가 적으면 적을수록 가치의 획득이 쉬워지겠지만 남보다 많은 가치를 필요로 하고 남보다 강력한 가치획득의 수단을 가지고 있는 권력자들에게는 사회구성원 이라는 가치를 빼앗을 대상이 많으면 많을수록 쾌감을 느낄 기회 또한 많아지는 것이다.

우린 기억 속의 결합관념 만큼이나 다양한 가치를 필요로 하기 때문에 수많은 다양한 가치를 남들로부터 가져오기 위하여 수많은 남들을 필요로 한다. 가치는 허공에서 생기는 것이 아니라 반드시 가치의 주인인 남으로부터 가져와야만 하는 것이다. 이 세상에 주인 없는 물건은 없다. 모든 존재의 주인은 바로 그 자체이다. 모든 존재는 그 스스로 주인이지만 존재 자체의 고통으로 인하여 주변의 가치를 필요로 하고 주변의 가치를 가져와 자신의 고통을 중화시키려 하는 것이다. 이러한 욕구를 물질에 있어서는 중력이라 하고 생물들에 있어서는 욕구라 한다. 공기 중에 떠있는 먼지 하나부터 우주라고 하는 거대한 질량까지 고통을 중화시켜 스스로를 비우기까지 주변의 가치를 끊임없이 욕구하는 것이다. 때문에 모든 존재는 스스로 고통의 주체이고 남들 욕구의 대상인 가치가 될 수도 있다. 주변의 가치를 가져와 스스로의 욕구를 채우며 스스로를 비우려는 것은 모든 존재의 본능이다. 때문에 우린 남의 가치를 가져오기 위하여 나의 가치를 지불하며 다양한 방법으로 가치를 교환하는 것이다. 주고받음의 형평을 맞추기 위하여 가치의 중량을 재거나 평가하기도 하며 객관적 가치의 교환이 일어나도록 노력한다. 이처럼 수평적 가치의 교환에 있어서는 가치의 손실이 별로 없이 가치가 교환되기도 한다. 그러나 권력과 대중 간에 이루어지는 가치의 교환은 지식이라는 가상의 가치와 현실가치라는 서로 다른 차원의 가치가 교환되어 가치의 평가가 이루어질 수 없게 되는 것이다. 가치의 평가는 오직 권력자만 할 수 있고 대중은 아무것도 모른 채 받아들여야만 하는 일방적이고 한 쪽에만 유리할 수 있는 가치의 교환이 일어나게 되는 것이다. 이때 무지한 대중은 영문을 모른 채로 반가치를 떠안고 고통 속에 살게 되는 것이다. 설사 무지한 대중이 아무리 고통스럽다 하더라도 권력자들만이라도 그에 상응하는 쾌감을 느끼며 살 수 있다면 그나마 가치의 교환은 제대로 이루어진 것이라고 자위할 수도 있다. 그러나 가치와 반가치의 교환은 대부분의 경우에 서로 상응되지 않고 항상 반가치가 늘어난다는 것이다.

누군가가 쾌감을 느낄 때 누군가는 고통을 겪어가며 가치의 교환이 일어난다. 권력자는 가치를 획득하고 무지한 대중은 반가치를 떠안아 가치는 권력의 쾌감으로 사라지고 반가치는 대중의 고통으로 사라지게 된다. 멀쩡하던 하나의 것이 가치와 반 가치로 나뉘어 쾌감을 느끼는 자와 고통을 겪는 자에게 넘겨지면 쾌감과 고통을 느끼며 사라지게 되는데 문제는 쾌감은 축소되고 고통은 너와 나의 의식의 괴리를 통과하며 증폭된다는 것이다. 가치를 교환하면 서로에게 이득이 되어 이 세상의 고통이 줄어들어야 마땅한데 고통은 줄지 않고 점점 늘어나 지옥을 심화 확대시키게 되는 것이다.

세상의 고통이 점점 늘어 지옥이 심화 확대되는 데에는 분명한 이유가 있다. 그것은 이 세상을 구성하고 있는 우리의 의식이 구분되어 있기 때문이다. 하나의 유기체에서는 신체의 모든 부분들이 역할도 모양도 각기 다르지만 각기 다른 부분들이 서로를 주장하지 않고 불평도 하지 않으며 하나의 의식에 의하여 통제받아 각각의 부분들이 유기체 전체를 위하여 최적의 효율로서 일사분란하게 움직인다. 우리의 몸도 하나의 의식으로 통제되어 다리가 피곤하다 하여 물구나무서서 걷지 않고 왼발이 아플 때 오른발이 더 수고를 한다 하여 불평하지 않는다. 어느 한 손가락을 다치면 즉시 다른 손가락이 대신하며 몸 전체에 필요한 것을 최적의 효율로 수행 할 수가 있다. 신체 각 부분의 고통을 다른 부분들이 도와가며 고통을 축소시키려 노력하는 것이다. 만약 신체의 각 부분들이 각기 자신을 주장한다면 발은 걷지 않으려 할 것이고 오른 손은 왼 손에게 일을 미루며 각 부분이 서로 돕지 않아 우리 몸은 순식간에 폐허가 될 것이다. 하나의 유기체는 수많은 신체의 부속물이 각기 자신을 주장하지 않고 오직 단 하나의 의식에 의해서만 통제되기 때문에 신체의 모든 부분이 최적의 효율을 이루어 낼 수 있는 것이다.

이처럼 하나의 유기체는 자신을 최선으로 만든다. 그러나 이 세상은 하나의 유기체가 아니라 무수히 많은 의식이라고 하는 각기 다른 유기체들의 집합이다. 그 유기체들 간의 괴리가 누수를 만들어내고 비효율을 만들어내며 오해와 착각을 만들어내어 불합리와 부조리 같은 온갖 쓰레기와 고통을 만들어내는 것이다. 하나의 의식이 고통스러울 때 다른 의식들은 아무런 고통을 느끼지 않고 오히려 쾌감을 느끼며 지내는 경우도 있고 나의 의식과 너의 의식은 전혀 별개의 것에 의하여 고통과 쾌감을 달리한다. 남들의 커다란 고통보다 나의 작은 고통이 우선하며 우주라는 거대의식과 그 속의 수많은 각기 다른 의식들이 아무리 고통스럽다 하더라도 나 자신에게는 그것이 느껴지지 않고 오직 나의 의식을 비우기 위하여 의식 속의 고통을 밖으로 밀어내어 남들에게 고통을 전가하는 것이다. 하나의 의식 속에서 고통과 쾌감이 교환되면 최적의 효율로 교환이 이루어져 고통보다 쾌감이 증폭되지만 고통과 쾌감이 또 다른 의식과 교환될 때에는, 나의 작은 고통은 소중하지만 아무리 커다란 고통이라 하더라도 남의 것이라면 하찮은 것이 되어, 쾌감보다 고통이 증폭되는 것이다.

고통이 의식의 괴리를 통과하는 순간 고통은 확대 재생산된다. 남으로부터 하나의 쾌감을 획득하면 남은 하나의 고통을 겪는 것이 아니라 열이나 백배의 고통을 겪기도 한다. 재미로 던진 돌멩이가 상대를 죽음에 이르게도 하는 것처럼 때에 따라 치명적인 고통을 겪을 수도 있다. 내가 하나의 쾌감을 느끼면 남도 그에 상응하는 하나의 고통만을 느끼면 될 터인데 그렇지 않다는 것이다. 나와 남 사이에는 의식의 괴리가 있기 때문이다.

남에게 버려진 고통은 의식의 괴리를 통과하며 증폭되어 결국 나 자신에게 돌아오게 되어있다. 고통은 버린다고 사라지는 것이 아니라 남들의 의식 속에 간직되어 있다가 언젠가는 다시 우리의 의식 속으로 들어오게 되어 있는 것이다. 우리는 지금의 고통을 모면하기 위하여 남들의 의식 속으로 고통을 잠시 밀어 놓았지만 의식을 벗어난 고통은 증폭되어 나에게로 다시 들어와 절망을 시험하게 되어 있는 것이다. 고통을 완전히 사라지게 하는 방법은 오직 의식 속을 흐르는 영혼의 흐름에 의해 시간을 만들어내어 마모되어 사라지게 하는 방법밖에 없는 것이다. 의식 속의 영혼만이 고통을 남에게 떠넘기지 않고 되풀이 되지 않고 완전하게 종식시킬 수 있는 유일한 것이 될 수 있는 것이다.

우리의 의식 속에서 영혼은 관념과 교차하며 시간을 만들어내어 고통을 통제하고 마모시키고 줄여나가는 역할을 한다. 영혼은 의식 속에만 존재하여 의식을 떠난 관념 욕구 고통은 의식을 떠나는 순간 통제받지 않고 제 마음대로 커져 다른 의식으로 전달되기 때문에 고통은 의식의 괴리를 통과하며 증폭되는 것이다. 하나의 의식 내에서 이루어지는 가치의 교환은 영혼의 통제를 받아 고통이 줄어들지만 의식과 의식 사이에서 이루어지는 가치의 교환은 의식을 떠나 영혼의 통제가 사라지는 순간 고통은 증폭되어 가는 것이다. 가치의 교환이 일어나지 않을 때에는 의식 속의 고통이 영혼의 통제를 받아 그 크기가 줄어들지만 남과 가치의 교환이 일어날 때에는 가치는 최대한 가져오려하고 반가치는 배척하려 하기 때문에 자의식이라는 경계가 생겨나고 자의식의 경계를 넘어 고통은 증폭되는 것이다. 가치의 여유가 있거나 커다란 의식을 가지고 있다면 자의식은 생겨나지 않고 의식만이 존재하며 남에 대한 배려나 베풂이 있어 고통은 축소되고 쾌감은 늘어날 수 있다. 그러나 가치의 여유가 없다면 자의식은 배타적 경계를 명확히 하며 나의 가치는 지키려하고 남의 가치는 빼앗아 오려는 부당한 욕구가 발동하는 것이다. 남이라 하더라도 그들이 우리의 의식 속에 들어와 있다면 그들은 고통으로 의식되어 남에 대한 배려와 연민이 생기지만 의식 밖의 남은 가치 혹은 반 가치로 인식되어 사랑과 미움의 대상이 될 뿐이다. 남들의 가치를 우리는 사랑하지만 아무리 사랑한다 하여도 가치를 획득하고 나면 나머지는 버려지고 반가치는 애초부터 배척되는 것이다. 우리의 의식이 커질 수만 있다면 남을 의식 속에 포함시켜 고통을 해결할 수 있지만 의식이 작아진다면 남들에게 고통을 가중시키게 되는 것이다.

우리 모두의 의식이 커 우리 모두가 남의 고통을 나의 고통처럼 느끼고 그것을 안타깝게 여길 수 있다면 하나의 쾌감에 하나의 고통이라는 손실만이 있어 고통은 확대 재생산되지 않을 수도 있고 오히려 자의식의 동일한 범위 안에서는 고통은 줄어들고 쾌감만이 확대될 수도 있는 것이다. 그러나 우리의 의식은 분리되어 있어 남의 고통은 느낄 수 없고 오직 자신의 고통만을 느끼기 때문에 나와 남의 의식의 괴리만큼 고통은 확대 재생산되어 세상을 지옥의 구렁텅이로 몰아가는 것이다. 나와 남의 교류에 의하여 하나의 작은 쾌감이 생겨났을 뿐인데 고통은 엄청난 것이 되어 우리 주위에 잔류하고 이러한 의식의 괴리에 의한 고통을 처리하기 위해서 이 세상은 확대되고 고통을 겪어 나아갈 생명으로 이루어진 의식을 더욱더 많이 필요로 하기 때문에 생명의 개체 수는 늘어나고 우린 이를 번영이라는 악마적 무지의 단어로 표현한다. 이 세상이 번영되면 크고 작은 권력자들은 가치를 뽑아낼 기회가 더욱 많아져 쾌감을 느낄 수 있겠지만 끊임없이 새로 탄생하는 권력의 대상자들은 번영의 저변에서 끊임없이 확대 재생산되며 고통을 받아내어야만 하는 힘겨운 삶을 살아야만 하는 것이다.

우린 가치가 양산되고 사회의 구성원이 많아지면 살기 좋은 세상이 되리라고 생각한다. 맞는 말이다. 우리에게 가치를 공급하고 우리의 고통을 분담할 구성원들이 많아진다면 우린 고통으로부터 벗어나고 쾌감을 느끼며 살아갈 수도 있는 것이다. 그러나 가치가 많아진다는 것은 그 이면에 감추어져 앞으로 드러날 반가치도 많다는 것이고 우리의 고통을 분담할 구성원이 많아진다면 우리의 고통은 경감될 수도 있겠지만 우리의 고통을 전가하며 늘어난 구성원들은 끊임없이 자신의 고통을 전가할 새로운 구성원들을 필요로 하고 이러한 필요가 충족되는 동안은 번영을 이루며 평안한 삶을 이룰지도 모른다. 그러나 어느 순간 번영이 정체되거나 가치의 폭증과 함께 감추어졌던 반가치가 서서히 드러남에 따라 번영의 과정에서 우리가 누렸던 모든 쾌감보다 엄청나게 증폭된 고통을 미래의 구성원들이 한꺼번에 넘겨받아야만 하는 것이다.

폭력은 번영이라는 과정을 통하여 가치와 쾌감을 전면에 내세우며 고통을 시간과 공간 너머로 은폐하기 때문에 우린 항상 과거의 폭력에 의하여 은폐되었다가 나타난 부조리와 고통이 만연한 세상에서 살아가게 된다. 이때 우리는 과거의 폭력에 의해 만들어진 부조리한 세상으로부터 벗어나기 위하여 더 이상 부조리와 고통이 만들어지지 않는 이제까지와는 다른 새로운 폭력을 준비한다. 지금의 고통으로부터 벗어나고 이 부조리한 세상을 뒤바꿀 수 있는 새로운 폭력 그것을 우린 정의라 한다.

22. 정의

우린 부조리하고 부정의 한 세상에 살고 있기 때문에 반드시 정의를 필요로 한다. 그런데 우리에게 정의가 필요하다고 해서 정의를 만들어낼 수 있는 것은 아니다. 정의는 충족되지 않고 오직 필요할 때 구호로서만 존재한다. 정의는 실상화 되지 않고 부조리에 대한 반대급부로서 설정만 되어 질 수 있기 때문이다. 만약 정의가 이루어진다면 이 세상이 정의로워 지는 것이 아니라 그만큼의 부조리한 세상이 소멸되는 것이고 남는 것은 오직 부조리한 세상만이 남아 우리는 끊임없이 정의를 갈구하게 되는 것이다. 우리가 부조리한 세상에 살며 끊임없이 정의를 갈구한다는 것은 이 부조리한 세상을 없애버리고자 함과 다름이 아니다. 부조리가 없어지면 정의로운 세상이 찾아오는 것이 아니라 세상 자체가 사라지는 것이다. 정의는 부조리의 중화제일 뿐 따로 떨어져 존재할 수 없는 것이다. 정의로운 세상이란 오직 신기루로서만 존재할 뿐 세상이 존재한다는 것은 부조리가 존재한다는 것이고 정의가 현실화 된다는 것은 이 세상의 실체인 부조리가 축소된다는 것이다. 이처럼 우리가 희망하고 갈망하는 정의와 평등 이상은 관념계에서는 존재할 수 없는 명제이다. 이러한 명제는 이 세상에 존재할 수 없기에 오직 이 세상의 실체인 고통에 대한 반대급부로서만 설정될 수 있는 당위인 것이다. 만일 이러한 당위 중 어느 한 가지만이라도 이루어진다면 그것은 바로 이 세상의 소멸을 의미한다. 우리가 생각하는 당위는 관념계를 벗어났을 때에만 달성되는, 그렇기 때문에 반드시 필요하지만 오직 이 세상의 고통에 대비하여 설정만 될 수 있는 존재할 수 없는 허구인 것이다. 우리는 이 세상에 살면서 끊임없이 저 세상을 갈구하고 있는 것이다.

우리가 끊임없이 도덕적 명제를 추구하고 당위를 추구하는 이유는 이 세상은 그렇지 않기 때문이다. 벗어나지 않으면 이루어질 수 없는 명제를 벗어날 생각은 않고 오직 더러움 속에서 깨끗함을 실현하려는 의지의 모순에 의하여 세상은 더욱 고통스러워지고 세상이 고통스러워지면 질수록 우리가 추구하는 당위나 도덕적 명제는 그 형태를 뚜렷이 드러내는 것이다. 우리에게 필요한 것은 이 세상에 존재하는 부조리가 아니라 이 세상에 존재할 수 없는 당위이다. 이 세상이 존재하는 한 우리는 존재할 수 없는 당위를 끊임없이 욕구하는 것이다.

우리가 존재할 수 없는 당위를 주장할 수 있는 이유는 우리는 오직 당위를 필요로 하는 부조리 악 부정의 등 있어서는 안 되는 고통으로 이루어져 있기 때문이다. 남보다 더욱 더 많은 당위를 주장할수록 그의 과거는 남보다 많은 부조리와 고통으로 축적되어 있다는 것을 증명할 뿐이다. 우리가 부르짖는 수많은 당위들 정의 사랑 윤리 도덕 등은 고통이 내지르는 비명이요 부조리한 사회의 신음소리이거나 기만의 수단이자 자신의 더러움을 감추려는 연막일 뿐이다. 우리가 추구하는 모든 당위는 우리 모두에게 실현 불가능한 일을 강요하고 우리 모두의 본성을 억눌러 결국 우리를 절망으로 내몰게 되는 것이다. 우리가 원하는 당위는 이 세상에 존재할 수 없기에 우리는 오직 이 세상에 대한 반발로서 당위를 설정만 할 수 있을 뿐이다. 때문에 세상은 결국 우리에게 실망과 좌절만을 선사하게 되는 것이다. 우리가 현실화 될 수 없는 정의 선 당위를 주장하는 것은 오직 이 세상으로부터 벗어나고자 발버둥치는 것과 다름 아니다. 다만 우리는 자신이 벗어나고자하는 것도 원하는 것도 그것이 무엇을 의미하는지 모를 뿐이다.

그럼에도 불구하고 우리는 정의사회를 이루기 위하여 끊임없이 노력하고 수많은 이론을 만들어내지만 정의사회를 만들고자 하는 수많은 이론과 방법들이 이 세상을 정의롭게 만들지 못하고 결국 부정의가 확대되는 사태에 아무런 영향을 미치지 못하는 것은 정의가 오직 부정의 속에서만 부정의를 숙주로 하여 피어난다는 것을 간과하고 마치 정의사회가 부정의로부터 떨어져 따로 존재할 수 있다고 믿는 착각에서 비롯된다. 부정의가 만연할수록 이 세상을 정의사회로 만들겠다는 정의의 이론이 발전하지만 정의의 이론이 발전한다고 이 세상이 정의사회가 되는 것이 아니라 정의의 이론은 세상에 부정의가 만연하다는 증거로서만 존재할 뿐이다. 아무리 노력해도 정의는 부정의의 범위를 넘어설 수 없고 선은 악의 범위를 넘어설 수 없으며 쾌감은 고통의 범위를 넘어설 수 없는 것이다. 정의와 선과 쾌감은 부정의와 악과 고통을 숙주로 살아가는 생명체와 같은 것이다. 숙주를 떠나면 생명이 살 수 없는 것과 같이 온갖 부조리를 벗어나서 우리의 당위(선 사랑 정의 도덕 윤리 등)가 존재할 수는 없는 것이다.

우리는 정의란 불의가 거울 속에 비추어진 허상임을 인지하지 못하고 끊임없이 허상을 쫓아 허상을 형상화 하려 하지만 이는 오히려 불의를 더욱 더 크게 실상화하게 된다는 의지의 모순으로부터 벗어나지 못하는 것이다. 우리가 그토록 간절히 원하는 정의는 어차피 나만의 이기적 정의일 수밖에 없는 것이다. 어떠한 선한 의지라도 관념 욕구 고통으로 이루어진 세상의 본질을 바꿀 수는 없는 것이다. 세상의 본질은 바뀌는 것이 아니라 축소되느냐 아니면 늘어나느냐의 문제이다.

우리는 누구나 정의사회를 이루려는 욕구를 가지고 있다. 정의사회란 좋은 세상을 말하는 것이 아니라 나의 욕구를 실현하기 좋은 사회를 말한다. 세상이 무엇인지도 모르는 우리가 세상을 좋게 한다는 말 자체가 우스운 일이다. 어느 누구도 세상이라는 남을 위하여 살지 않고 나를 위하여 세상을 이용할 뿐인 것이다. 그런데 세상은 항상 내 마음대로 이용하기에는 너무나 비효율적으로 만들어져 있다. 때문에 우린 세상으로부터 내가 원하는 가치를 뽑아낼 최적의 효율을 원하고 세상을 내가 원하는 최적의 효율로 바꾸기 위하여 정의를 부르짖는 것이다. 모든 자들의 원하는 세상이 각기 다르기 때문에 모든 자들이 부르짖는 정의도 주장하는 자들의 숫자만큼이나 각기 다를 수밖에 없는 것이다. 때문에 정의는 옳고 그름의 문제가 아니라 각 개인의 이익을 대변할 뿐인 것이다. 결국 정의란 자신의 이기를 추구하기 위한 구호에 불과한 것이고 너와 나의 이기는 항상 정의의 구호와 함께 충돌하게 되어있는 것이다. 우리는 정의가 마치 공동체의 이익을 대변하는 것으로 알고 있지만 우리가 생각하는 공동체란 지극히 협소한 것이다. 우린 자신의 의식 혹은 인식 범위 안의 것을 공동체라 한다. 모든 자들의 의식이나 인식범위가 각기 다르므로 공동체의 범위나 대상도 천차만별인 것이다. 우리가 바라보는 방법에 따라 세상은 세 가지로 나뉜다. 의식으로 보는 의식의 영역과 인식으로 보는 인식의 영역 그리고 인식조차도 배제되는 무시의 영역, 의식의 영역에서는 완벽히 정의롭기 때문에 정의는 필요치 않고 인식의 영역에서는 너와 나의 정의가 서로 충돌하며 무시의 영역에서는 오직 부정의만 존재한다. 의식의 영역은 나라고 하는 하나의 점으로 존재하고 인식의 영역은 점을 둘러싸고 가치의 교환이 일어나는 공동체라 불리는 극히 일부의 영역이고 무시의 영역은 남의 고통은 아예 생각지도 않는 인식을 벗어난 무한의 영역이다. 우리가 정의를 부르짖을 때 그것은 우리 각자의 의식을 둘러싼 극히 일부의 인식영역에서 생존을 위한 가치를 뽑아내기 위한 투쟁인 것이다.

생존을 보장받기 위한 효율적 수단이 권력이기 때문에 우리는 권력을 쟁취하기 위하여 항상 투쟁한다. 기득권을 가지고 있는 권력과 지식을 수단으로 새로이 권력을 획득하여 기득권을 확보하려는 자들은 배타적 생존능력인 권력을 공고히 하거나 새로이 획득하여 생존의 영역을 확보하려는 것이다. 권력을 가진 자들은 자신의 기득권을 빼앗기지 않으려 벽을 쌓아 남들의 진입을 차단하며 공고히 하려하고 새로이 권력에 진입하고자 하는 자들은 남들의 기득권이 쌓아놓은 벽에 도전하며 끊임없이 투쟁하는 것이다. 권력은 지식관념의 양에 의해서만 주어지는 것이 아니라 누가 먼저 확보했는가에 따라 남이 범접할 수 없는 기득권이 주어지기 때문에 지식의 후발주자들은 가치 확보에 어려움을 겪어 끊임없이 가치의 재편을 요구하며 남들의 기득권에 도전하는 것이다. 동물들이 자신의 영역에 오줌을 지려 기득권을 주장하듯이 인간은 자신의 영역에 관념을 지려 기득권을 확보한다. 힘이 없고 지식이 부족한 자들에게 남들의 기득권은 그저 부러움의 대상이 되겠지만 새로이 지식을 축적해온 자들에게 남들의 기득권은 부당함 그 자체이다. 때문에 이들은 공평과 정의라는 구호를 외치며 개혁을 요구하는 것이다. 세상의 가치가 무한하다면 남들의 기득권은 문제가 되지 않는다. 그러나 세상의 가치는 한정되어 있어 가치를 획득하려면 남들의 기득권을 침해하여야만 하는 것이다. 기득권은 공유되지 않고 배타적이며 이미 확보한 자신의 생명과 같아 누구도 포기하지 않으려 하기 때문에 남의 생명을 갉아먹고 항상 남들에겐 고통으로 작용하게 되는 것이다. 기득권이 있는 자들은 자신의 기득권을 지키기 위하여 방어를 하겠지만 언젠가는 개혁의 대상이 될 수밖에 없다. 개혁의 대상이 되지 않기 위하여서는 스스로 개혁을 해야 하는데 기득권에 안주하던 자들은 기득권을 지키는데 온 힘을 소진하기 때문에 개혁의 의지가 희박할 수밖에 없는 것이다. 때문에 기득권을 가지고 있는 권력은 정의를 부르짖는 자들에 의해 다른 권력으로 바뀔 수밖에 없게 되는 것이다.

이러한 개혁과 혁명은 지키려는 자와 빼앗으려는 자와의 끊임없는 투쟁 속에 엄청난 혼란을 가져온다. 이러한 혼란을 거쳐 기존의 권력이 새롭게 재편되면 개혁의 주체들은 새로운 권력이 되고 또 다른 기득권을 쌓아가게 되는 것이다. 누구나 권력에 도전할 때에는 정의를 부르짖으며 기득권의 타파를 주장하지만 권력을 쟁취하고 나면 자신에게 새로이 생긴 기득권을 보호하기 위하여 법을 만들어 법치를 주장하게 된다. 기득권이란 지식인들에겐 부조리로 보일 수밖에 없기 때문에 새로이 지식을 축적한 지식인들은 또 다른 개혁을 요구하고 개혁을 요구하는 지식의 힘에 의해 이 세상은 끊임없이 갈등하는 것이다. '법치를 주장하는 기득권의 부조리'와 '정의를 부르짖으며 개혁이 이루어지는 혼란'이 끊임없이 대립하며 갈등하는 과정에서 사회가 발전하는 듯이 보이지만 이 사회는 '권력자들의 법'과 '개혁을 요구하는 자들의 정의'에 의해 혼란스러워질 뿐이다.

기득권은 부조리를 가져오고 개혁은 혼란을 가져온다. 혼란과 부조리는 서로 번갈아가며 법과 정의를 부르짖는다. 기득권자들은 법이 정의라 하고 새로이 권력을 잡으려는 자들은 정의가 바로 법이라 한다. 이들이 부르짖는 법과 정의에 의하여 세상은 아수라장이 되는 것이다. 대중은 평온을 원하지만 혼란이야말로 권력을 먹여 살리고 비대하게 만들 수 있는 마르지 않는 샘이 되는 것이다. 때문에 세상은 권력에 의하여 혼란과 아수라장으로 유도되어갈 수밖에 없는 것이다.

평화로운 세상은 폭력의 먹이사슬 권력의 먹이사슬이 정연하게 유지되는 것이다. 이는 기득권을 고착시키는 것이고 현재의 불합리를 유지시키는 것이고 발전을 중지시키는 것이다. 우리 모두는 더 많은 권력과 기득권을 확보하기 위하여 기를 쓰기 때문에 어차피 세상은 정의의 구호와 함께 혼란스러워 질 수밖에 없는 것이다. 정의는 세상을 평화롭게 하는 것이 아니라 권력이 비대해짐에 따라 주장되는 정의도 커져 혼란의 크기를 점점 크게 만들어 세상을 위태롭게 하는 것이다.

작은 혼란의 정의부터 커다란 반란의 정의까지 정의는 이 세상을 혼란으로 만들어가는 피할 수 없는 원인이다. 세상을 유지시키는 것은 오직 정의에 의한 혼란과 아수라장 그리고 고통인 것이다. 우리 모두가 정의를 실천한다면 세상은 평온하고 정의사회는 이루어질 것이다. 그러나 정의는 실천되는 것이 아니라 남에게 주장되는 것이다. 실천되는 정의는 오직 의식 속에만 존재하기 때문이다.

정의는 스스로 실천하지 않고 남들에게 주장되어져 남들을 통제할 뿐이다. 때문에 사회에서의 정의와 부정의의 문제는 항상 권력과 대중간의 문제가 되는 것이다. 대중들간의 부조리는 항상 권력에 의하여 통제되어 정의를 지향하지만 권력은 미지의 영역에서 통제 받지 않고 통제를 받는다 치더라도 항상 새로운 미지의 영역을 개척해 나아가 정의로부터 자유로울 수 있는 것이다. 이러한 통제되지 않는 미지의 영역은 항상 번영과 발전을 통하여 생겨난다. 이 세상이 번영, 발전 될수록 부조리는 늘어날 수밖에 없고 부조리가 늘어나면 권력은 부조리 속에서 자유롭지만 대중은 통제 속에서 정의를 강요받으며 구속되어 살아가는 것이다.

권력은 아래로는 정의를 내어주면서 위로는 끊임없이 어둠의 부조리를 만들어 나가며 스스로를 정의의 사도라 칭한다. 모든 권력은 자신보다 앞질러간 권력의 어둠은 파헤치지만 스스로 앞서 가게 되면 어둠속의 자유를 만끽하기 위하여 어둠을 뚫고 들어오는 정의를 끊임없이 방어하며 새로운 어둠을 만들어 나가는 것이다. 세상이 변화하면 변화의 첨단을 따라 어둠과 부정의가 만들어지고 변화의 첨단에서 수많은 가치와 반가치가 난무하면 권력은 가치를 흡입하며 자신의 욕구를 자유롭게 충족하지만 변화를 좇아가는 수많은 대중과 낙오자들은 고통과 반가치 그리고 이미 지나가버린 효율성 없는 정의를 붙들고 어리둥절해야만 하는 것이다.

대중은 정의를 원하지만 권력은 부정의속에서 자유롭다. 자유는 권력자들의 어둠의 영역에서나 존재하는 것이지 권력의 대상인 대중은 관념의 철창 속에서 정의에 의해 통제받으며 자신이 어떻게 왜 갇혀 있는 지도 모르는 채로 자신의 무능을 혼란스러워 할 뿐이다. 권력은 정의를 주장하며 항상 부정의하고 대중은 부정의에 희생당하지만 정의를 말할 수 없다. 오직 권력만이 정의를 주장할 수 있고 대중은 정의를 구걸할 수밖에 없는 것이다.

권력이 많아지고 비대해지면 우리에게 주어진 한정된 시간과 공간에서 뽑아낼 가치의 결핍을 초래하기 때문에 권력은 항상 번영을 갈망하게 된다. 번영이란 권력의 고통을 받아줄 저변이 확대되는 것이다. 번영이란 이 세상에 고통을 잔류시킴으로서 지금세대의 고통을 버리는 방법이다. 잔류된 고통은 반드시 부조리로 현실화 되어 미래세대가 고스란히 겪어내어야만 하는 것이다. 번영의 과정에 정의는 발붙일 수 없다. 번영은 부조리와 고통을 양산해내어 관념계의 실체를 확대해 나가는 것이고 정의는 부조리와 고통을 축소시켜 관념계의 실체를 줄여나가는 것이다. 따라서 번영과 정의는 정 반대의 말 일수밖에 없는 것이다. 번영을 갈구하는 자들이 정의를 추구한다는 것은 자기가 원하고 추구하는 것이 무엇을 의미하는지도 모르고 오직 혼돈속에서 욕구충족을 위하여 발버둥치고 있는 것과 다름 아닌 것이다.

부조리와 불합리가 많아질수록 이 세상은 번영과 성장을 이루며 정의와 합리가 많아진다면 이 세상은 축소 소멸되어갈 것이다. 정의가 완벽히 구현되는 사회는 더 이상 필요치도 욕구하지도 않기 때문에 스스로 소멸되어갈 수밖에 없는 것이다. 이 세상이 유지되는 것은 오로지 부조리와 불합리에 의해서 이며 번영과 성장은 오로지 오류와 불의를 바탕으로 해야만 이루어질 수 있는 것이다. 이 세상은 고통이 지배하고 고통이 이끌어가며 고통만이 잔류하는 세상이다. 이 세상이 이러한 고통의 세상이 된 이유는 우리 모두는 남보다 빨리 고통으로부터 벗어나고자 하는 의지를 가지고 있기 때문이다. 우린 누구나 남보다 먼저 고통의 세상을 빠져나가기 위해 이 세상에 고통을 다지고 밟고 하여 다져진 고통을 발판으로 쾌감의 도약을 하는 것이다. 번영의 과정에 태어나는 모든 인간은 태어나는 순간부터 기만당하고 거짓과 희망을 주입받아야만 이 세상의 저변을 이루고, 희망을 부여잡고 고통을 감내하는 그들을 바탕으로 우리는 고통을 부여하며 한 가닥의 쾌감을 얻어 이 고통의 세상으로부터 남보다 조금이라도 빨리 벗어날 기회를 획득하게 되는 것이다. 이 세상의 번영과 유지 발전을 주장하는 자들이 가장 추구하는 것은 바로 이 세상을 발판으로 이 세상으로부터 남보다 먼저 탈피하고자 하는 쾌감의 추구이다. 우리 모두의 고통으로부터 벗어나고자 하는 의지가 우리 모두의 목적과 역행하고 목적과의 거리를 넓혀가며 가장 어리석은 자들에 의하여 가장 어리석은 방향으로 나아가고 있는 것이다. 그러나 그 과정에서 우리는 약간의 쾌감을 얻기도 한다.

우리가 번영을 통하여 쾌감을 느낄 수 있는 이유는 번영은 현세대의 고통을 잔류시킴으로서 후세에게 떠넘기기 때문이다. 떠넘겨진 고통은 나중에 반드시 현실화 되어 미래세대가 겪어가야만 하는 것이다. 번영을 통하여 세상이 비대해지는 과정에서 우리는 쾌감을 느끼며 살겠지만 더 이상의 번영이 이루어지지 않거나 잔류한 고통을 처리하지 못해 절망에 이를 때에는 우리가 고통을 잔류시키며 느낀 쾌감보다 엄청나게 증폭된 고통을 미래세대가 겪어가며 절망에 이르러 멸망의 기로에 서게 되는 것이다. 번영이란 앞선 세대가 나중 세대에게 행하는 부조리이고 앞선 세대가 나중 세대에게 행하는 권력행위인 것이다.

번영의 과정에서 고통은 인식의 괴리와 의식의 괴리를 거치면서 쾌감보다 고통이 많아진다. 그러나 우린 쾌감은 끌어들여 소모하고 고통은 잔류시키며 미래세대에 떠넘기기 때문에 마치 쾌감이 많은 듯이 생각된다. 우린 지금의 쾌감을 즐기기 위하여 남겨지는 고통은 철저히 외면하고 그 과정에서 우린 행복을 느끼기도 한다. 우리가 행복하고 이 세상이 살만하다는 것은 우리는 끊임없이 나의 고통을 누군가에게 떠넘겨 왔고 지금도 계속 떠넘기고 있다는 것이다. 하나의 쾌감을 만들어내기 위해서는 그 보다 더 많은 고통 또한 만들어내어야만 한다. 쾌감은 자신의 의식 속에 넣고 고통은 의식 밖 또는 인식 밖으로 던져 무시하면 이 세상은 고통이 잔류하며 번영되어 지옥이 되는 것이다. 이 세상을 잘 살려면 세상을 지옥으로 만드는 수밖에 그 어떠한 방법도 없다. 세상을 천국으로 만들려면 자신이 지옥의 구렁텅이로 들어가야만 하는 것이다. 누군가가 천국을 추구하는 만큼 이 세상은 지옥이 되는 것이고 누군가가 지옥을 선택하는 만큼 이 세상은 천국이 되는 것이다.

우리가 권력을 추구하며 시도하는 모든 행위는 이 고통의 세상으로부터 벗어나 그 과정에서 쾌감을 느끼며 관념없음과 공의 세계를 추구하는 것에서 한 치도 벗어나지 않는다. 다만 우리는 의지의 모순에 의하여 결과적으로 우리가 추구하는 것과는 정반대의 결과만을 맞이하게 되는 것이다. 우리가 번영을 추구하는 배타적 생존 수단인 권력을 통하여 얻을 수 있는 것은 관념으로 이루어진 권력이 끝까지 번영하여 멸망의 날에 온갖 고통을 맞이하며 헤어 나올 수 없는 절망에 종말을 맞이하는 것뿐이다. 모든 관념의 역사는 절망으로부터 시작해 절망으로부터 벗어나려는 반발의지로 인해 고통을 끊임없이 축적하다가 마침내 절망을 감당할 수 없을 때 종말을 맞이하게 되는 것이다.

우린 이 세상이 고통과 부조리로 축적되어 멸망으로 치닫는 비극적 상황으로부터 벗어나야만 한다. 그것이 가능하건 가능하지 않건 우린 그러한 방법을 찾아보기라도 해야 만 하는 것이다. 이 세상에 관념 욕구 고통이 폭주하며 비대해져 절망에 이르러 멸망하게 되는 결과로부터 벗어날 수 있는 방법은 단 한가지의 방법 밖에 없다. 그것은 관념을 줄이는 것이다. 우리는 번영의 과정에서 관념을 수단으로 삼고 추앙하지만 우리가 추앙하는 관념은 목표가 아니라 목표를 만들어낼 수밖에 없는 반목표인 것이다. 목표의 달성은 관념의 축소 이외에는 그 어느 것도 존재할 수 없는 것이다. 그런데 관념은 증폭되면 증폭되었지 절대 스스로 줄어들지 않는다. 관념은 오직 영혼과 부딪쳤을 때에만 마모되고 풍화되어 그 부피를 줄일 수가 있는 것이다. 관념으로부터 야기되는 온갖 고통과 부조리로부터 조금이라도 벗어나는 방법은 우리의 의식 속을 흐르는 영혼으로 하여금 관념과 교차토록 해 관념의 마모를 통하여 관념을 줄이는 방법 이외에는 없는 것이다. 의식 속에 영혼이 흐르지 못하면 관념이 의식을 장악하여 우린 절망에 빠지고 이 세상은 멸망으로 치닫는 것이다. 의식은 영혼이 흐르는 통로이다. 영혼만이 이 세상을 부조리 고통으로부터 구제할 수가 있는 것이다. 때문에 우리가 가지고 있는 모든 부조리 고통을 해결하기 위해서는 이러한 고통의 문제를 의식 속에 갖다 놓아야만 영혼으로 하여금 문제를 해결토록 할 수 있는 것이다. 그러기 위하여 우리는 의식의 크기를 확장시켜 보다 많은 문제를 의식이 받아들이고 감싸 안을 수 있도록 해야만 하는 것이다. 우리가 해결하기 원하는 모든 문제는 오직 의식 속에서만 해결될 수 있고 의식을 떠나서는 그 어떠한 문제도 해결되지 않고 더욱 커다란 문제로 증폭될 뿐이다.

우리가 목표로 삼고 바라는 모든 당위는 인식에 있지 않고 의식 속에 있다. 의식의 확대 없이는 이 세상의 그 어떠한 문제도 결코 해결되지 않고 의식을 떠나 논의되는 그 어떠한 당위도 결코 목적을 이룰 수 없으며 의식 내에서는 어떠한 당위도 논의되지 않지만 어떠한 당위도 이미 목적을 이룬 것이다. 의식이 없는 인식 속에서 이루어지는 인간의 어떠한 행동도 이 세상의 고통을 줄여나갈 수 없고 의식이 없이는 인간의 어떠한 행동도 이세상의 고통을 증폭시킬 뿐이다. 인식의 영역에서 이 세상은 절대 좋아지지 않는다. 우리가 인식을 통해서 세상을 위해 할 수 있는 일이라곤 자신의 이기를 위하여 이 세상을 이용하기 위하여 세상에 간섭만 할 수 있을 뿐이다. 우리가 인식을 통하여 남들에게 간섭하며 요구하는 정의나 당위는 하라 해서 하게 되는 것도 아니고 하지 말라고 해서 안 하게 되는 것도 아니다. 선과 정의 당위는 의식 내에서는 저절로 이루어지고 의식 밖에서는 아무리 하라고 해도 절대 이루어지는 것이 아니다. 문제는 우리 모두의 의식의 크기가 커져야만 하는 것이다. 의식의 크기는 무시하고 무작정 선과 정의 당위를 요구하는 것은 자신의 요구를 시궁창에 처넣는 것과 다름이 아니다. 선과 정의 도덕 당위 윤리 따위를 남들에게 요구하는 자들은 자신의 머릿속 쓰레기 같은 관념을 밖으로 뿜어내는 것일 뿐이다. 이러한 쓰레기를 내뱉는 자들은 머릿속에 쓰레기가 너무 많아 뿜어대지 않으면 견딜 수 없어 결국 남들에게 악취를 풍기며 남들을 고통스럽게 할 뿐이다. 우린 정의사회니 선이니 이상이니 희망이니 수많은 목표들을 설정하지만 의식의 확장 없이는 그 어떠한 목표도 스스로를 훼손할 뿐 목표에 다가갈 수 없는 것이다. 때문에 우린 정의를 비롯한 수많은 당위가 있느냐 없느냐를 따질 것이 아니라 의식이 있느냐 없느냐를 따져야 하는 것이다. 우린 오직 의식의 확장이라는 단 하나의 방법으로서만 목표에 다가갈 수 있는 것이다. 의식은 영혼의 통로이며 영혼으로 하여금 관념과 교차하며 고통과 쾌감을 비롯한 모든 감정을 만들어내어 우리의 모든 행동을 조종하는 곳이다. 때문에 우리가 행동을 통하여 목표에 다가가기 위하여서는 의식이 커져야만 감정을 보다 많이 만들어내어 행동을 통하여 목표에 다가갈 수 있는 것이다. 그런데 우린 의식의 크기를 측정할 수 없고 남들의 의식이 큰지 작은지도 구분하기 쉬운 것이 아니다. 다만 의식 속을 흐르는 영혼이 보다 많은 것을 느끼기 위하여서는 지금의 의식이 비어있어야만 한다는 것이다. 누군가의 의식을 측정할 수는 없다 하더라도 그의 의식에서 고통으로 작동하는 분리관념을 몰아내 버리면 영혼은 분리관념이 사라진 만큼 새로운 인식의 파편들을 받아들일 여력이 생기기 때문에 의식은 여유로워지고 우린 그만큼 현명해질 수도 있는 것이다. 때문에 우린 의식 속 고통인 분리관념을 없애 의식을 여유롭게 하기 위하여 수많은 방법을 동원하고 있는 것이다.

의식 속 고통인 분리관념을 없애기 위해 우린 가치로 이루어진 많은 것들을 필요로 한다. 교류할 인간을 필요로 하고 동식물로 되어있는 식량을 필요로 하기도 하며 고통을 중화시킬 유형무형의 것들을 끊임없이 필요로 하는 것이다. 그런데 우리가 필요로 하는 것들은 지금 우리 바로 옆에 있는 것이 아니다. 때문에 우리는 우리가 필요로 하는 것들을 외부나 미래로부터 지금 이곳으로 끌어들이거나 만들어 낼 수밖에 없는 것이다. 우리가 끌어들이거나 만들어놓은 모든 것들은 원래부터 존재하는 것이 아니었기 때문에 우린 끌어들이거나 만드는 과정에서 가공의 과정을 거친다. 멀쩡하고 아무런 문제가 없던 것들을 가공의 과정을 거치며 가치와 반가치로 나누어 가치는 우리의 관념을 중화시키는데 사용하고 반가치는 의식 밖으로 내동댕이치는 것이다. 이처럼 우리가 가치를 얻기 위하여 만들어놓은 모든 것들 중 가치는 우리의 고통을 중화시키며 소모되고 반가치는 잔류하여 끊임없이 또 다른 가치를 갈구하며 끊임없이 반가치를 잔류시켜 세상의 고통은 기하급수적으로 증폭되는 것이다. 이처럼 우리가 무언가를 필요로 함으로서 나의 고통을 중화시키려는 행위는 나의 결합관념이 만들어낸 바로 나인 세상이라는 시공에 고통을 증폭시키는 원인이 되는 것이다. 때문에 우리는 이 세상에 고통을 증폭시키지 않으면서 의식 속 고통을 직접적으로 없애버릴 방법을 찾아내어야만 하는 것이다. 그래서 찾아낸 것이 명상이다. 명상은 내안의 고통을 가치로 중화시키지 않고 직접적으로 뽑아내어 의식의 한계를 효율적으로 극복할 수 있는 아주 유용한 수단이 될 수도 있는 것이다.

23. 명상

우린 태어나서 죽을 때까지 의식을 비우기 위하여 아주 많은 일을 하며 아주 많은 것을 계획하고 실천한다. 수십 년의 공부와 취업 · 노동과 사랑 · 일에의 몰입 · 취미 · 남과의 경쟁 등등 이 모든 것이 오로지 의식을 비우기 위한 것에서 한 치의 벗어남도 없는 것이다. 그런데 어느 순간 잠깐의 명상으로 평생을 통해 얻지 못했던 바로 그것을 얻을 수도 있는 것이다. 의식 속의 관념을 버리기 위하여 어려운 수단과 방법 노력을 하는 것이 아니라 의식 속의 관념을 낚아채어 획하고 내팽개치는 것이다. 이러한 단순하고 간편한 방법으로 우리는 어려운 목표를 간단히 해결할 수도 있는 것이다.

우리가 살아가면서 하는 모든 행동이 우리가 의식하지는 못한다 하더라도 결과적으로는 의식을 비우기 위한 행동이다. 이처럼 대부분의 행동은 어떠한 목표를 이루었을 때 결과적으로 의식의 공이 이루어져 의식의 공을 이루기 위한 간접행동이라 할 수 있지만 그에 비하여 명상은 어떠한 목표달성으로 인해 간접적으로 의식의 공을 이루는 것이 아니라 명상행위의 목표가 직접적으로 의식의 공을 추구한다는 것이다.

우리는 수많은 방법으로 의식의 공에 이를 수 있지만 우리를 의식의 공에 이르게 하는 대부분의 방법들은 무엇인가 가치 있는 것을 필요로 한다. 사랑을 하기 위해선 사랑의 대상이 필요하고 종교를 갖기 위해선 이해되지 않는 논리를 받아들여야 하며 운동을 하기 위해 산이나 운동장으로 가거나 술이나 마약을 구하기도 하며 취미를 갖기도 한다. 이 모든 것들이 의식의 공을 이룰 수도 있지만 준비과정이 필요하고 사랑이나 예술 종교 부와 명예 등은 우리의 목숨과도 같은 가치를 가지고 있어 목표를 이룬 후에도 그것을 버릴 수가 없어 완전한 의식의 공을 이루는데 오히려 장애가 되기도 한다. 그러나 명상은 우리 주위에 있는 혹은 나 자신이 가지고 있는 가장 사소한 것에 집중함으로서 준비과정이 필요치 않은 경우가 많고, 버려야 할 집중의 대상도 그것이 너무나 사소한 것이기 때문에 집중의 대상에 얽매이지 않고, 집중의 대상으로부터 벗어나기도 쉬워 완전한 의식의 공을 접하기가 쉬워지는 것이다.

우리가 의식의 공을 이루는 명상을 하는 이유는 고통으로부터 벗어나고자 하는 것이다. 우린 항상 고통 속에 있으면서도 고통으로부터 벗어나는 방법은 우리에게 쉽게 주어지지 않는다. 우리가 고통으로부터 벗어나기 위하여 명상을 택하는 이유는 명상은 의식을 비우기 위한 직접적이고 단순하며 최단의 과정이기 때문이다. 그러나 그 과정을 이해하지 못하고 명상을 하게 되면 수많은 몰입의 과정들과 같이 명상만이 유일하고 최선이라는 가치를 부여하고 명상에 구속되어 다가오지 않는 쾌감을 갈망하며 권태와 무력감에 빠져 심신을 오히려 피폐하게 만들 수도 있는 것이다. 때문에 우리는 명상이 최선의 효율과 가치를 가지고 있다 하더라도 명상이 고통을 뽑아내어 의식을 비우게 되는 원리와 과정을 이해해야만 명상의 오류와 부작용에 빠지지 않고 명상을 지속할 수가 있는 것이다.

우린 과거와 미래로부터 의식으로 뿜어져 들어오는 분리관념에 의하여 고통과 스트레스를 느끼며 살아가고 있다. 의식 속 분리관념은 고통으로 작동하기 때문에 우린 의식 속 분리관념을 없애기 위하여 항상 노력해 왔지만 분리관념을 없애려는 의식의 작용에 의하여 오히려 우리의 의식은 점점 더 포화되어 결국엔 우릴 절망으로 몰아가게 된 것이다. 현재라고 하는 우리의 의식은 과거와 미래로부터 분리관념을 받아들여 이를 가공함으로서 과거와 미래를 재편하여 보다 나은 현실을 만들어야 하는데 보다 나은 현실을 만들고자 하는 의식의 작용이 오히려 의식을 포화시키고 우릴 절망으로 몰아가는 것이다.

보다 나은 현실을 만들고자 하는 의식의 작용이 의도와는 다르게 역작용을 일으켜 우릴 절망으로 몰고 가는 데는 그 이유가 있는데 그것은 우리의 의식이 지금 겪어야할 고통을 겪지 않고 기억 속에 결합관념으로 저장함으로서 고통을 미래로 미루어둔다는 것이다. 과거 속에 저장되어 미래를 예고하는 결합관념은 끊임없이 분리관념을 뿜어내어 과거를 포화시키고 의식을 압박하며 의식으로 나온 분리관념은 고통으로 작동하게 되는 것이다. 이러한 과정이 되풀이 되면 우리의 의식은 포화되어 감당할 수 없는 지경에 처하게 되는 것이다. 때문에 우리는 이러한 때에 절망에 빠지지 않도록 의식을 비워야만 하는데 의식을 비운다 하더라도 과거에 저장된 결합관념으로부터 뿜어져 나오는 분리관념에 의하여 의식은 또 다시 순식간에 포화되어 절망을 재촉하게 되는 것이다. 때문에 우리는 의식을 비우는 것도 중요하지만 그와 함께 과거로부터 뿜어져 나오는 분리관념까지도 없애버려야만 비로소 의식도 편안해질 수 있는 것이다.

분리관념은 과거와 미래로부터 의식 속으로 들어와 우릴 고통스럽게 한다. 때문에 우리가 고통으로부터 벗어나려면 과거와 미래를 차단하면 되는 것이다. 우리가 과거와 미래를 차단하고 의식 속 분리관념을 없애버린다면 우린 간단하게 고통으로부터 벗어날 수 있는 것이다. 때문에 우린 의식이 분리관념으로 포화되었을 때 미래로부터 더 이상의 분리관념을 받아들이지 않기 위하여 하던 일을 멈추거나 새로운 일을 하지 않고 휴식을 취하게 되는 것이다. 이처럼 간단한 방법으로 우린 미래로부터 들어오는 분리관념을 차단할 수 있는 것이다. 그런데 문제는 과거 속 분리관념이다. 우리가 만약 의식으로 뿜어져 들어오는 과거 속 분리관념을 차단한다면 결합관념으로부터 끊임없이 피어오르는 과거 속 분리관념은 출구가 없어 과거를 포화시키고 의식을 압박하다 마침내 폭발하여 의식을 아수라장으로 만들게 되는 것이다. 때문에 우린 과거를 차단할 생각을 말고 분리관념을 조금이라도 빨리 의식으로 끄집어내어 사라지게 해야만 하는 것이다.

우리의 과거 속 분리관념은 그것이 결합관념으로 축적될 때 의식의 작용에 의해 의식을 통하여 과거에 축적된 것이다. 때문에 그것이 빠져나올 때도 의식을 통과하여야만 빠져나올 수 있는 것이다. 그런데 과거 속 분리관념이 의식을 통하여 빠져나오려 해도 의식이 또 다른 분리관념으로 꽉 막혀 있다면 분리관념은 과거에서 정체되어 빠져나오지 못하고 의식에다가 압력만을 가하게 되는 것이다. 도대체 의식 속 분리관념은 왜 의식을 빠져나오지 않고 의식을 포화시켜 과거 속 분리관념의 통로를 막고 있단 말인가?

우리의 의식이 분리관념으로 포화되어 과거 속 분리관념의 통로를 막고 있는 이유는 우리 영혼의 철두철미하고 성실한 작용 때문이다.

우리의 의식 속에는 영혼이 존재한다. 우리 의식 속 영혼의 존재이유는 의식 속 분리관념을 없애 우릴 고통으로부터 해방시키고자 하는 것이다. 의식 속 영혼은 의식으로 들어온 관념을 없애기 위하여 관념 속을 헤집거나 옥죄기도 하면서 관념과의 마찰을 통하여 의식 속으로 들어온 모든 관념을 하나도 빠뜨리지 않고 무력화시켜 사라지게 하기 위하여 애쓰는 것이다. 마치 소가 되새김을 하듯 예전에 저장해놓은 관념을 조금씩 끄집어내어 소화시키는 과정을 수행하는 것이다. 그런데 이처럼 충실한 영혼 때문에 우린 고통과 지루함을 느끼며 분리관념을 오랜 시간 동안 의식 속에 붙잡아두게 되는 것이다. 때문에 과거로부터 의식 속으로 나오려는 분리관념은 정체되고 의식은 압박당하여 우린 고통스러워지는 것이다. 이처럼 영혼이 자신의 의무를 성실히 수행하려는 본성으로 인하여 의식과 과거 속 분리관념은 정체되고 우린 더욱 더 고통스러워지는 것이다.

때문에 우리가 의식 속 분리관념에 의한 고통으로부터 벗어나고 과거에 정체되어있는 분리관념을 뽑아내기 위해서는 영혼을 자신의 임무로부터 배제시키거나 이제까지와는 다른 방법으로 임무를 수행하도록 유도해야만 하는 것이다. 잠을 잔다든가 혹은 술이나 담배 마약을 함으로서 영혼을 무력화 시키거나 아니면 몰입을 함으로서 영혼을 의식의 한쪽으로 유인해내는 등 영혼이 분리관념을 없앤다는 본연의 임무로부터 벗어나도록 하는 것이다.

우리의 영혼도 피곤하면 휴식을 취한다. 영혼이 휴식을 취하는 것을 우리는 잠을 자는 것으로 표현한다. 영혼이 휴식을 취하게 되면 영혼이 잡고 있던 분리관념들은 영혼의 손아귀에서 풀려나 슬금슬금 의식 밖으로 빠져나가게 된다. 또한 과거 속에 포화되어있던 분리관념도 영혼이 조는 틈을 타 슬금슬금 의식으로 기어 나와 슬며시 빠져나가게 되는 것이다. 그러다가 의식을 빠져나오는 관념이 많아 소란스럽게 되면 영혼이 깨어나고 우린 꿈을 꾸게 되는 것이다. 이처럼 우리가 자는 동안 - 영혼이 휴식을 취하는 동안 - 의식과 과거 속 분리관념은 서서히 빠져나오게 되는데 문제는 그 빠져나오는 양이 우리가 깨어있는 동안 과거에 축적되는 양보다 혹은 결합관념으로부터 분리되어 과거를 포화시키는 양보다 적다면 잠을 충분히 잔다 하더라도 우린 과거 속 분리관념의 압력으로 인한 고통으로부터 자유로울 수 없는 것이다.

때문에 우리가 과거 속 분리관념의 압력으로 인한 고통으로부터 벗어나기 위해서는 영혼의 휴식만으로는 불충분하여 보다 적극적인 방법으로 영혼의 임무를 배제시키게 되는 것이다. 영혼이 자신의 임무를 태만히 하는 것이 아니라 아예 영혼을 마비시킴으로서 의식과 과거 속 분리관념은 영혼의 눈치를 보지 않고 보다 빨리 의식을 이탈하여 우린 고통으로부터 보다 빨리 벗어날 수도 있는 것이다. 이처럼 영혼을 마비시키기 위해서는 영혼을 마비시키기 위한 도구가 필요하다. 술이나 담배 마약과 같이 우리의 의지를 마비시키고 우릴 나태하게 하며 정신을 흐리멍텅하게 하여 분리관념이 영혼에 의해 잡히지 않고 마음 놓고 빠져나가게 됨으로서 우릴 고통과 스트레스로부터 벗어나게 해주는 것들이다. 이러한 것들은 우리가 간편하게 취득할 수 있고 또한 빠져들기만 한다면 고통은 일시적이나마 급격하게 빠져나가고 우린 쾌감을 느끼게 되는 것이다. 그런데 이처럼 우리를 고통으로부터 벗어나게 하고 쾌감을 가져오는 것들은 중독을 일으켜 우리에게 심각한 부작용을 가져오게 된다. 때문에 우린 이러한 것들이 우릴 고통에서 벗어나게 하고 쾌감을 가져온다 하더라도 부작용이나 후유증을 생각하면 마음대로 할 수 없게 되는 것이다. 때문에 우린 부작용을 가져오는 도구나 방법들을 배제하고 부작용 없이 고통을 뽑아내는 방법을 찾아내던 중 마침내 효율적인 하나의 방법을 발견하게 되는데 그 방법이 바로 명상인 것이다.

고통을 뽑아내기 위하여 수면과 같이 편한 방법만으로는 효율이 떨어지고 술이나 담배 마약과 같이 편리하면서도 강력한 방법은 중독으로 인한 부작용에 시달리게 되기 때문에 우린 부작용이 없으며 효율도 좋은 명상이라는 방법을 찾아내지만 누구나 명상을 하게 되는 것은 아닌 것이다. 명상을 하기 위해서는 노력과 수고가 필요하기 때문이다.

명상이 그리도 좋은 것이라면 누구나 명상을 할 것이다. 그러나 주위를 아무리 둘러보아도 명상을 하는 사람은 소수에 불과하다. 왜냐하면 힘들고 어려우며 그 효과가 더디게 나타나기 때문이다. 또한 명상이 아무리 좋다 하더라도 막상 명상을 하려면 도대체 무얼 어떻게 해야 하는지 감이 잡히지 않아 시작도 하기 전에 포기해 버리는 경우도 많은 것이다.

명상을 처음 접할 때는 생소하기 때문에 어렵게 생각되는 것이 당연하다. 명상이 어렵게 생각되는 이유는 명상을 알지 못한다는 것도 있지만 노력과 의지를 필요로 한다는 것이다. 술이나 담배 마약과 같이 우리의 의식 속 고통에 의하여 저절로 욕구가 생겨나는 것들은 아무런 의지를 일으키지 않아도 실행할 수가 있는데 명상은 마음을 단단히 먹어야 실행할 수 있게 된다는 것이다. 고통을 뽑아내는 쉽고 간편한 방법이 널려 있는데 도대체 뭔지도 모르고 감도 안 잡히는 어려운 방법을 선택하려니 난감할 수밖에 없는 것이다.

이제까지 우리가 의식 속 욕구를 없애는 방법은 욕구의 대상인 가치를 가져와 욕구와 결합시킴으로서 욕구를 사라지게 해왔다. 그런데 명상은 욕구의 대상이 존재하지 않고 욕구 자체를 뽑아내야만 하는데 욕구의 대상인 가치가 없이 욕구를 없애려니 난감하기 그지없는 일이다. 그나마 우리의 의식 속 욕구의 양이 적을 때에는 의식 속 영혼이 욕구를 장악해 그 정체라도 알 수 있지만 분리관념으로 이루어진 욕구의 종류와 양이 많을 때에는 의식 속에 있다 하더라도 영혼의 영역 밖에 놓여져 분리관념의 내용물을 알기 힘들고 또한 과거 속에서 의식으로 나오려는 분리관념은 아직 의식에 도달조차 하지 않았기 때문에 그 내용물이 무엇인지 알 수조차 없는 것이다. 이처럼 우린 알 수조차 없는 내용물을 뽑아내어야만 하는데 그것을 뽑아내기 위하여 보이지 않는 영혼을 의지와 노력으로서 직접 조종한다는 것이다. 알 수 없는 고통을 뽑아내기 위하여 알 수 없는 영혼을 직접 조종해야만 하는 황당한 일이 바로 명상인 것이다.

영혼은 우리 의지의 주체이지 우리 의지에 의하여 다스려지는 대상이 아니다. 영혼은 의지의 주체이지만 스스로 의지를 내는 것이 아니라 오직 관념에 대한 반발로서만 의지를 발휘하게 된다. 때문에 영혼이 의지를 내기 위해선 관념 욕구 고통이 있어야만 관념에 대한 반발로서 의지를 일으키게 되는 것이다. 고통이 있으면 영혼은 고통에 대한 반발로서 고통을 없애기 위한 의지를 일으키고 의지를 사용하여 고통을 없앨 방법을 선택하고 실행하게 되는 것이다.

우린 대부분 의식이 분리관념으로 포화되어 있기 때문에 누구나 관념에 대한 반발로서 고통으로부터 벗어나고자 하는 의지를 가지고 있다. 그러나 우리가 고통으로부터 벗어나는 방법으로 누구나 명상을 선택하는 것은 아니다. 왜냐하면 우리가 고통으로부터 벗어나가 위해 선택할 수 있는 방법은 너무나 많기 때문이다. 따라서 우리 의지의 주체인 영혼은 술 담배 마약 도박 등 우리가 이미 경험했거나 스스로 의식하고 있는 수많은 방법 중 가장 편리한 하나를 선택하여 실행하게 되는 것이다. 그 중 하나가 명상이 될 수는 있는 것이다.

분리관념은 영혼에 자극을 주고 영혼은 분리관념의 자극(고통)으로부터 벗어나기 위한 의지를 일으켜 자신이 의식하고 있는 방법 중 최선의 것을 선택하여 실행하게 되는데 이때의 최선이란 자신이 의식할 수 있는 방법 중에 최선의 선택이지 모든 것에서의 최선은 아닌 것이다. 때문에 우리 대부분은 명상이 아닌 자신이 경험했던 방법 중에 간편한 방법을 선택하게 되는 것이다. 그럼에도 불구하고 우리가 만약 고통을 뽑아내는 방법으로 명상을 선택하기 위해서는 명상이 우리의 의식 속에 의식화 되어 있어야만 하는 것이다. 다시 말해 알지 못하면 선택할 수도 없다는 것이다. 우리가 이미 명상을 경험했고 그 효율을 알고 있다면 우린 필요할 때 자동적으로 명상을 실행하게 될 것이다. 그러나 명상에 대하여 아무런 경험도 가지고 있지 않고 명상에 대한 어떠한 의식화도 되어있지 않다면 명상을 선택할 수가 없는 것이다.

우린 바람직하고 좋고 타당한 것이 있다면 자유의지로서 그것을 선택할 수 있다고 생각한다. 그러나 선택이란 자유로운 것이 아니라 반드시 조건 지어지는 것이다. 의지란 관념과 영혼 사이의 갈등양상을 말한다. 이러한 갈등양상에서의 선택을 우린 자유의지라 말하지만 자유의지란 존재할 수 없는 희망사항 일 뿐이다.

관념이 영혼을 자극하면 영혼은 관념에 대한 반발로서 의지를 일으킨다. 우리 의지의 주체는 영혼이지만 의지를 촉발시킨 원인 동기 재료는 영혼이 아니라 관념인 것이다. 때문에 우린 의지를 스스로 만들지 못하고 관념에 대한 반발로서만 만들어 낼 뿐이다. 때문에 의지는 일으키는 것조차 자유로운 것이 아니라 철저한 조건반사일 뿐인 것이다.

또한 우리가 자유의지라 할 때에는 의지의 발생만 자유로운 것이 아니라 선택을 자유롭게 할 수 있음을 의미한다. 관념은 영혼을 자극하고 영혼은 관념에 대한 반발로서 의지를 일으켜 방법을 선택하게 되지만 이때 영혼이 선택할 수 있는 것은 의식 속에 이미 의식화 되어있는 방법 중에 최선의 것을 자동적으로 선택하게 되어있는 것이다. 마치 시냇물이 대지의 가장 낮은 곳을 따라 흐르듯 우리의 영혼도 의식 속에 들어와 있는 관념의 골(방법) 중에서 가장 넓은 골을 따라 흐르게 되어 있는 것이다. 때문에 우리(영혼)의 선택은 반드시 우리의 의식 속에 들어와 있는 - 의식화 되어 있는 - 방법 중에 가장 골이 넓은 최선의 것을 자동적으로 선택하게 되어 있는 것이다. 때문에 우리의 선택은 반드시 의식 속에 들어와 있는 가장 골이 넓은 분리관념으로 인한 방법 이외에는 선택의 여지가 없는 것이다.

그렇다면 우린 아직까지 경험해보지 못하고 의식화 되어 있지 않은 것은 선택할 수 없는 것인가?

우리의 의식 속 분리관념은 과거에 쌓여있는 결합관념으로부터 피어오른 분리관념과 우리가 미래를 차단하고 있지 않는 한 미래로부터 끊임없이 들어오는 분리관념이 섞여 현재화 되면서 새로운 의식화는 끊임없이 만들어지는 것이다. 이때 우리의 영혼은 새로이 조성되어가는 의식 환경에 따라 최선의 것을 자동적으로 선택하게 되는 것이다.

자유도 아니고 예정도 아니며 조건화된 과거와 돌발적인 미래가 의식이라는 현재에서 만나 영혼에 의해 섞여지며 알 수 없는 행동이 이루어지는 것이다.

이처럼 우리가 아직은 명상이 의식화 되어 있지 않아 선택할 수 없다 하더라도 지금이라는 현재로부터 명상이 점차 의식화 된다면 차후에는 명상을 선택하여 실행하게 될 수도 있는 것이다. 우리가 명상을 해보지 않았다 하더라도 우린 삶에서 고통이 빠져나가는 수많은 몰입을 경험해보았기 때문에 우리가 해보았던 수많은 몰입의 경험을 통하여 명상의 효과를 유추나 추리 상상 할 수 있는 것이다. 명상이라는 것이 고통에서 벗어나고자 하는 모든 존재가 가지고 있는 기본적 욕구와 같은 것인데 이는 우리가 하는 모든 행동이 추구하는 방향과 일치하는 것이고 우리가 각기 다른 이름으로 명칭을 구분하고 나누어 왔을 뿐이지 우리의 모든 행동의 방향은 같은 곳을 향하는 것이다. 우린 사랑이나 종교 예술과 같은 수많은 몰입의 경우에서 명상과 같은 효과를 경험했을 수도 있고 명상 이외의 다른 경험에서 명상의 효과를 유추해 낼 수도 있는 것이다. 때문에 우린 명상을 해보지 않았다 하더라도 우리가 고통에서 벗어나기 위하여 해보았던 수많은 행위들을 의식함으로서 명상의 효과 또한 유추할 수가 있어 명상을 시도하는데 부족함이 없을 수도 있는 것이다. 다만 명상에 대한 시도와 습득의 과정이 원활히 이루어지기 위해서는 명상에 대한 원리와 과정 효과에 대한 이해가 충분히 될수록 명상에 대한 진입은 보다 수월해 질 수 있다는 것이다.

명상은 노력에 의하여 누구나 쉽게 진입할 수 있는 것이다. 그러나 누구나 반드시 명상을 해야만 하는 것은 또한 아니다. 우린 명상의 효과를 가져오는 수많은 몰입 중 하나를 선택 혹은 실행 할 수도 있는 것이고 명상이 아니라 하더라도 명상의 효과를 뛰어넘는 몰입도 얼마든지 있을 수 있는 것이다. 그렇다 하더라도, 집에 아무리 훌륭한 자동차가 있다 하더라도 동네 한 바퀴 돌 수 있는 작은 자전거가 하나 있다면 필요할 때 간편하게 이용할 수 있듯이, 아무리 훌륭한 몰입의 방법을 가지고 있다 하더라도 몰입에 진입하기 위한 시점이나 혹은 자투리 시간을 활용하기 위한 방법으로라도 명상을 익혀놓으면 필요할 때 요긴할 수가 있는 것이다. 때문에 우린 자전거 타는 방법을 배우듯 명상의 기술도 미리 익혀 놓으면 평생을 통하여 필요할 때 요긴하게 사용할 수도 있는 것이다.

명상은 가치(욕구의 대상)로 인하여 욕구를 중화시키는 것이 아니라 욕구 자체를 배출시키는 것이다. 가치(욕구의 대상)를 가져올 수만 있다면 간편하겠지만 명상은 가치(욕구의 대상)를 가져오는 것이 아니라 욕구의 주체 즉 영혼을 조정함으로서 욕구의 원인인 관념 욕구 고통을 사라지게 하는 것이다. 때문에 우리가 고통을 배출하기 위해서는 영혼을 조종해야만 하는데 영혼이라는 것이 눈에 보이지도 않고 만져지지도 않아 영혼을 조정한다는 것이 무엇을 의미하는지 알 수 없게 되는 것이다. 왜냐하면 주체는 주체를 볼 수 없기 때문이다. 때문에 우린 주체의 주변에 있는 객체를 움직임으로서 주체의 변화를 스스로 자각할 수밖에 없는 것이다. 이러한 자각을 경험함으로서 우린 객체(호흡이나 자세 등 명상의 방법이나 환경)로 이루어진 주체의 주변 환경에 대한 경험을 관념화 하게 되어 이러한 관념을 명상의 기술로서 활용하게 되는 것이다. 이처럼 우리는 객체를 변화시킴으로서 주체의 변화를 자각할 수는 있지만 정확한 상황은 알 수 없는 것이다. 변화에 대한 객관적 데이터가 있어야 명상의 효과에 대한 정확한 판단을 할 수 있을 텐데 결과에 대한 판단 없이 지극히 주관적이라 할 수 있는 느낌에 대한 자각만 할 수 있으니 우린 정확한 방법 또한 알 수 없고 단지 추측만 하게 되는 것이다. 때문에 명상에는 최선이라 할 수 있는 정도나 왕도 혹은 최선의 방법 따위는 없는 것이다. 다만 최선에 다가가기 위하여 이리저리 하다보면 터득되는 것이다. 명상의 기술이.

명상에 정도나 왕도가 없다 하여 우리가 아무 방법이나 만들어 내거나 실행할 수는 없는 것이다. 왜냐하면 비효율적이거나 많은 시간을 필요로 하기 때문이다. 따라서 우리가 명상을 처음 접할 때는 남들에 의하여 검증되고 남들이 실행하고 있는 방법들을 자신에게 적용해 그 효율을 확인해 보아야만 비로소 명상을 선택할 수 있게 되는 것이다.

명상은 남들이 한다고 무작정 따라 하는 것도 아니고 권유한다고 무작정 받아들일 수도 없는 것이다. 명상은 시간과 노력을 필요로 하기 때문에 반드시 자기에게 맞는 명상의 방법을 찾아내어야만 세월을 허비하지 않고 효율적으로 목표한 바를 이룰 수가 있는 것이다. 그러기 위하여 이제까지 전해 내려오는 명상의 과정을 먼저 살펴봄으로서 명상의 원리를 따져보고 자신에게 맞는 명상방법을 선택하거나 만들어가도록 해야 할 것이다.

우린 인류가 존재하기 시작하면서부터 무수히 많은 명상의 방법을 개발해왔다. 그러나 모든 명상방법이 효율적인 것은 아니다. 또한 명상의 방법은 누구나 변형하고 추가할 수 있어 그 가짓수는 무한대로 늘어날 수도 있는 것이다. 때문에 우린 우리가 해왔던 모든 명상 중에 가장 쉽고 빠르고 지속적이며 효율적인 것을 골라내어야만 자신에게 적용시킬 수가 있는 것이다. 우리가 명상을 선택하기 위하여 세상의 모든 명상을 다 끄집어내어 살펴볼 수 없으니 일반적으로 많이 행해지는 수많은 명상방법 중에 몇 가지를 골라 그 명상의 방법을 살펴보면서 명상의 원리를 따져보기로 한다.

집중명상 : 하나의 대상을 선택하고 그에 대한 집중을 통하여 영혼을 축소시킴으로서 의식과 기억 속 관념이 축소되어 있는 영혼의 저항 없이 쉽게 빠져나갈 수 있도록 한다.

자각명상 : 영혼으로 하여금 고통을 해체하려 달려들지 않고 고통으로부터 떨어져 자신의 고통을 바라보고 파악함으로서 고통의 관념이 사그라지게 한다.

회상명상 : 의식 속으로 시도 때도 없이 분출되는 기억 속 분리관념을 미리 의도적으로 의식 속으로 끄집어내어 사라지게 함으로서 기억을 정리해, 의식 속으로 끊임없이 분출되는 기억 속 분리관념의 양을 줄임으로서 의식을 여유롭게 하는 것이다.

우리는 앞에서 몰입의 효과에 대하여 살펴본 일이 있다. 앞에서 살펴본 수많은 몰입의 효과를 집중명상을 통하여 이루어낼 수 있다. 몰입과 집중의 차이는 몰입은 가치를 느끼기 때문에 스스로 몰입을 하게 되지만 집중은 가치를 느끼는 것이 아니기 때문에 약간의 노력이 필요하다는 것이다.

집중명상은 영혼을 축소시키고 명상을 하는 동안 축소된 영혼을 유지시키는 것이다. 집중이 되었다는 것은 영혼이 붙들고 있던 의식 속의 수많은 분리관념(잡생각)을 놓아버리고 단 하나의 분리관념 속으로 들어갔다는 것이다. 이는 영혼(의식)이 축소되었음을 의미한다. 때문에 의식 속의 수많은 분리관념들이 의식 밖에 노여지게 되어 영혼에 의하여 잡히지 않고 사라지게 되는 것이다. 또한 기억 속의 부유물들도 영혼이 축소된 틈을 통하여 영혼의 저항 없이 빠져나올 수 있게 되는 것이다. 기억 속 부유물은 의식으로 나와 영혼과 마찰하며 마모되고 축소되어 사라지는 것이 일반적이다. 우리의 의식 속 영혼은 이와 같은 작업을 끊임없이 해야 하기 때문에 분리관념은 의식 속에서 마모의 과정을 거치느라 의식을 포화시키고 의식이 분리관념으로 포화되어 있기에 기억 속에 포화되어있는 분리관념들도 의식으로 나오지 못해 정체되어 의식에 압력을 가하고 우리는 절망에 빠지는 것이다. 우리가 집중을 통하여 영혼을 축소시킨다면 의식 속 분리관념들은 의식 밖에 놓이며 사라지고 기억 속 부유물들은 영혼이 축소된 틈으로 빠져나오며 사라질 수 있는 것이다. 이처럼 집중명상은 그저 집중만 하고 있으면 의식과 기억 속의 부유물이 알아서 빠져나가는 것이다. 우리는 집중명상을 하면서 이것이 도대체 무슨 짓인지, 밥먹고 할 짓이 없어 헛지랄 하는 것 같기도 하고 도저히 무언가 하고 있다는 실감이 나지 않는다. 이처럼 집중명상을 하며 아무런 실감이 나지 않는 이유는 분리관념이 빠져나오며 영혼을 거치지 않기에 빠져나간 분리관념의 내용이나 정체를 알 수 없고 아무런 감정의 변화가 없기 때문이다. 이처럼 집중명상을 하는 동안은 아무런 실감이 없다 하더라도 명상을 끝낸 후에는 빠져나간 기억 속 부유물로 인해 기억 속 압력이 줄어들고 의식이 여유로워졌음을 어렴풋이 느끼게 되는 것이다. 우린 어렴풋하다는 것이 성에 차지 않아 무언가 획기적인 변화를 기대하게 되지만 어렴풋함도 매일 매일 반복되다보면 나중엔 자신도 모르게 획기적으로 변해 있는 자신을 발견할 수도 있는 것이다.

집중명상의 대상은 그 대상이 어떠한 가치가 있어 우리의 생각을 몰입시키는 것이 아니라 별 가치가 없지만 의도적으로 집중하고 집중이 끝난 후에는 자연히 잊혀 져야만 한다. 때문에 집중명상의 대상은 단순하면서도 쉽게 잊혀 질 수 있는 것을 선택해야만 하는 것이다. 집중명상의 대상이 단순하고 사소한 것이라 하더라도 아무것이나 집중의 대상으로 삼아 집중할 수는 없는 것이다. 우린 볼펜 끝에 집중하면서 명상을 할 수도 있고 벽에 붙어있는 파리에 집중을 할 수도 있다. 그러나 만약 볼펜에 집중하면서 명상을 한다면 우리는 엄청난 의지를 발휘해야 하고 시선집중으로 인해 오히려 머리가 빠개지도록 아플 수도 있고 파리에 집중을 한다면 파리가 날아가는 순간 명상이 산산조각 나게 되는 것이다. 때문에 집중의 대상은 아무것이나 선택하는 것이 아니라 될 수 있으면 쉽고 편한 대상을 선택해야만 하는 것이다.

우리는 명상을 이야기하는 자들이 호흡을 중시함을 안다. 명상을 할 때 호흡에 집중을 하면 보다 쉽게 명상의 효과를 볼 수 있다. 때문에 우리는 호흡이라는 것이 대단한 것인 양(물론 생명을 유지케 하는 대단한 것이겠지만) 의미를 부여하고 마치 그것으로 인하여 명상의 효과를 특별히 볼 수 있는 것이라는 대단한 찬사를 듣기도 하지만 명상은 호흡에 의해서 하는 것이 아니라 단지 호흡에 집중할 경우 다른 것보다 쉽고 단순하게 명상을 할 수 있기 때문이지 호흡의 대단한 의미 때문에 명상이 쉬워지는 것은 아닌 것이다. 우리가 호흡명상을 하는 이유는 호흡자체가 중요해서가 아니라 호흡의 과정에 우리가 주의집중을 효율적으로 할 수 있기 때문이다. 우리는 볼펜이나 젓가락에 집중을 하면서도 명상을 할 수 있겠지만 명상의 효율은 급격히 떨어져 마침내 명상을 포기하게 되는 것이다. 명상의 효율은 명상을 지속시키는데 반드시 필요한 것이다. 우리가 명상을 할 때 호흡에 집중하는 것은 명상의 편리성과 효율성 때문이지 호흡의 특별한 의미 때문이 아니라는 것이다. 우리가 명상으로 인한 효과를 가지고 오는 수단에 의미를 부여하면 과정에 대한 이해를 저해할 수 있는 것이다.

명상에 있어서 중요한 것은 호흡과 같은 객체의 움직임이 아니라 객체의 움직임으로 인한 주체(영혼)의 변화를 이해할 수 있어야만 하는 것이다. 객체는 주체를 변화시키기 위한 도구일 뿐 객체에 의미를 두게 되면 주체의 변화를 간과하게 되는 것이다. 호흡은 영혼을 축소시키기 위한 도구일 뿐 호흡자체에 의미를 두게 되면 영혼의 축소가 가져오는 원리와 효과를 간과하게 되는 것이다.

우리가 집중명상을 이해하는데 주된 것은 영혼을 축소하면 수많은 관념들이 의식 밖에 놓여져 사라지고 기억 속 부유물들도 영혼의 저항을 받지 않아 쉽게 빠져나간다는 것이다. 또한 하나의 관념에 집중하면 집중된 관념이 끝없이 확대되면서 - 이는 영혼이 축소된다는 말과 같은 것이다. - 다른 관념들을 의식 밖으로 밀어낸다는 것이다. 집중은 대상을 확대시키기 때문에 만약 우리가 우리 의식 속의 가장 고통스러운 관념에 집중한다면 고통이 끝없이 확대되어 우린 절망에 빠질 수도 있는 것이다. 때문에 우린 가장 사소한 관념을 선택하여 집중함으로서 고통스러운 관념들을 밖으로 밀어내는 것이다. 이것이

집중명상의 원리이다.

집중은 대상을 확대시키기 때문에 우리가 악성관념(고통)에 집중할 경우 고통은 폭발적으로 확대되어 의식을 포화시키고 우리는 절망에 빠지게 된다. 때문에 우리는 고통을 외면하거나 기억 속에 저장함으로서 절망의 위기로부터 벗어나려 하는 것이다. 그러나 외부로부터 새로운 고통이 들어오면 우린 순간적으로 고통에 집중하게 되고 고통은 증폭되어 의식을 포화시키고 우리는 절망에 빠져 난감한 상황에 처하게 되는 경우가 있다. 이러한 때에 우리가 절망에 빠지지 않는 방법은 영혼으로 하여금 고통에 집중하여 달려들지 않고 고통으로부터 멀리 떨어져 바라보기 만 하는 것이다. 고통에 달려들어 고통을 난도질하고 해체하려는 영혼을 뒤로 끄집어내어 단지 고통을 바라보게만 하는 것이다. 고통은 현상으로 나타나는 나 자신이기 때문에 고통을 바라본다는 것은 나 자신을 바라본다는 것이다. 이것이 자각이다.

자각(명상)은 우리의 일반적 삶이 아니다. 우린 관념계에 살며 관념의 지배를 받으며 그 이외의 삶이 있다는 것에 대해서 어쩌면 한 번도 경험해보지 못했을지도 모른다. 때문에 자각을 우리의 삶과 대비하여 명상이라고까지 하는 것이다. 타각의 삶을 살다 어느 순간 '도대체 나 지금 무얼 하고 있지?' 라고 말하는 순간 우리는 순간적으로나마 자각을 하게 된다. 이러한 순간을 연속적으로 이어나가는 것이 자각명상이 될 수 있는 것이다. 이때 우리는 행동의 방향을 바꿀 수 있게 되는 것이다.

자각명상의 목적은 고통을 없애는 것이 아니라 고통의 형태를 정확히 파악하는 것이다. 파악된 고통은 저절로 사라진다. 고통이 우리의 마음속에서 떠돌고 있는 것은 아직 그것이 무엇인지 모르기 때문이다.

우리의 영혼은 의식 속의 고통을 제거하고자 지금 여기 존재한다. 때문에 우리의 의식 속에 고통이 들어오면 영혼은 이를 제거하고자 순간적으로 고통에 달려들어 고통을 난도질하고 휘저으며 분해하여 없애버리려 하는 것이다. 이 과정에서 고통은 순간적으로 증폭되고 확대되어 의식을 포화시키게 된다. 의식이 포화되면 우린 분노와 같은 돌발행동을 하거나 절망에 빠져 극단적 행동을 하게 되는 것이다. 그러나 이러한 때에 영혼으로 하여금 고통을 없애려 고통에 달려들지 않고 영혼으로 하여금 고통의 형태를 단지 바라보게만 한다면 고통은 증폭되지 않고 영혼에 의하여 서서히 사라지게 되는 것이다. 영혼이 고통의 내부로 들어가 고통을 난도질하며 없애려 하면 고통은 외부로 확장되며 의식을 포화시키지만 영혼이 고통의 외부를 장악하고 있으면 고통은 점차 쪼그라들어 사라지게 되는 것이다. 이 방법이 바로 자각 혹은 자각명상이라 할 수 있는 것이다.

우리의 영혼이라고 하는 관점이 고통 속으로 들어가면 세상 모든 것은 고통으로 인하여 보이고 고통은 의식을 장악하여 우리는 절망에 빠지게 되는 것이다. 우리의 의식 속으로 들어온 고통은 이 세상 모든 것이 아니고 의식을 장악할 만큼 큰 것도 아니지만 단지 관점이 고통 속에 들어갔다는 이유만으로 의식은 고통으로 포화되고 우리는 절망에 빠져 돌발행동이나 극단적 행위를 하게 되는 것이다. 그러나 영혼(관점)을 뒤로 물러 고통과의 거리를 두게 되면 고통은 있는 그대로의 크기로서 느껴질 뿐이고 이는 영혼의 조사각이 관념을 장악한 상태로서 고통은 영혼에 의하여 서서히 축소되는 것이다. 우리의 영혼은 고통과 대항하기 위하여 존재하지만 고통이 들어왔다고 무작정 달려들어 난투극을 벌이는 것이 아니라 거리를 두고 상대를 바라보면 광분한 고통은 스스로 제풀에 꺾여 축소되고 최단시간에 사라질 수 있어 우리는 고통으로부터 자유로울 수도 있는 것이다.

자각명상은 관념에 의하여 조종당하는 삶이 아닌 영혼으로 하여금 관념을 조종토록 하는 능동적인 행위이다. 그러나 이것은 엄청난 정신적 기운을 필요로 하기 때문에 일상 내내 할 수가 없고 꼭 필요한 순간에만 하게 되는 것이 일반적이다. 자각명상은 한쪽의 나는 감시하고 한쪽의 나는 감시받기 때문에 양쪽의 나에게 몹시 피곤한 일이 될 수가 있다. 지속적인 자각명상은 오히려 기력을 빼앗아 갈 수도 있기 때문에 자각명상은 필요할 때에만 하는 것이 기력의 낭비를 막을 수가 있는 것이다. 이처럼 자각명상은 문제가 발생할 때마다 비로소 하게 된다. 화가 날 때 분노가 치밀어 오를 때 공포나 두려움이 있을 때 몸이 아플 때 등 이러한 악성관념에 영혼이 달려들면 악성관념은 제멋대로 증폭되어 의식을 장악하고 우린 절망에 빠지게 되는 것이다. 우린 이러한 때에 영혼을 뒤로 이동시켜 악성관념과의 거리를 확보하여 증폭된 관념을 바라보며 관찰함으로서 문제관념을 통제할 수 있는 것이다. 관찰은 대상을 통제하는 가장 효율적인 수단인 것이다. 영혼을 관념으로 이동하면 우린 광분하며 영혼을 뒤로 이동해 관념을 바라보기만 하면 우린 자각하며 차분해진다. 똑같은 내가 오직 관점의 이동에 의하여 전혀 상반된 내가 되는 것이다. 자각은 현상으로 나타나는 나를 바라봄으로서 나를 통제하고 스스로를 안정시키는 것이다.

이러한 자각명상은 영혼을 이동시킴으로 나 자신을 주체와 객체로 분리시킨다. 우린 이제까지 주체와 객체가 한 곳에 버무려져 있어 주체도 객체도 알지 못하고 결국 나 자신이 무엇인지 조차 알지 못했던 것이다. 영혼을 뒤로 이동시키면 이제까지의 나는 객체화 되고 비로소 영혼이라는 주체가 따로 있었음을 알 수 있게 되는 것이다. 이처럼 자각이란 관념으로부터 영혼을 분리하여 관점을 뒤로 이동시키는 것이다. 우리는 이제까지 모든 것을 관념을 통하여 바라보았다. 영혼이 관념 속을 헤매기 때문이다. 때문에 모든 것은 있는 그대로 보이지 않고 관념에 의해 왜곡된 상태로 보였던 것이다. 그러나 영혼을 관념으로부터 분리시켜 뒤로 이동하면 모든 것은 왜곡되지 않고 영혼에 의하여 있는 그대로 관찰되는 것이다. 이것이 도대체 무언지 모르고 살았던 '나라는 현상'을 비로소 정확히 보게 되는 자각이라 할 수 있는 것이다.

우린 이제까지 객체에 의해 느껴지는 타각의 삶을 살았기 때문에 자각이라는 것이 선뜻 이해가 되지 않는다. 나 자신을 모르는데 자각을 어찌 알겠는가? 자각은 알 수 없는 영혼에 의한 작용이기 때문에 아는 것이 아니라 경험 되어지는 것이다. 자각은 영혼(관점)을 뒤로 물리기 위하여 - 나 자신을 바라보기 위하여 - 영혼을 이리저리 움직여 보는 것이다. 그러다가 어느 한 곳에 초점이 맞추어지면 그곳이 관점이 된다. 마치 돋보기의 초점을 맞추기 위해서는 돋보기를 이리저리 움직이다가 초점이 맞추어지면 돋보기를 고정시키듯 관점을 맞추거나 이동시키기 위해서는 영혼을 이리저리 움직여 보아야 하는 것이다. 처음의 관점을 맞추기가 어렵지 몇 번 해보면 영혼에 근력과 민감도가 생겨 보다 쉽게 될 수 있는 것이다. 마치 기어 다니던 어린

애가 걷기를 시도하는 것처럼 처음에는 생소하고 난해하게 느껴지겠지만 이를 반복하다보면 영혼에 근력이 붙어 익숙하고 자동적으로 자각명상에 진입할 수 있게 되는 것이다. 우린 평생을 자각이 아닌 타각의 삶을 살아오며 영혼이 너무나 허약해져있기 때문에 자각명상은 무척 힘이 들 수밖에 없다. 때문에 자각을 반복하며 영혼의 근력과 민감도를 키워주어야만 비로소 자각을 수월하게 할 수 있게 되는 것이다.

살아가다가 일시적이고 갑작스럽게 자신을 통제할 수 없게 되어 관점을 뒤로 물려야 하는 상황이 발생할 때 영혼에 근력과 민감도가 없다면 제대로 대처하지 못하고 상황에 매몰되고 만다. 이러한 상황에 제대로 대처하기 위하여서라도 자각명상을 반복적으로 연습하면서 영혼의 근력과 민감도를 미리 키워놓으면 삶의 돌발 상황에 대처하는 능력이 향상되는 것이다.

이러한 자각명상은 주로 미래(환경)로부터 악성관념이 들어올 때마다 필요한 대처를 하게 된다. 그런데 미래를 완전히 차단한 상태에서도 우리의 의식은 악성관념에 노출되어 고통에 시달리게 되는 경우가 있다. 휴일에 소파에 누워 빈둥거려도 마음이 편해지지가 않고 산이나 바닷가에서 자연을 만끽하고 나서도 집으로 돌아오면 편안한 것이 아니라 의식은 여전히 포화상태로 불안하고 초조한 것이다. 우리의 의식은 스트레스를 받지 않는다고 해서 편안해지지 않는다. 왜냐하면 기억 속에서 기억의 부유물들이 끊임없이 의식 속으로 뿜어져 나오기 때문이다. 기억 속을 정리하지 않는다면 의식은 아무것도 하지 않고 쉬고 있는 상태에서도 악성관념으로 꽉 차 마음 놓고 쉴 수도 없고 쉬는 과정에서도 끊임없이 의식을 팽팽 돌려야만 하는 것이다. 의식만을 정리한다고 의식이 편안해지는 것이 아니라 의식으로 뿜어져 나오는 기억의 부유물들을 정리하지 않고서는 의식이 정리되더라도 의식은 또다시 포화상태가 되는 것이다. 때문에 의식을 편안히 하려면 기억 속 부유물들을 먼저 정리해야만 하는 것이다. 기억 속 부유물들을 먼저 정리하여 의식을 편안케 하는 것 이것이 회상명상이다.

집중명상은 영혼이 길을 비켜줌으로서 기억 속 부유물들이 영혼의 저항 없이 잘 나올 수 있는 여건을 마련한다. 그러나 회상명상은 영혼으로 하여금 기억을 파헤쳐 - 회상함으로서 - 부유물들을 의도적으로 뽑아내는 역할을 하는 것이다. 이는 집중명상이 창문을 열어 환기하는 자연 환기라면 회상명상은 창문에서 부채질을 하는 형국이라 할 수 있다. 환기의 속도는 빠르지만 부채질을 하는 수고로움을 감수해야만 하는 것이다.

우린 바깥에서 들어오는 고통에는 대처하려 노력하지만 내 안에서 뿜어져 나오는 고통은 어찌할 바를 몰라 고스란히 겪어가는 경우가 많다. 내 안에서 뿜어져 나오는 고통은 과거에 바깥에서 들어오는 고통에 대처하며 스스로 만들어낸 결합관념이다. 기억 속 결합관념은 시간이 가면 고형화된 영혼이 떨어져나가며 조금씩 분리관념으로 떨어져 나와 과거를 포화시키고 의식을 압박한다. 이것들은 과거에 처리하지 못해 미루어둔 것으로서 좌절과 열등감 · 패배의식 · 오해와 편견 · 원한 등과 같은 악성관념이 대부분이다. 과거에 고통에서 벗어나기 위해 처리하지 않고 기억 속에 미루어두었던 고통이 이제 와서 과거를 포화시키고 의식을 압박하여 우리를 절망에 이르게 하는 것이다. 절망으로부터 벗어나기 위해서는 과거를 포화시키고 의식을 압박하는 부유물들을 의식 속으로 끄집어내어 겪어가며 영혼으로 하여금 사라지게 해야만 하는 것이다.

우리의 과거(기억) 속에는 결합관념이 쌓여있다. 결합관념 중에서도 악성일수록 단단하게 뭉쳐져 기억의 저변에서 오래도록 사라지지 않고 악성이 아닌 것들은 느슨하게 뭉쳐져 기억을 떠돌다 보다 쉽게 사라지게 된다. 고형화 된 결합관념은 시간이 가며 서서히 녹아내려 분리관념이 되어 기억 속의 부유물이 되었다가 의식으로 빠져나가게 되지만 의식이 다른 관념으로 꽉 차있다면 나가지 못하고 기억의 창고에 그대로 남아 의식에 대한 압력을 가중시키는 것이다. 이때 의식은 의식 속 관념과 기억으로부터의 압력을 고스란히 받아 절망상태에 이르는 것이다. 이때 의식을 비운다고 하여도 과거 결합관념의 부유물들은 순식간에 의식을 포화시키고 우린 또다시 절망의 언저리에서 고통과 사투를 벌이게 되는 것이다. 기억을 정리하지 않고서 의식을 비우는 것만으로는 고통에서 벗어날 수 없는 것이다. 이러한 때에 기억을 정리하여 과거를 여유 있게 한다면 과거에서 의식(현재)으로 가해지는 압력도 없을 것이고 과거로부터 의식(현재)으로 나오는 부유물(분리관념)도 적어져 의식은 여유를 찾을 수 있는 것이다. 그런데 과거는 한 번 정리했다고 정리가 끝나는 것이 아니다. 기억의 부유물들은 쉽게 빼낼 수 있지만 아직 분리되지 않은 결합관념들은 단단히 뭉쳐진 채로 기억의 저변에 남아 끊임없이 부유물들을 만들어내고 이러한 부유물들이 적은 양이라면 문제가 되지 않겠지만 과거에 고통을 당하며 고통을 면하고자 결합관념화 시켜 과거에 보다 많은 결합관념을 쌓아놓은 자들은 금방 과거가 부유물들로 포화되어 의식을 압박하고 절망으로 몰아가기 때문에 부유물이 만들어지는 속도보다 더욱 빨리 부유물들을 제거해야만 하는 것이다. 이러한 부유물들을 잡아채어 의식으로 끄집어내는 것이 회상이다.

무언가 회상이 된다는 것은 기억 속 결합관념으로부터 분리된 분리관념이 의식으로 나왔음을 의미한다. 우리의 과거에는 알 수 없는 부유물(분리관념)들이 떠돌며 의식을 압박하고 있다. 부유물들을 낚아채어 의식으로 끄집어내지 않으면 우린 쉽게 절망에 빠질 수 있는 것이다. 때문에 우리는 회상을 통하여 영혼으로 하여금 부유물들을 잡아채어 끄집어내게끔 해야만 하는 것이다. 일반적인 회상은 영혼이 부유물을 잡아채고 분리관념이 스스로 날뛰지 못하도록 통제하여 결국 분해해 버리거나 도저히 안 될 때는 부유물을 감싸 다시 기억 속으로 들어가 결합관념이 되어버린다. 기억 속에서 나온 분리관념들은 과거에도 영혼이 없애버리려 했다가 안 되어 어쩔 수 없이 결합관념화 시켜 기억 속에 저장한 것들로서 악성관념인 경우가 대부분이다. 때문에 분리관념을 의식 속으로 끄집어내었다 하더라도 영혼으로 하여금 분리관념을 통제하고 해체하려 시도한다면 많은 시간이 걸릴 것이고 만약 영혼이 분리관념을 제압하지 못한다면 분리관념은 증폭되고 통제 불능 상태가 되어 우린 오히려 절망에 빠질 수도 있는 것이다. 그러다 결국엔 증폭된 분리관념을 다시 결합관념화 시켜 기억 속에 저장해야만 하는 악순환에 빠질 수도 있는 것이다. 때문에 우린 회상을 통하여 분리관념을 끄집어내었다 하더라도 영혼으로 하여금 이를 통제하고 해체하여 없애버리려 해서는 안 되는 것이다. 회상명상은 기억 속 부유물을 의식으로 끄집어내는 역할만을 하는 것이다. 우리가 회상명상을 통하여 분리관념을 의식 속으로 끄집어내었다면 끄집어낸 분리관념은 더 이상 영혼으로 하여금 거들떠보지 않고 내팽개치는 것이다. 내팽개쳐진 분리관념은 영혼이 휘몰아치며 의식 밖으로 사라지게 된다. 회상명상을 통하여 분리관념을 끄집어내었다가 내팽개칠 수 있는 방법은 영혼으로 하여금 끄집어낸 분리관념에 집중하지 않고 또 다른 것을 회상하여 기억 속의 또 다른 분리관념을 끄집어냄으로서 먼저 꺼낸 분리관념은 영혼에 의해 잡히지 않고 의식 밖에 놓여져 사라지게 되는 것이다. 마치 지폐계수기가 지폐를 한장 한장 찍어 끄집어내어 세어나가듯 영혼으로 하여금 기억 속 분리관념을 한 개 씩 끄집어내어 회상이 되는 순간 또 다른 것을 회상함으로서 끄집어낸 분리관념을 의식 밖으로 던져버리는 것이다. 이러한 작업을 반복하다 보면 기억 속 부유물들이 사라져 과거가 의식을 압박하지 않고 기억 속으로부터 의식으로 튀어나오는 분리관념이 일시적으로 사라져 우리는 쾌감과 함께 지극한 편안함을 맛볼 수 있는 것이다.

의식을 압박하는 기억 속 부유물들을 회상을 통해 모두 끄집어내면 우린 쾌감과 함께 절정감까지도 느끼며 마치 세상을 다 얻은 것 같은 환희에 빠질 수도 있지만 이는 오직 기억의 창고 속에 떠돌고 있는 부유물을 일시적으로 비운 것에 지나지 않는 것이다. 일시적으로 기억 속 부유물을 모두 끄집어내었다 하더라도 아직 분리되지 않고 기억 속 창고에 차곡차곡 쌓여져 있는 단단한 결합관념은 꿈쩍도 않은 채로 그대로 존재하다가 서서히 분리관념을 만들어내고 또 다시 기억의 창고를 포화시키다가 의식을 압박하며 우릴 다시 절망의 상태로 몰아가는 것이다. 때문에 우린 주기적인 명상을 통하여 기억의 창고에서 부유물들을 주기적으로 뽑아내어야만 의식을 지속적으로 편안케 할 수 있는 것이다.

대부분의 결합관념은 시간이 지나며 의식 속으로 서서히 녹아나오지만 무의식이라 불리며 기억 속에 꼭꼭 숨겨져 의식으로 피어나오지 않는 결합관념도 존재한다. 무의식 혹은 잠재의식은 기억 속 깊숙한 곳에 박혀있어 시간이 지나도 의식으로 녹아나오지 않고 우린 그러한 결합관념(기억)이 있었는지도 모르는 채 기억 속에서 무언지 모를 압력만을 느끼며 지속적으로 영향을 받아 우린 알 수 없는 고통에 시달리게 되는 것이다. 이처럼 꼭꼭 숨겨져 있는 결합관념은 그 이외의 결합관념을 걷어내다 보면 마침내 기억의 심부에서 그 정체를 드러내어 끄집어 낼 수 있게 되는 것이다.

이처럼 결합관념의 부유물을 끄집어내다 보면 어느 순간 더 이상 회상이 되어지지 않을 때가 있다. 회상이란 영혼과 기억 속 분리관념이 만나는 것을 의미하는데 영혼이 아무리 기억 속을 뒤져보아도 기억의 창고에서 부유물들이 거의 빠져나왔기 때문에 부유물이 걸려들지 않는 것이다. 없는 부유물을 건져내고자 회상명상을 계속한다면 기력의 손실이 커질 수밖에 없는 것이다. 이때는 부유물이 떠오를 때까지 기다리며 명상의 주기를 늦추거나 기력의 손실이 없는 다른 방법의 명상으로 대체해야만 하는 것이다. 명상의 초기에 쾌감과 편안함 혹은 절정감까지 느꼈다 하여 명상이 진행되며 효율이 떨어졌음에도 똑같은 방법의 명상을 계속한다면 기력이 고갈되어 마침내 명상을 중단하게 되기 때문이다.

이처럼 회상명상을 열심히 하다보면 기억 속 부유물은 고갈되고 영혼은 부유물을 건져내는데 어려움을 겪어 명상은 갈수록 힘들어지고 마침내 명상을 중단하게 되는 지경에 이르게 되는데 이는 회상명상의 특성 자체가 그러하기 때문이다. 회상명상은 기억 속 결합관념으로부터 피어오른 분리관념을 건져내는 것이기 때문에 명상의 대상이 분명히 존재한다. 그러나 명상을 하면 할수록 기억 속 분리관념이라고 하는 대상이 사라지기 때문에 명상의 효율은 급격히 떨어지고 기력 또한 고갈되는 것이다. 누구나 회상명상을 처음 시작할 때에는 명상의 높은 효율로 인하여 회상명상을 극찬할 수도 있겠지만 하면 할수록 감흥은 사라지고 기력은 고갈되어 마침내 명상을 그만두게 되기도 하는 것이다.

이처럼 회상명상은 명상을 시작하는 초기일수록 그 효율이 극대화되어 명상을 시작하는 자들의 마음속 고통을 순식간(?)에 해결할 수도 있지만 기력이 고갈됨에 따라 오래 동안 지속하기에는 한계가 있을 수 있다. 이처럼 회상명상은 초기에는 그 효과가 극적이다가 시간이 갈수록 효율이 떨어지는데 반해 집중명상은 초기에는 그 효과를 실감하지 못하거나 오히려 울화통이 터져 명상을 집어치우기도 하지만 시간이 흐르고 횟수가 거듭될수록 영혼에 근력(?)이 생겨 오히려 명상의 효율이 높아지고 수월하게 할 수도 있는 것이다.

이처럼 어떠한 방식의 명상을 하느냐에 따라 그 효율이나 명상의 지속 여부가 달라질 수 있는 것이다. 때문에 우리가 각각의 명상의 특성을 이해하고 상황에 따라 적합한 명상의 방법으로 바꾸어가며 명상을 한다면 명상을 중단하지 않고 지속적으로 할 수 있게 되는 것이다. 한 가지 방법만으로 최고의 효율을 얻어낼 수는 없는 것이다. 명상도 최고의 효율을 얻기 위하여서는 여러 가지 명상의 방법을 상황에 맞게 바꾸어가며 하는 것이 효율적이라 할 수 있는 것이다.

이제까지 세 가지 명상의 방법을 살펴보면서 알 수 있듯이 모든 명상은 영혼을 움직임으로서 관념을 다스리는 것이다. 집중명상은 영혼을 축소시키고 자각명상은 영혼을 뒤로 물러 조사각을 확대시키며 회상명상은 영혼을 팽팽 돌린다. 이처럼 명상은 가만히 않아있는 것이 아니라 보이지 않는 영혼을 끊임없이 일하도록 하는 것이다. 명상은 노력이 필요한 것이기에 노력에 비하여 성과가 나타나지 않는다면 명상을 할 수가 없는 것이다. 또한 명상은 누구에게나 성과가 나타나는 것이 아니라 극명한 성과가 나타나는 자가 있는가 하면 아무런 성과도 나타나지 않는 자들도 있는 것이다. 때문에 명상은 남이 한다고 따라 할 수도 없는 것이고 아무에게나 권할 수도 없는 것이다. 명상은 관념(고통)을 뽑아내는 것이기에 반드시 관념으로 인해 고통을 당하는 자들이 해야만 성과를 볼 수 있는 것이다. 명상은 의식과 기억 속 분리관념(고통)을 뽑아내는 것이기에 고통에 시달리지 않는 행복한 자들이나 수많은 방법으로 만족을 느끼는 자들이 명상을 처음 시작한다면 아무런 감흥이 없이 명상을 미친 짓이라 규정내릴 수도 있는 것이다. 그러나 만약 절망에 빠진 자들이나 절망의 언저리에서 갈등하는 자들이 명상을 한다면 쾌감과 절정감을 가져오는 명상의 효과로 인해 명상을 극찬할 수도 있는 것이다. 명상은 절망에 빠진 자들에게는 극적인 효과를 가지고 오지만 그렇지 않은 자들에게는 별 효과를 느끼지 못하게 되는 것이다. 그러나 우리들 중 절망의 언저리에서 살아가지 않는 자들이 과연 얼마나 될지는 알 수 없는 것이다.

우리들 대부분은 절망의 언저리에서 절망으로부터 벗어나기 위해서 기를 쓰며 살아간다. 자기 자신에게 성실한 이러한 삶이 우리를 절망의 언저리에 머물도록 하는 것이다. 우리의 삶은 가치를 획득하기 위하여 미래를 파헤치고 미래를 조성하며 미래를 탐구한다. 그 과정에서 우리의 과거는 고통이라는 반가치가 축적되어 더욱 더 고통스러운 삶을 살게 되는 것이다. 명상은 삶의 방향을 되돌려 과거 속에 쌓여 고통을 뿜어대는 반가치로 이루어진 결합관념의 부유물을 능동적으로 끄집어냄으로서 고통의 과거를 청소하고 미래를 수용하며 현재를 편안케 하는 삶의 한계에 다다른 자들에게 여유와 휴식을 주는 것이다. 명상이란 의식 속의 관념 욕구 고통을 가치로서 중화시키는 이제까지의 삶과는 달리 직접적으로 관념 욕구 고통을 없애버리는 것이다. 이는 답을 찾는 행위로부터 문제를 제거하는 행위로 삶의 방향을 바꾸는 것이다.

이러한 명상은 의식을 비움으로서 파생되는 수많은 효과를 가지고 온다.

명상은 절망을 향해 질주하는 우리의 삶에 휴식을 주고 삶을 돌아보게 하며 우리의 삶을 이제까지와는 다른 방향으로 인도해 우리를 절망으로부터 가장 빨리 벗어나게 할 수 있는 것이다. 또한 명상은 의식을 비움으로서 모든 사물과 모든 관계를 관념을 통하여 왜곡되게 보는 것이 아니라 관념이 사라짐으로 인하여 모든 것을 있는 그대로 볼 수 있게 하는 능력을 부여한다. 우리가 세상을 보는 방법은 마음의 창에 있는 영상과 밖에서 들어오는 영상이 겹쳐져 어느 것이 진짜 세상인지 구분하지 못하고 항상 두 개의 상이 겹쳐져 나타나는 혼돈과 헛갈림 속에서 세상에 대한 대처 또한 오류와 실수투성이로 좌충우돌 해왔다. 명상은 마음속의 거짓된 관념의 상을 지워내어 세상을 있는 그대로의 또렷한 상으로 받아들여 세상에 대한 최적의 대처를 가능케 해주는 것이다. 또한 모든 것을 초기화 한 상태로 보기 때문에 마음의 부담 없이 남을 대할 수가 있어 이제까지의 축적된 관계가 아닌 새로운 관계가 형성되고 궁극적으로 우리의 마음을 변화시키는 것이다.

이처럼 명상은 수많은 부수적 효과를 가지고 오지만 명상을 통하여 우리가 직접적으로 느끼는 감정은 쾌감과 편안함이다. 명상을 하면 의식 속 분리관념이 사라지며 우린 편안함을 느끼게 되고 기억 속의 분리관념이 사라지며 쾌감까지도 느끼게 되는 것이다. 그러나 명상이 쾌감을 가져온다고 하여 쾌감을 목적으로 명상을 반복하게 되면 쾌감의 빈도는 점차 줄어들어 갈수록 쾌감은 찾아오지 않고 권태와 지루함만 남아 다가오지 않는 쾌감을 안타까워하며 무기력에 빠져들 수도 있는 것이다. 우리가 이러한 경우에 이르는 것은 명상에 대한 이해가 부족하기 때문이라 할 수 있는 것이다. 우리는 명상을 하더라도 명상의 목적을 분명히 설정하고 명상의 원리에 대한 이해의 과정을 거친 후 명상을 해야 만 실망이나 권태 무력감에 빠지지 않고 명상을 지속할 수 있는 것이다.

이처럼 어떠한 행위를 할 때는 그 결과만을 추구할 것이 아니라 과정에 대한 이해를 먼저 해야 만이 불필요하고 무가치한 행위에서 벗어날 수가 있는 것이다. 명상을 해서 쾌감과 절정의 상태에 도달하는 것이 중요한 것이 아니라 도대체 명상을 하면 왜 쾌감과 절정의 상태에 도달할 수 있는가에 대한 이해가 중요한 것이다. 절정의 상태는 우리가 추구하는 최고의 상태이다. 그러나 그 상태에 도달하게 된 이유를 모른다면 그때의 절정감을 다시 느끼기 위하여 잘못된 것에 집착하거나 엉뚱한 행위를 반복 하게 되어 평생을 쾌감과 절정감에 대한 갈망만을 하며 삶을 허비하게 되는 것이다. 명상에 있어서의 쾌감은 단순히 명상을 했기 때문이 아니라 그 과정에서 의식 속의 관념이 빠져나가며 느껴지는 관념의 배설과정을 느끼는 것이다. 그것이 쾌감이고 이러한 쾌감은 명상뿐만이 아니라 사랑이나 예술 종교행위를 비롯한 어떠한 집중의 과정에서도 느낄 수 있는 것이다. 중요한 것은 명상 자체가 아니라 어떠한 과정에서든 관념이 빠져나가야지만 우리는 쾌감을 느낄 수 있는 것이고 의식 속의 모든 관념이 사라지는 순간 우리는 절정의 상태에 도달하며 비로소 자아감으로 느껴지는 공의 상태를 순간이나마 접하게 된다는 것을 알게 되는 것이다.

우린 수많은 몰입의 방법을 통해 의식의 공에 이를 수 있다. 종교나 명상 혹은 예술이나 운동 또는 밤을 새워 공부를 하거나 일에 몰입 하고나서 혹은 사랑을 하면서도 의식의 공에 이를 수 있다. 이 모든 방법들이 쾌감과 절정감을 가져오고 의식의 공을 접하게 할 수도 있지만 의식의 공은 오래 지속되지 않고 그 속에 숨겨져 있는 관념의 미세한 변화를 감지하지 못해 자신이 조금 전에 한 행동이나 도구에 대해서만 특별한 의미나 가치를 부여해 그 이외의 모든 가치를 부정하거나 무시함으로서 삶의 다양한 가치들을 놓쳐버리고 스스로를 아집에 구속시키는 우를 범하게 된다. 우린 수단과 방법에 집중하기 때문에 과정 속에 숨겨져 있는 관념이 사라지는 것을 간과하여 눈치 채지 못하기 때문이다. 어떠한 몰입의 방법이든 관념이 사라질 수만 있다면 우리는 그 과정에서 쾌감과 편안함을 느끼게 되고 관념이 완전히 사라진다면 절정감까지도 느끼게 되는 것이다. 이처럼 절정에 이르면 이보다 더 좋은 상태는 존재하지 않는다. 때문에 우리는 그와 같은 상태에 머물거나 그러한 상태를 반복하기 위하여 절정에 이르렀던 방법을 끊임없이 되풀이 하지만 다시는 반복되지 않는 절정의 상태를 안타까워하며 무언가 잘못되었음을 느끼게 된다. 이처럼 무언가 잘못되었음을 느꼈다면 그나마 다행인 것이다. 잘못되었음을 느끼지 못하고 끊임없이 같은 방법을 되풀이하거나 절정의 상태를 잊지 못해 갈망 속에 끊임없이 절정의 상태를 추구한다면 몸과 마음은 피폐해지고 결국 폐인이 될 수도 있는 것이다.

명상은 결합관념의 부유물을 뽑아내는 것이다. 부유물이 의식을 통과하며 사라지는 과정이 쾌감이고 그 결과 의식과 기억 속의 모든 부유물이 사라지면 우리는 절정감을 느낀다. 만약 우리가 쾌감을 얻기 위하여 명상을 한다면 기억 속에 뽑혀 나올 결합관념의 부유물이 많아야만 하는 것이다. 이는 절망에 가까운 상태이고 이때 명상을 한다면 우린 쾌감과 절정감 까지도 느낄 수 있을 것이다. 그런데 우리가 쾌감과 절정감을 느꼈다는 것은 기억 속에 결합관념의 부유물이 다 빠져나와 더 이상 빠져나올 부유물이 없다는 것인데 이러한 상태에서 아무리 명상을 하여도 나올 부유물이 없거나 혹은 적으면 어떠한 명상의 방법으로도 쾌감을 느낄 수는 없는 것이다. 이러한 상태에서 쾌감을 얻기 위하여 명상을 지속하면 헛된 노력이 지속되어 우리는 무기력과 좌절감을 느낄 수밖에 없는 것이다. 때문에 명상은 쾌감을 얻기 위하여 하는 것도 절정감을 느끼기 위하여 하는 것도 아니다. 이러한 것은 환각제를 사용하여 쾌감과 절정감을 얻으려 할 때도 마찬가지이다. 환각제를 처음 사용할 때에야 엄청난 쾌감과 절정감을 느끼겠지만 환각제를 사용할수록 기억의 부유물이 고갈되기 때문에 나중에는 환각제의 양을 늘려도 쾌감과 절정감은 찾아오지 않고 환각제로 인한 부작용만 늘어날 뿐이다. 우리는 환각제를 먹어서 쾌감을 얻을 수 있다고 생각하지만 쾌감의 재료는 환각제가 아니라 바로 기억 속 결합관념의 부유물인 것이다. 명상이나 환각제는 창문을 열어 부유물을 뽑아내는 것인데 부유물이 없다면 창문을 열어도 아무 소용이 없는 것이고 부작용만 남을 뿐이다.

절망에 빠진 자들이 명상을 시작하는 초기에는 기억 속 결합관념의 부유물이 많아 명상의 효율이 극대화 되지만 하면 할수록 효율은 떨어진다. 또한 명상을 지나치게 한다면 명상의 효율은 떨어지다 못해 부작용까지 있을 수가 있는 것이다. 명상을 지나치게 하면 우리의 의식은 거의 비어있는 상태가 지속되고 의식이 비어있는 상태로 수일 혹은 몇 달이 지난다면 우린 감정의 진폭이 없어 무기력해지고 일상으로 해오던 생활에 대해서도 심한 부담감을 갖게 되어 의무나 책임 또는 소유에 대해서 매우 부담스럽게 느낄 수 있는 것이다. 때문에 우린 속세를 떠난다거나 인연을 끊는다거나 혹은 전 재산을 기부해버리는 돌출행동까지도 할 수 있게 되어 명상으로부터 벗어났을 때 생존을 위한 가치의 박탈을 경험할 수도 있는 것이다. 때문에 우리는 명상을 통하여 모든 것을 완벽히 이루어 내겠다는 생각을 가져서는 안 되는 것이다. 명상은 하나의 방편이지 목적지가 아닌 것이다.

우리가 밥을 먹으면 장속에 노폐물이 생겨 배설을 해야 하듯 경쟁사회에서 정보를 취합하며 살아가다보면 기억 속에 노폐물이 생겨 스트레스를 받게 되고 수많은 스트레스 해소의 방법으로 이를 배설하게 된다. 명상도 수많은 스트레스 해소법의 하나로서 역할을 할 뿐이다. 우리가 장속의 변을 배설하지 않고 그대로 가지고 있다면 변의 독소가 온몸으로 퍼져 금방 병에 걸려 죽게 되는 것처럼 기억 속 노폐물을 빼내지 않고 그대로 놓아두게 되면 금방 절망에 빠져 위태로워지는 것이다. 때문에 우리는 수많은 스트레스 해소방법의 일환으로 명상을 하게 되지만 명상이 아무리 좋다고 하여도 명상만을 한다거나 지나치게 한다면 심각한 부작용에 시달릴 수 있는 것이다. 이는 장을 비우는 배설이 좋다고 하여 화장실 변기에 앉아 이미 배설이 되었기 때문에 나오지 않는 변을 빼내겠다고 힘을 주고 있는 것과 같은 것이다. 결과는 치질에 걸리는 것 밖에 없다. 배설을 했으면 변기에서 일어나 일상생활로 돌아가야 하는 것이다. 그래야 다음에 다시 배설을 할 수 있는 것이다. 명상도 변을 배설하듯 일정한 주기로 최단시간에 최고의 효율을 가져오는 방법으로 하는 것이 부작용 없이 꾸준히 할 수 있는 것이다.

장을 비우기 위해 배설을 했으면 변기에서 일어나야하듯 명상도 마음이 편안해졌으면 잠시 중단을 해야 한다. 명상이 쾌감을 준다고 끊임없이 계속하면 지루함과 권태 무료함만 따르는 것이다. 그런데 명상을 지도하는 자들 중 끊임없이 명상을 할 것을 요구하며 마치 명상의 끝에 무슨 특별한 깨달음이나 초능력 혹은 종교적 구원과 같은 존재할 수 없는 상태가 마치 명상의 목표나 되는 듯 주장하는 자들이 있다. 이들은 명상에서 단 한번 순간적으로 도달했던 절정의 상태를 지속적으로 가져갈 수 있을 것이라는 착각에 빠져 명상을 하는 자들에게 의식의 공을 배움의 전제로 요구하고 상대를 기만하며 허황된 이론을 주장한다. 이들은 관념계에 존재할 수 없는 것을 마치 존재한다고 가정하고 우리가 경계해야할 무수히 많은 복잡하고 허황된 이론들을 만들어낸다. 이론이 복잡해지는 것은 거짓을 합리화하기 때문이다. 거짓을 합리화하기 위해서는 아무도 알아듣지 못할 때 까지 거짓을 추가하는 것 뿐 이다. 누구도 이해하지 못하지만 누구도 부정하지 못하고 오직 지적 열등의식을 가지고 있는 자들만이 그것을 추앙한다. 이들은 잠깐 도달은 할 수 있으나 절대 지속적일 수 없는 상태를 모든 이들에게 기본으로 요구하며 끊임없이 상대를 기만하기 때문에 배우는 자들은 오리무중인 자신을 탓할 뿐 스승이라는 자를 탓할 아무런 논리도 가지지 못해 명상의 초기에 느꼈던 쾌감과 절정감이 스승에 의해서 만들어졌다는 착각에 빠져 자신을 스승에 의탁하기도 한다. 누구나 명상을 처음 시작할 때는 절망에 가까운 상태에서 시작을 하게 되기 때문에 이들은 절망에서 벗어나며 편안함과 쾌감 그리고 절정감 까지도 느끼게 되어 자신을 절망에서 구원해주고 환희까지도 느끼게 해준 명상이라는 수단과 지도자에 특별한 의미를 부여하게 되지만 이는 자신을 구속시키는 어리석음일 뿐이다. 명상의 효과란 지도자에 의한 것이 아니라 바로 내가 가지고 있던 고통인 결합관념의 양이 결정하는 것이다. 절망에 가까웠던 자는 절망으로부터 벗어나며 쾌감을 느끼지만 그렇지 않은 자들은 아무런 감흥을 느끼지 못하는 것이다. 명상이 편안함과 쾌감을 줄 수 있는 이유는 우리에게 절망과 고통이 있기 때문이지 절망과 고통이 사라진 상태에서는 더한 편안함이나 더한 쾌감이 존재할 수는 없는 것이다. 오히려 지속적인 명상은 우리에게 고통과 쾌감을 번갈아 느끼게 되는 감정의 진폭을 작게 만들어 무료와 권태 무기력만을 가져와 심각한 부작용을 겪게 될 수도 있는 것이다. 때문에 우린 명상을 접하더라도 명상의 원리를 이해하고 접해야만 난생 처음 경험하는 생소한 쾌감과 어리둥절함을 겪고 나서도 중심을 잡을 수 있는 것이다.

명상을 접하기 전에 명상의 원리를 이해하고 접한다면 수많은 오류와 실패를 방지하고 명상의 효율을 높일 수도 있지만 명상을 처음 접할 때에는 누구나 명상을 하기 위한 영혼의 근력과 민감도가 형성되지 않은 상태이기 때문에 수많은 시행착오와 효율의 저하로 인해 명상을 지속하기가 어려울 수가 있다. 때문에 처음 명상을 접하기 위해서는 명상의 기술을 전수받는 것이 효율적이라 할 수 있다. 그러기 위해서는 명상지도자를 만날 수도 있고 설사 지도자를 만나지 못했다 하더라도 시중의 교본들을 자기 나름대로 응용하고 변용시켜 자기만의 명상방법을 가져야만 한다. 명상은 구속이 아닌 자유를 추구하는 것이기 때문에 하나의 방법을 고집하고 추종하면 그것은 명상이 아니라 또 다른 구속이 될 수 있는 것이다. 갈수록 복잡해지고 번영되는 세상은 명상을 끊임없이 요구할 수밖에 없고 명상은 산업화되고 상업화 되어 상업주체의 이익을 위한 수단으로 변질되어 갈 수가 있어 명상이라는 순수한 영혼을 갖고자 하는 수단이 관념으로 오염된 자들에 의하여 영혼을 구속시키고 권위에 무릎 꿇리게 하는 수단으로 변질되기도 하는 것이다. 때문에 우리는 명상을 이해하고 다양한 방법의 명상을 접해보는 것이 좋다. 아무리 좋은 음식이라도 한가지만을 지속적으로 먹으면 영양실조에 걸려 결국 병들고 마는 것처럼 명상도 한가지 방법만을 고집한다면 언젠가는 마음의 불균형으로 자유로운 영혼이 될 수 없는 것이다.

우리가 명상을 처음 시작할 때에는 명상이 생소하고 어렵게 생각되어 명상에 특별한 방법이나 정도 혹은 왕도가 있어 이를 반드시 따라야만 명상이 가능할 것으로 여겨지지만 명상은 방법이나 환경보다는 오히려 자신이 가지고 있는 고통의 양에 따라 효율이 달라질 수 있는 것이다. 때문에 명상은 고통을 온전히 가지고 있는 초보자일수록 그 효율이 높아 어떠한 방법의 명상이건 고통으로부터 벗어나고 편안함과 쾌감이라는 명상의 효과를 보게 되어 자신이 처음 접한 명상방법에 특별함을 부여하게 되기도 하는 것이다. 이러한 이유 때문에 대부분의 명상을 지도하는 곳에서는 명상을 접하는 초보자들에게 명상의 초기에 집중적으로 명상을 하도록 해 결합관념의 부유물을 짧은 시간에 뽑아내고 순식간에 의식의 공에 도달토록 해 쾌감과 함께 이제까지 느껴보지 못한 절정감까지도 느낄 수 있도록 함으로서 자신들의 방법이나 지도자에게 특별함을 부여하도록 유도하기도 하는 것이다. 이러한 경우 명상의 초보자들이나 명상을 이해하지 못하는 자들은 최초로 접한 방법이나 지도자에게 구속되거나 의존적이 되기도 하는 것이다.

이처럼 명상의 초기에는 극적인 효과를 느낄 수 있어 우린 의도하지 않았다 하더라도 명상의 완성상태라 할 수 있는 의식의 공에 도달하게 됨으로서 무한한 성취감을 느끼게 되기도 하는 것이다. 명상을 하는 자들은 누구나 명상의 완성상태에 도달하고자 하는 욕구가 생겨나게 되어 명상의 완성상태라 할 수 있는 의식의 공을 지향하지만 명상을 오래 동안 해왔던 자들일수록 오히려 의식의 공에 진입하지 못하고 의식의 공 언저리에서 오랜 시간을 맴돌다가 욕구를 포기하게 된다. 왜냐하면 이들은 목표를 가지고 명상을 하며 의식의 공 언저리에서 오랜 시간을 보냈기 때문에 결합관념의 부유물이 거의 사라져 의식의 공에 진입할 추진력을 갖지 못해 의식의 공에 도달하며 느끼게 되는 신비나 환희와 같은 절정의 상태를 좀처럼 느끼지 못하게 되는 것이다. 우리가 명상을 통하여 의식의 공에 도달하게 되는 경우는 오히려 명상의 초기에 어떠한 목표의식도 없이 무작정 하게 되는 경우에 도달되기가 쉬운 것이다. 왜냐하면 이들은 뽑아낼 고통이 많아 절정의 상태라 할 수 있는 의식의 공에 도달 할 수 있는 추진력을 충분히 가지고 있기 때문이다. 때문에 이들은 자신에게 난생처음 고통으로부터 벗어나고 신비와 환희를 느끼게 해준 명상이나 지도자에게 특별한 가치를 부여하고 이러한 상태에 도달한 자기 자신을 대견스럽게 생각하며 이러한 상태에 반복적으로 도달하려 하지만 다시는 반복되지 않는 경험을 아쉬워하게 되는 것이다. 의식의 공은 누구나 언젠가는 한번은 경험하게 되는 것이지만 이러한 경험을 이들처럼 자기도 모르게 어리둥절하게 맞이하게 되면 이는 오히려 명상 혹은 신비에 대한 착각과 오해를 불러일으켜 의식의 공이나 의식의 공에 도달하는 과정에 느끼게 되는 신비나 환희를 목표하게 되어 엉뚱한 방향으로 삶을 인도하게 되는 경우도 있는 것이다. 우리가 명상을 하는 이유는 의식속의 고통을 뽑아내어 편안함 나아가 지극한 편안함을 얻는 것까지이지 쾌감이나 절정감 · 신비나 환희가 아닌 것이다. 우리가 쾌감이나 절정감 · 신비나 환희를 느끼는 것은 오직 관념(고통)이 많은 자가 명상의 초기에 집중적으로 했을 경우 단 한번만 느끼게 되는 것이 일반적이다. 때문에 우리가 어리둥절하며 신비나 환희를 느낀 후에 관념이 거의 빠져나간 상태에서 이를 다시 느끼기 위하여 같은 방법을 되풀이하면 이는 헛된 행위가 되어 세월을 낭비하게 되는 것이다. 우린 살아있는 한 명상을 하며 의식의 공 언저리에 있을 수는 있을지언정 의식을 뚫고 나아가 의식의 공에 안주할 수는 없는 것이다.

명상은 의식의 공을 향해 나아가 완전한 자유를 추구하지만 우리가 의식의 공이나 완전한 자유를 목표로 명상을 하게 되면 목표나 욕구가 오히려 목표에 이르는 것을 가로막게 된다. 우리가 목표하는 의식의 공은 의도되지 않고 계획되지 않았을 때 우연히 수동적으로 찾아올 수밖에 없는 것이기 때문이다. 따라서 우리는 명상을 통하여 명상을 완성하려는 생각을 가져서는 안 되는 것이다. 설사 우리가 의식의 공에 도달해 명상을 완성했다 하더라도 명상의 완성상태는 극히 짧은 순간 동안만 경험할 수 있고 그것을 경험했다 하더라도 다음 순간에는 다시 명상의 과정에 놓이기 때문이다. 우린 명상을 통하여 의식의 공을 순간적으로 맛볼 수만 있을 뿐이지 의식의 공에 안주할 수는 없는 것이다. 의식의 공을 목적으로 명상을 한다면 될 수도 없거니와 뜬구름을 잡기 위하여 명상에 구속되는 우를 피할 수 없는 것이다. 명상은 삶을 위한 방편으로 고통으로부터 벗어나 여유를 갖기 위한 것이지 의식의 공에 안주하여 산채로 죽음을 흉내 내는 것이 아닌 것이다. 그럼에도 불구하고 명상을 하다 보면 의도하지 않았다 하더라도 어느 순간 의식의 공에 도달되는 경우가 있다. 그곳이 목적지가 아님에도 불구하고 명상을 하다보면 의식이 텅 비어버리는 지점에서 더 이상 명상을 이어갈 수 없게 되는 것이다. 명상은 관념을 뽑아내는 것인데 더 이상 의식 속에 관념이 존재하지 않는다면 우린 명상을 종료할 수밖에 없는 것이다. 그런데 이처럼 의식 속에 어떠한 관념도 존재하지 않아 의식이 텅 비어버리고 가장 멍청한 상태가 되었을 때 우린 이상하게도 신비감과 함께 환희나 무아지경과 같은 최고조의 감정 상태에 이르게 되는 것이다. 신비나 환희와 같은 최고조의 감정 상태는 우리에게 더 이상 어떠한 것도 원치 않게 됨으로 모든 것이 충족된 것과 같은 상태를 말한다. 이는 우리의 감정이 도달할 수 있는 최고의 상태이며 자아감이라 할 수 있는 것이다. 그러나 이러한 상태는 우리에게 단 한번만 주어지는 것이 일반적이기 때문에 우린 이러한 상태를 갈망만하며 다시는 찾아오지 않는 신비체험을 아쉬워하게 되는 것이다.

도대체 관념으로부터 벗어나며 느끼는 신비는 어떠한 상태이기에 우리에게 엄청난 충격과 환희를 가져다주며 우리가 그토록 갈망함에도 불구하고 다시는 되풀이 되지 않는 것인가?

신비는 평생에 단 한번만 경험하게 되는 것이 일반적이기 때문에 이제까지 살아오면서 아직은 신비를 경험해보지 못한 자들이 신비에 관하여 듣게 되면 이것이 도대체 무슨 말인지 이해하지 못해 황당하고 허무맹랑한 소리로 여길 수도 있지만 우린 누구나 관념을 가지고 있고 언젠가는 관념으로부터 벗어나야만 하기 때문에 누구나 언젠가는 한번은 신비를 경험하게 된다. 때문에 우리는 신비를 어리둥절하게 맞이하며 일생에 단 한번 찾아온 신비가 가져오는 관념의 속성을 명확히 알아차릴 기회를 놓쳐버리지 않기 위하여서라도 미리 신비를 알아둘 필요가 있다.

24. 신비

우리가 신비를 체험하게 되면 우린 난생 처음 경험하는 황홀함에 빠져 도대체 뭐가뭔지 모르는 어리둥절함 속에 자신 앞에 펼쳐지는 상황에 대해 기이하고 황당한 해석을 하게 된다. 어떤 자는 신을 보았다 하고 교주를 만나기도 하며 쏟아지는 빛을 경험하거나 천사나 조상을 만나게도 되는 것이다. 자신이 무엇에 집중했는가에 따라 각기 다른 상황을 보게 되어 신비에 이르게 된 과정이야 어떻든 눈앞에 펼쳐지는 상황에만 특별함을 부여하여 오리무중 속에 왜곡된 해석을 하게 되는 것이다. 이처럼 우리는 신비의 과정과 본질은 간과하고 현상만을 경험하게 되어 똑같은 과정 속에 있는 신비현상이 전혀 다른 현상과 결과로 해석되어 신비현상이라는 것이 마치 알 수 없음을 나타내는 것으로 풀이되곤 한다. 우리가 신비를 이처럼 황당하게 받아들일 수밖에 없는 이유는 우린 신비의 과정과 원인은 무시하고 결과와 상황만을 받아들이기 때문이다. 우리가 신비를 통하여 일관된 진실을 알기 원한다면 결과의 나열이 아닌 신비의 원인을 간파해야만 하는 것이다.

우린 흔히 신비체험에서 경험하는 충격과 환희 그리고 경이감을 우리가 추구하던 절대성에 도달하였기 때문에 절대성 자체를 느끼게 되는 것이라 생각한다. 그러나 우린 관념을 떠나서만 존재하는 절대성을 느낄 수가 없다. 왜냐하면 느낌은 관념 속에서나 이루어지는 것이지 관념을 벗어나면 느낌의 대상도 사라지기 때문이다. 우리가 신비를 체험할 수 있는 이유는 관념을 벗어나 어떠한 상태에 도달했기 때문에 느끼는 것이 아니라, 자신이 가지고 있었던 관념이 사라지며 관념의 배설과정을 극적으로 느끼기 때문이다. 우리가 느끼는 신비에서의 환희와 경이감은 관념의 구속으로부터 벗어남에 의한 '관념이 사라지는 과정'에 대한 경험이지 절대성에 대한 경험이 아닌 것이다. 때문에 신비체험은 관념에 철저히 구속되고 매몰되어있는 자들일수록 더욱 격렬하고 경이로운 신비체험을 하게 되는 것이다. 따라서 신비를 체험하기 위해서는 그 이전에 관념에 철저히 구속되어야만 한다는 전제가 필요하다. 신비체험을 통해 우리가 알 수 있는 것은 신비에서의 경이가 아니라 우리가 가지고 있던 관념을 버리면 환희를 느낄 만큼 우리는 관념에 구속되고 고통당해 왔다는 것이다. 이처럼 우리는 절대성(존재, 신, 공)에 도달해야만 비로소 관념이 어떠한 것이었는지 알 수 있게 되는 것이다.

관념으로부터 벗어났을 때 우린 엄청난 충격과 환희 경이감을 느끼게 되지만 이러한 현상은 아주 다양한 형태로서 나타난다. 우리가 만약 절대성을 경험한다면 이는 단 한가지의 형태로 나타날지도 모르겠으나 우리가 경험하는 신비는 신비를 체험하는 자들마다 아주 다양한 모습으로 나타나게 되는 것이다. 이는 그 체험이 절대성에 의해서가 아니라 바로 자신이 가지고 있던 관념의 사라짐 즉 관념의 역작용에 의해서 나타나는 것이므로 어떠한 관념이 사라졌는가에 따라 혹은 어떠한 환경에서 체험을 하느냐에 따라 모든 체험은 천태만상일 수밖에 없는 것이다. 볼펜에 집중하던 자는 엄청난 후광으로 둘러싸인 볼펜을 볼 것이고, 자신이 믿는 종교의 교주에 집중하던 자는 엄청난 후광이 비추어지는 교주를 보게 되며, 생각에 빠졌던 자는 깨달음을 얻으며 주위 환경의 모든 사물이 빛을 발하고 있음을 보게 된다. 이처럼 관념의 잔상이 공과 겹쳐지면 우린 경이감과 환희를 느끼며 신비의 충격에 휩싸이게 되지만 이는 오직 순간적으로만 느끼게 되는 현상이다. 이러한 과정을 통하여 우린 잠깐이나마 공을 접하게 된다. 그러나 이는 찰나일 뿐 다음 순간 의식 속으로 관념이 쫒아 들어와 공의 세계를 차단하고야 만다.

순간적으로 신비를 체험하고 또 다시 관념의 세계로 돌아오면 그동안 관념 속에서 살며 설정해놓고 귀하게 여겼던 인생의 모든 목표와 가치가 뒤바뀐다. 이들은 관념을 벗어나며 느꼈던 관념 속에서의 삶이 얼마나 허망하고 고통스러운 것인지를 체득한 것이다. 때문에 이들은 관념의 세계에서 간직했던 모든 가치를 버리고 절대성을 향한 삶을 시작하게 되는 것이다. 신비를 체험한 자들은 신비체험이란 것이 이세상의 그 어떠한 가치보다도 귀하고 이세상의 어떠한 쾌락과도 비교할 수 없는 것임을 스스로 깨달았기 때문이다. 따라서 이들은 관념의 세계에서 이루어지는 사소한 가치와 즐거움을 뒤로하고 오직 자신이 경험한 최상의 가치인 신비를 느끼게 해준 절대성을 추구하게 되는 것이다. 이처럼 신비를 맛본 자들은 누구나 신비의 계기가 주어진 절대성을 추구하게 되지만 그 추구의 방법에 있어서는 신비를 어떻게 이해했는가에 따라 천태만상이고 도대체 자신이 왜 신비를 체험했는지도 모르는 오리무중 속에 또 다시 미혹에 둘러싸이는가하면, 버렸던 관념을 다시 주워들고는 가치를 부여하기도 하고, 과거의 신비체험을 부여잡고 지금의 어둠을 비추려하거나, 자신의 신비체험에 특별함을 부여하여 권위적인 태도를 보이기도 한다. 우리가 신비를 체험하고도 이러한 지경에 빠지게 되는 이유는 도대체 자신이 어떻게 신비에 도달하게 되었는지 - 신비에 도달하게 된 원인이 무엇인지 - 궁극적으로 신비가 무엇인지를 전혀 모름에 기인한다.

신비는 관념을 벗어나는 과정에 누구나 느낄 수 있는 것이다. 우리가 신비를 체험할 수 있는 이유는 그것이 우리가 가지고 있는 관념이라고 하는 허상이 사라지며 이 세상의 실체인 존재 자체가 드러나기 때문이다. 때문에 관념을 가지고 있는 자들은 관념이 사라지기만 한다면 누구나 신비를 느낄 수 있는 것이고 관념이 없으면 신비 자체도 느낄 수 없게 되는 것이다. 우린 흔히 신비를 수행이나 명상과 같은 종교체험에서 이루어지는 경험으로 생각하지만 신비는 관념이 사라지며 느껴지는 모든 현상에 내포되어 있는 것이다. 우리가 절대성을 상징하는 신이라는 이름을 붙였기 때문에 신비는 종교수행 중에 일어나는 무슨 특별한 현상으로 오해하고 있기도 하지만 신비는 관념이 사라지며 느껴지는 현상이기 때문에 관념을 가진 자들은 관념이 사라지는 어떠한 행위에서도 누구나 신비를 느낄 수 있는 것이다. 다만 이러한 느낌을 신비라 하지 않고 기술하지 않을 뿐이다. 종교적으로 우월한 지위를 유지하고자 하는 자들 중에 관념이 사라지는 과정에 신이라는 절대성을 붙여 넣어 마치 무언가 특별한 것이 있는 것처럼 차별화 하려는 시도에서 신비는 유별스럽게 들릴 뿐이다.

신비를 체험한 자들은 신비를 체험하고도 자신이 무엇을 체험한 것인지 알지 못한다. 다만 개중에 자신이 갖고 있었던 관념(집중의 대상)을 체험한 것으로 착각하는 자들이 있을 뿐이다. 우리가 신비를 체험하고도 도대체 무엇을 체험했는지 도통 알 수가 없는 이유는 신비는 어떠한 대상을 체험하는 것이 아니라 두 가지 상태의 괴리를 체험하기 때문이다. 신비는 관념이 사라진 직후 관념과 공(실체·존재)의 대비에 의해 나타나는 현상이다. '관념을 통하여 보던 세상'(관념계)과 '관념이 사라진 후 보이는 세상'(존재계) 이 두 세상의 차이에 의하여 우리는 경이감도 느끼고 환희도 느낄 수 있다. '관념 있음'과 '관념 없음' 이 두 가지의 상태는 서로 다른 요인에 의해서 나타나는 것이 아니라 바로 관념이라고 하는 단 한가지요인의 변화에 의해서 나타나는 현상이다. 우린 관념을 벗어난 절대성을 추구하지만 절대성에 도달하게 되는 요인은 바로 한계적이고 벗어나야만 하는 관념을 버림에 의해서이다. 우리가 추구하는 신비(절대성)는 우리가 관념을 버리는 양과 속도에 의해 느끼게 되는 감정인 것이다. 때문에 신비를 체험하며 충격과 환희를 느꼈다고 해서 신비현상을 이해하는 것은 전혀 아닐 수 있는 것이다. 그럼에도 불구하고 우리는 신비를 나름대로 해석하고 나름대로 받아들여 이를 목표하게 된다. 이는 우리가 야바위꾼에게 빠져 확신을 가지고 잘못된 선택에 배팅을 하게 되는 것과 같이, 관념을 버리며 느꼈던 감정을 절대성을 추구하기 위한 목표로 설정하게 되는 오류에서 기인하게 되는 것이다.

신비의 원리를 전혀 알지 못하는 자들만이 자신의 신비체험을 표현하고 관념화 한다. 신비는 자신만의 영역이고 전도되거나 관념화 되지 않는다. 오직 뭐가 뭔지 모르는 자들만이 자신의 신비체험을 떠벌리며 자신의 관념에 신비를 버무린다. 흔히 신비를 체험한 자들은 자신이 무엇인가를 깨달은 것처럼 생각하기도 하지만 신비체험과 깨달음 이는 전혀 별개의 것이다. 어떤 자가 깨달음의 과정에서 신비체험을 할 수는 있지만 신비체험이 곧 깨달음은 아닌 것이다. 이는 굶주렸던 사람이 어느 날 음식을 먹고 포만감을 느꼈다고 해서 그가 음식에 대하여 깨달은 것은 아닌 것처럼 신비체험은 깨달음은커녕 오히려 착각과 오해를 불러일으키고 잘못된 믿음을 심어주기 쉬운 것이다. 포만감을 느끼기 위해서는 꼭 특정 음식을 먹어야만 하는 것이 아니라 어떠한 음식이든 충분히 먹는다면 우린 포만감을 느낄 수 있다. 그런데 포만감을 난생처음 느껴본 자들 중에 그때 먹었던 음식만이 포만감을 줄 수 있다고 주장하는 어리석은 자들이 생겨날 수가 있는 것처럼, 신비도 이와 마찬가지로 자신이 겪은 특정한 방법이나 수단만이 신비를 느낄 수 있다고 하는 어리석은 자들이 생겨나게 되는 것이다.

신(존재, 공)의 세계를 살짝 맛보았을 때 우리는 신(존재, 공)에서 아무것도 발견할 수가 없다. 때문에 마지막까지 가지고 있던 버려야 하고 버렸던 관념을 신비의 대상으로 착각하고, 버려야하고 버렸던 관념을 다시 부여잡으며, 버렸던 관념을 신비의 대상으로 여기게 되는 것이다. 이들처럼 신비를 경험하며 관념의 감옥을 탈출했다가 다시 관념에 의하여 잡혀 들어온 자들은 관념의 감옥 안에 있는 자들에게 무용담을 이야기 한다. 담장을 넘어갔다온 자들은 담장을 이야기하고 땅굴을 파고 나갔다온 자들은 땅굴을 이야기하며 철조망을 뚫고 나갔다온 자들은 철조망을 이야기 한다. 이들의 무용담은 벗어났던 과정에 따라 감옥 안의 인간들을 응집시켜 취향에 따라 집단화 되고 종교화 되며 무용담을 이야기 하는 자들은 종교의 창시자가 된다. 어떻게 벗어났느냐에 따라 '땅굴교' '담장교' 그리고 '철조망교'라고 하는 각기 벗어난 과정의 이름을 따서 종교가 만들어지고 추종자들은 탈출의 희망을 갖고 지도자들의 무용담을 익히고 습득한다. 이들은 오직 자신들이 믿는 방법만이 탈출의 방법이라 생각하고 남들의 방법을 무시하거나 배척하기도 한다. 그러나 담장 앞에 많은 죄수가 있으면 담장이 올라가고 철조망 앞에 많은 사람이 있으면 철조망이 촘촘해진다. 우리가 믿고 따르는 관념(종교)에 의해서 관념의 감옥은 더욱 견고해질 뿐이다.

신비는 아주 간단하고 단순한 현상이다. 관념이 사라지는 과정에서 누구나 어디에서나 느낄 수 있는 체험일 뿐이다. 이러한 신비를 몇 번 체험을 하고는 마치 자기만의 신비가 따로 떨어져 존재하는 것처럼 신비체험의 방법을 구체화 하고 관념으로 체계화 하여 모든 사람들이 범접할 수 없는 미로를 만들어 놓고는 관념을 버리면 누구나 다 가갈 수 있는 것에 관념의 장벽을 세워놓고 타고 넘는 법을 가르친다. 이들은 우리의 발밑에 있어 즉시 다다를 수 있는 것을 온갖 미로와 장애물로서 신비에 이르는 길을 고난의 순례지로 만들어 놓고는 상품화하여 우리에게 제시한다. 이들은 암흑의 붓을 들어 빛을 설명하는 자들이다. 설명을 하면 할수록 빛은 사라지고 관념의 암흑만이 남게 될 뿐이다. 이처럼 관념을 추앙하는 자들이 신비에 이르는 직통거리에 수많은 관념의 장애물을 설치해 놓고는 우리에게 장애물 통과훈련을 시키며 스스로 지도자로서 추앙을 받는다. 우리는 수많은 지도자들이 만들어 놓은 장애물을 통과하기 위하여 온갖 수행과 고행을 일삼고 - 가야할 길이 험난하면 험난할수록 그 곳에 무언가 있을 것이라는 기대가 우리를 넘을 수 없는 거대한 장벽 속에 가두어 버리는 것이다. 수많은 미사여구와 알 수 없는 거대한 단어들로 포장된 신비(종교)는 더 이상 신비가 아니라 우리가 버려야 할 관념일 뿐이다.

모든 종교는 그 종교의 의미를 떠나 신격화된 대상에 집중토록 하는 명상의 과정이 수반되어 관념이 사라지면 결국 신비를 체험하도록 훈련되고 교육되어진다. 이처럼 관념 속에서 신격을 추구하다가 나타나는 신비는 추구했던 관념적 신격에 의하여 나타나는 신비가 아니라, 관념적 신격에 집중함에 의하여 주변관념이 사라지며 공에 다가가게 되어 나타나는 현상임에도, 마치 관념적 신격에 의하여 신비에 도달한 것처럼 생각되어진다. 때문에 이들은 버려야할 관념적 신격을 신비에 도달하기위한 수단으로 생각하게 되는 것이다.

우리는 수많은 방법이나 수단을 통해 신비에 이를 수 있지만 어떠한 방법 혹은 수단에 의해 신비에 이르렀느냐에 따라 신비는 거룩하고 성스러운 상태로 인식되기도 하고 어떠한 경우에는 수치스럽거나 죄스러운 상태로 인식되기도 한다. 신비에 이르게 된 수단이나 방법이 수행이나 기도, 명상이나 예술과 같이 건전하다 인정 될 때에는 그 결과도 신과의 합일이니 해탈이니 견성이니 깨어남이니 해가며 우리가 추구하던 최고의 덕목으로 여겨져 신비를 경험했음을 자랑스럽게 여기지만 술이나 마약 혹은 섹스를 하고 신비에 이른 자들은 궁극의 목표에 이르렀음에도 불구하고 그 결과를 발설치 못하고 수치스러워하거나 죄스러워할 수도 있는 것이다. 그러나 어떠한 방법이건 존재자체를 나 자신으로 의식하게 되는 관념이 사라진 후의 상태(신과의 합일, 존재와의 합일, 공, 해탈, 견성, 깨어남 등)는 모두 같은 것이다. 그러나 우린 이러한 상태를 제대로 파악하지 못하고 어리둥절하게 맞이하기 때문에 말로 표현할 수 없어 이때의 상태를 자신이 이제까지 추구해왔던 최고의 덕목 중 하나로 간주하여 표현하게 되는 것이다. 이들은 자기가 도달했던 상태를 표현하려 해도 그것을 알 수 없기 때문에 자신이 추구해왔던 방법에 따라 나름대로 명칭 짓고 규정할 뿐이다. 그런데 이들이 도달했던 상태가 도대체 무엇이란 말인가? 해탈이니 견성이니 신과의 합일이니 존재와 합일이니 참나의 발견이니 깨어남이니 등등 이 모든 것의 공통점은 관념이 사라진 상태라는 것이다. 모든 자들이 수많은 방법으로 나름의 최고의 상태를 규정짓고 추구하지만 그 상태는 누구나 나름대로의 방법과 수단에 의해 결국 관념을 없애 비로소 자아감으로 일컬어지는 '진정한 나' '또 다른 나'를 찾게 된다는 것이다.

관념을 없애기만 한다면 누구나 신비의 상태에 도달할 수 있다. 신비를 경험해보지 못한 자들은 신비의 과정에 대단한 무엇인가가 감추어져 있는 것이 아닌가 하지만 신비는 관념이 사라지기만 한다면 누구나 느낄 수 있는 것이다. 다만 우리가 관념으로부터 벗어나는 것이 수월치 않을 뿐이다. 어떠한 수단이나 방법이든 간에 관념이 빠져나가기만 한다면 우린 신비에 도달할 수 있고 비로소 자아감을 느끼게 된다. 관념이 사라지는 것은 신비에 이르는 공통되고 필수적인 과정이 되는 것이다.

우리의 영혼은 관념에 저항을 느끼며 관념에 둘러싸여 있다. 영혼은 관념의 저항만 없다면 무한히 확장하려는 본성이 있기 때문에 영혼을 둘러싸고 있는 관념이 사라진다면 영혼은 무한히 확장되는 것이다. 이처럼 관념이 사라져 영혼이 확대되면 주변의 모든 사물은 의식(영혼) 안으로 들어오고 우린 의식 안으로 들어오는 모든 사물을 나 자신으로 느끼게 되어 우리의 자아감은 확대되며 관념이 완전히 사라졌을 때 의식(영혼)은 무한히 확대되어 비로소 모든 것은 대상이 아닌 의식(영혼) 속의 나 자신으로 의식되어 우린 자아감으로 충만해지고 관념이 사라짐으로 인하여 우린 모든 사물을 관념의 필터 없이 접촉하게 되어 시야는 선명해지고 허공의 빛은 관념의 필터가 사라지자 모든 사물의 후광처럼 쏟아져 들어오고 우린 환희를 느끼며 합일의 경지에 이르게 되는 것이다. 이처럼 신비는 관념이 사라짐에 의하여 환희를 느끼며 대상과 내가 합일되는 과정이고 모든 것을 의식 밖의 대상으로 '인식'하던 지각의 방법이 모든 것을 의식 속의 나 자신으로 '의식'하는 자아감으로 변환되는 것이다. 그런데 이러한 과정이 우리가 전혀 예측하지 못하는 사이에 순간적으로 이루어지기 때문에 우린 도대체 뭐가 뭔지 모르는 어리둥절함에 빠지게 되는 것이다.

우린 합일의 과정에 누구나 신비를 느낄 수 있다. 그런데 우린 합일의 상태에 도달해도 그 상태가 무엇인지 제대로 알아차리지 못한다. 환희를 느끼며 지금 여기까지 왔는데 막상 도달하고 나서는 어리둥절한 것이다.

우리는 신비를 체험하면 좋기는 좋은데 무엇이 좋은지 모른다. 환희를 느끼는데 무엇에 대하여 환희를 느끼는지 알 수가 없다. 말하고 싶은데 무엇을 말해야할지 모르고, 경험을 하고 체험을 했는데 무엇을 경험하고 무엇을 체험한 것인지 도통 알 수가 없는 것이다. 왜냐하면 그 곳에서 우린 아무것도 발견하지 못했기 때문이다. 우린 그곳에서 아무것도 경험하지 않았고 아무것도 체험하지 않았으며 환희를 느낄 대상도 말로 설명할 대상도 발견하지 못했다. 우린 단지 관념으로부터 벗어났을 뿐이다. 우린 벗어남을 경험했고 얽매여 있음과 벗어남의 차이를 순간적으로 느꼈을 뿐이다. 그것은 언어로부터의 해방이고 우리의 모든 것을 이루는 관념으로부터의 탈피이기에 말할 수 없고 설명할 수 없는 것은 당연한 일이다. 그럼에도 불구하고 우리는 기어이 없음을 형상화 하여 목적화 하려 하지, 있는 것을 버리는 것에 초점을 맞추지 않는다는 것이다. 기어이 없음에 명칭을 붙여 없음을 목적화 하고야 만다. 나쁨을 버리면 자연히 좋아지는 것을 마치 좋은 것이 따로 있는 양 목적화 하는 것이다. 버림을 체험해 놓고도 끊임없이 그곳에는 무언가 있어야만 한다는 - 스스로 환희를 느낀 체험을 스스로 왜곡하게 되는 - 관념을 버림으로 인한 신비체험을 이해하지 못한 자들에게서 나오는 현상이다.

이처럼 신비를 목적으로 하는 자들은 끊임없이 신비를 추구하며 절대성을 목적화 하여 절대성과의 합일을 추구하지만 이들이 단 한번 혹은 몇 번의 합일체험(신비체험)을 한 후에는 이들이 목적하는 합일의 경지가 다가오지 않아 이들은 기억 속에서만 신비의 경험을 간직한 채 신비를 갈망만 하며 살아가게 되는 것이다. 그러나 개중엔 신비체험에서 오는 환희와 경이감을 결코 잊지 못하고 신비현상을 반복적으로 추구하게 되는 경우가 있다. 신비가 반복되면 신비체험의 강도는 점점 낮아질 수밖에 없다. 신비는 관념을 버려야만 도달되는 체험이기 때문에 신비를 목적화하여 신비를 체험하기 위해서는 그 이전에 관념에 철저히 구속되어야만 한다는 전제가 필요하다. 그러나 신비체험을 할 때마다 관념으로부터 벗어나 몇 번의 신비체험 후에는 더 이상 벗어날 관념이 없어 신비체험을 할 수가 없는 것이다. 벗어날 관념이 있어야 벗어나며 신비를 체험 할 텐데, 벗어날 관념이 없다면 신비를 체험할 수가 없는 것이다. 관념이 없어 더 이상 신비가 다가오지 않을 때 이들은 어떻게라도 신비를 느끼기 위하여, 마침내 자신이 빠져나올 관념을 스스로 만들어 내어 스스로를 구속하고 스스로 만든 관념으로부터 빠져나오며 신비를 체험하고자 하게 된다. 고행과 금욕으로서 고통이라고 하는 자극적 관념을 스스로 만들어 내고 이로부터 빠져나오며 신비를 체험하는 것이다. 이들이 행하는 고행과 금욕이 스스로에게 단순하지만 직접적이고 효과적인 강력한 관념을 만들어내어 스스로를 관념(고통)속에 매몰시키고 이들은 스스로 만든 고통으로부터 빠져나오며 환희와 경이감을 반복적으로 느끼게 되는 것이다. 그러나 어떠한 고행이라 하더라도 같은 행위가 반복되면 이들의 고행은 마약과 같이 그 효과가 점차 떨어져 나중에는 어떠한 고행에서도 신비는 다가오지 않고 형식만 남아 공허한 수행만이 반복될 뿐이다. 신비를 경험한 자들은 그것이 이 세상 그 어떠한 가치보다 귀한 것임을 알기 때문에 누구나 신비를 목적화 하게 되지만 신비를 목적화 하는 것이 오히려 신비에 도달할 수 없게 만드는 장애물이 되는 것이다.

신비는 목적이 아니고 과정일 뿐이다. 우리가 신비를 통하여 나아갈 수 있는 것은 관념의 속성을 명확히 알아챌 수 있다는 것이다. 일생에 거의 한번만 도달할 수 있는 신비를 우리는 그저 어리둥절하게 맞이하며 신비자체를 목적화 하여 갈망하게 되지만 신비는 우리에게 관념의 속성을 명확히 알아차릴 깨달음의 기회를 줄 수도 있다는 것이다. 신비에 도달한 것이 깨달음이 아니라 신비로 인하여 관념의 속성을 명확히 알아차려야 하는 것이다. 수많은 자들이 신비에 도달하고 우린 누구나 언젠가는 신비를 경험하게 되지만 그것을 통하여 깨닫게 되는 자는 극소수에 불과하다. 그것은 가르치거나 배울 수 없는 오직 스스로 알아차려야만 하는 것이다. 신비는 관념에 대한 빤한 사실을 의식화 할 수 있는 계기를 만들어 주기 때문에 우리가 신비에 도달하고서 해야 할 일은 또 다시 신비에 도달하기 위하여 헛된 노력을 하는 것이 아니라 신비를 통하여 관념의 속성을 알아차리는 것이다.

우리가 사는 무한한 관념계에서 관념이 무언지도 모르고 끊임없이 축적하기만 하는 어리석음으로부터 벗어나기 위해서는 관념의 속성을 알아야만 하는 것이다. 그것이 깨달음이다.

25. 깨달음

우리는 나에게 가장 유리한 것을 찾아내기 위하여 항상 생각한다. 생각의 결과 무언가를 깨달아 어떠한 결론에 이르면 그 결론은 관념이 되어 우리의 기억 속에 축적된다. 시간이 가며 우리의 기억 속에 축적되는 이러한 관념들에 의하여 우리는 보다 나은 생활을 할 수도 있고 보다 유리한 행위를 하게 되는 것이다. 우린 수많은 깨달음의 결과물인 관념을 기억 속에 넣어놓고 보다 잘 살기 위하여 오늘도 끊임없이 관념을 축적하며 살아가고 있다. 그런데 이처럼 관념을 축적한 결과 보다 잘 살기위한 관념들이 우리를 즐겁고 행복하게만 하는 것이 아니라 오히려 고통으로 작동하여 우리를 보다 고통스럽고 절망에 이르게 한 것이다. 이처럼 우리 앞에 펼쳐지는 사안사안 마다 보다 유리한 결과를 찾아내고자 하는 행위가 그 당시에는 유리하고 기쁨을 줄 수도 있지만 그것이 지속되지 않고 다음 순간이나 시간이 흐르면 이전의 깨달음이 지금 혹은 나중에 고통으로 작동하는 것이다. 결국 수많은 깨달음들의 결과물인 관념이 우리에게 고통과 절망을 가져와 과연 깨달음이라는 것이 우리에게 진정 유리한 것인가를 다시 생각해 보게 한다. 우리가 그토록 찾아 헤매며 선택한 유리한 행위가 다음 순간이나 혹은 먼 시간 후에 우리에게 더욱 증폭된 고통을 안겨주어 유리한 행위라는 것이 결국에는 가장 불리한 행위가 되어 우릴 절망으로 밀어 넣는 것이다. 이처럼 우리 생각의 결과물은 항상 당시에는 옳고 유리한 것 같지만 언젠가는 불리하거나 어리석음으로 다가오게 되는 것이다. 우리가 현명하고 유리한 행위를 하기 위하여 아무리 기를 쓰고 노력을 한다 하더라도 우리의 모든 행위의 결과는 결국 어리석음으로 귀착되어진다는 것이다. 우리의 모든 행위와 노력이 결국 어리석음으로 귀착되어질 수밖에 없는 이유는 우리의 지능이 떨어져서도 아니요 노력이 부족해서도 아니다. 우리가 결코 현명해질 수 없는 이유는 우리의 의식이 한계 지어져 있기 때문이다.

의식은 각 개인이 가지고 있는 결합관념에 의해 만들어진 시간과 공간 중에 우리의 영혼이 미치는 영역을 말한다. 모든 자들의 영혼이 미치는 영역이 각기 다르고 결합관념의 부유물에 따라 영혼은 차단되기도 하고 확장되기도 하기 때문에 의식도 결합관념의 부유물 혹은 영혼의 흐름에 따라 늘어나기도 하고 줄어들기도 하는 것이다. 이처럼 의식의 크기는 관념 혹은 영혼의 흐름에 따라 유동적이지만 문제는 유동적인 그 의식의 경계를 따라 우리가 규정하고 정의하는 모든 명제들이 뒤집어지고 엎어지기도 한다는 것이다.

우리가 인식하는 그 어떠한 것이라 할지라도 그것이 의식 속에 들어와 있어야 만이 우리는 그것을 느끼고 알 수 있게 된다. 의식 속에 들어와 있다는 것은 우리의 영혼이 미치는 영역이란 말이다. 어떠한 인식의 파편이라 할지라도 의식 속에서 영혼의 저항을 받아야만 그것이 가치인지 반 가치인지 혹은 그 크기가 어느 정도인지를 판가름 할 수 있는 것이다. 영혼이 미쳐야만 우린 그것을 의식 할 수 있고 영혼이 미치지 않는다면 그것은 의식되지 않고 인식만 될 뿐이다. 의식은 진정한 앎이자 나 자신의 행동을 동반하지만 인식은 관념의 비교이며 자신의 행동은 동반하지 않고 남을 통제할 뿐인 것이다.

우리는 항상 의식 내의 고통만을 느끼고 의식 내의 고통만을 알 수 있고 의식 내의 고통에 대비하여 행위를 하기 때문에 의식 속의 아무리 사소한 고통이라도 그것을 없애기 위하여 최선을 다한다. 의식이 적은 자이건 아니면 의식이 거대한 자이건 오직 의식 속의 고통을 없애기 위하여 최선을 다하는 것이다. 그 어떠한 자도 의식 속으로 고통을 가져오려 하지 않고 의식 밖으로 가치를 내다버리지 않는다. 의식되어지는 대상에 대하여 우린 항상 최선을 다하고 성실하며 마치 천사와 같은 행동을 하는 것이다. 그러나 의식 밖의 것에 대해서는 악마의 행위도 서슴지 않고 하게 된다. 왜냐하면 느껴지지 않기 때문이다. 우리는 의식 내의 대상에 대해서는 연민과 고통을 느껴 마치 천사와 같이 행동하지만 의식 밖의 대상에 대해서는 아무 느낌이 없어 마치 사이코패스와 같은 행동을 하게 되는 것이다.

많은 자들이 자신은 정말 착하다고 여기며 남을 항상 배려하려 하고 어려운 자들을 도와주며 눈에 보이는 모든 것을 살피고 자신의 주변을 위하여 항상 주의를 기울이기도 한다. 이들은 남들이 느끼는 것 이상으로 느끼며 남들이 생각하는 것 이상으로 생각한다. 이들은 의식이 크기 때문이다. 우린 이러한 자들을 마치 천사와 같다 하지만 이들의 의식이 아무리 크다 할지라도 이들도 의식이 미치지 않는 것에 대해서는 아무런 느낌도 상상도 추리도 하지 못하고 마치 사이코패스와 같은 행동을 하게 되는 것이다. 왜냐하면 그것은 의식 밖이기 때문이다. 내가 정말 착하고 훌륭하지만 거기까지는 생각할 수 없다는 것이다. 아무리 천사라 할지라도 의식의 경계를 넘어서면 오직 대상으로부터 가치를 빼앗으려는 행위만 하게 되는 것이다. 왜냐하면 거기까지는 의식이 미치지 못하기 때문에 그것 까지는 할 수 없다는 것이다. 내가 의식 내의 모든 것들을 위하여 얼마나 헌신하고 배려하고 정말 뼈골 빠지게 노력해 왔는데 그 정도면 됐다는 것이다. 세상에 나처럼 착하고 성실하며 남을 위하여 헌신한 사람이 어디 있단 말인가? 그렇다 우리는 의식 범위내의 모든 것들에 대해서는 정말 착하고 성실하며 몸을 바쳐 헌신한다. 그런데 의식을 벗어나면 거기까지는 못하겠다는 것이다. 거기까지는 느낌이 오지 않는다는 것이다. 거기까지는 알 수 없고 알 필요도 없다는 것이다. 오직 의식 범위 내의 것만 중요하기 때문에 의식 밖의 것들은 어찌되든 상관없다는 것이다.

의식이 거대하건 아니면 사이코패스처럼 의식이 좁아들어있건 모든 자들은 의식범위내의 모든 것에 대하여 정말 최선을 다하고 헌신하며 마치 천사와 같이 행동하지만 의식 밖의 것에 대해서는 악마와 같은 행동을 하면서도 자신이 악마인지 알지 못한다. 느껴지지 않기 때문이다.

시공이란 나의 결합관념이 만들어낸 바로 나이다. 그런데 우린 나의 전부를 의식하지 못하고 지금 여기라고 하는 시공의 극히 일부만을 의식하며 나 자신을 의식의 안과 밖으로 나누어 놓고 의식 안의 고통을 의식 주변으로 뿜어대고 의식 주변의 가치는 의식 안으로 끌어들여 의식을 중화시킴으로서 의식의 공을 이루고자 하는 것이다. 삶의 목표이자 우리행위의 궁극적 목표인 의식의 공을 이루고자 하는 수많은 행위들에 의하여 시공이 변화하고 시공이 변화함에 따라 우리의 의식은 옆으로 혹은 다음 순간으로 우리가 고통을 뿜어대었던 우리가 가치를 고갈시켰던 이전의 의식 주변으로 이동하는 것이다. 때문에 우리는 우리가 행했던 가치의 교환에 의하여 우리가 가치를 뽑아내고 고통을 내다버림으로서 전보다 더 피폐해진 주변의 시공 속으로 들어가게 되는 것이다. 주변으로부터 가치를 가져오는 많은 일들을 하고 남들로부터 존경과 부러움을 받아가며 정말 성실하게 살았음에도 불구하고 의식이 이동하며 시공이 변화하면 이전의 성실함으로 인하여 지금의 시공은 오히려 피폐해지고 그럴수록 더욱 성실히 많은 일들을 하게 되지만 일을 하면 할수록 의식 밖 주변은 더욱 피폐해져 우린 자신이 내다버린 고통으로 인하여 더욱 높아진 절망의 담벼락에 둘러싸이게 되는 어리석은 행위만을 하게 되는 것이다. 우리의 의식이 한계 지어져 있을 때 우리는 의식 이외의 시공을 느낄 여력이 없어 오직 의식 내의 것만을 위하여 모든 행위를 하기 때문에 어떠한 행위를 하더라도 시공이 변화하고 의식이 이동하면 예전의 행위가 지금의 고통으로 작용하는 어리석은 결과로 귀착되는 것이다. 때문에 우리가 어리석음으로부터 벗어나 현명한 행위를 하기 위해서는 의식의 한계를 극복해야만 하는 것이다.

그런데 우리의 의식이 한계를 극복해 무한히 확장된다면 우린 유·불리를 따질 비교대상이 사라져 어떠한 판단도 할 수 없어진다는 것이다. 우리가 유·불리를 따지기 위해서는 반드시 의식이 한계 지어져 있어야 의식의 안과 밖을 비교하며 유리한 것인지 불리한 것인지를 구분할 수 있는 것이다. 우리가 판단을 하기 위해서는 의식이 한계 지어져 있어야 하고 의식이 한계 지어져 있는 한 우리의 모든 판단은 어리석음으로 귀착되고 현명해지기 위하여 의식의 한계를 벗어나 모든 것을 의식할 수 있다면 의식 밖의 비교대상이 사라져 우린 유·불리를 결정할 어떠한 판단도 할 수 없어 우린 결코 아무것도 할 수 없게 된다는 것이다. 우리가 지금 무엇인가를 하고 있다는 것은 우리의 의식이 한계 지어져 있고 언젠가는 어리석음으로 귀결될 일을 하고 있다는 것이다.

우리의 의식이 한계 지어져 있는 한 우리는 그 어떠한 것을 깨달았다 하더라도 우리의 깨달음은 결국 어리석음이요 우리의 행위는 불리한 행위가 되어 우리에게 돌아오게 되어있는 것이다. 그럼에도 불구하고 우린 지금도 무엇이 가장 유리한 것인가를 끊임없이 생각하고 끊임없이 관념을 만들어나가며 그에 따라 끊임없이 행동하며 살아가고 있다. 이는 오직 나 자신의 이익만을 위하여 주변을 훼손해 나가는 행위를 끊임없이 한다는 것이다.

오직 나 자신의 의식만을 위하여 주변을 훼손해가며 사는 것이 우리의 삶이다. 남들을 위하여 혹은 국가와 민족을 위하여 나아가 온 인류를 위하여 위대하거나 혹은 거룩하기까지 한 일들을 한다 하더라도 이는 결국 의식의 주변에 더 많은 고통을 만들어 낼 뿐인 것이다. 이것이 바로 의식이 한계지어진 자들의 어쩔 수 없는 행태인 것이다. 우리의 의식이 한계 지어져 있는 한 우린 그 어떠한 방법으로도 어리석음으로부터 벗어날 수 없는 것이고 의식의 한계로부터 벗어나 완벽히 현명해진다면 우린 아무런 판단도 행위도 할 수 없게 되는 것이다. 그렇다 하더라도 우린 이제까지 어리석은 행위만을 해왔기 때문에 아무런 판단도 행위도 할 수 없는 무위에 빠진다 하더라도 과연 그것이 정말로 가장 현명한 것인지 알아보기라도 해보아야만 어리석음이든 현명함이든 선택을 할 수 있는 것이다. 때문에 우린 선택을 하기 위해서라도 이제까지의 어리석었던 삶과는 달리 의식의 한계를 벗어나 현명해져볼 필요가 있는 것이다. 그런데 어떻게?

관념에 의하여 의식 속에 대상화 되어있는 것이 바로 나이고 나라는 의식이 존재함에 따라 남이라는 배타적 타의식도 동시에 존재하게 되는 것이다. 때문에 우리가 나와 남을 구분 짓는 의식의 한계로부터 벗어나기 위해서는 의식속의 나를 만들어내는 관념 욕구 고통으로부터 벗어나야만 하는 것이다. 관념 욕구 고통으로부터 벗어나 의식속의 나를 사라지게 하면 남도 동시에 사라지고 우린 나와 남의 구분 없이 모든 것을 있는 그대로 의식하게 되는 것이다. 그것이 바로 의식을 비우는 것 즉 의식의 공이라 할 수 있는 것이다. 의식의 공에 도달하게 되면 우린 나와 남의 구분이 없어지고 절정감이나 신비 환희와 같은 감정의 클라이맥스를 경험하게 됨과 동시에 더 이상 어떠한 욕구도 존재하지 않아 더 이상 어떠한 것도 원치 않게 됨으로서 모든 것이 충만한 가장 유리한 상태에 도달하게 되는 것이다. 우리가 어떠한 방법으로든 의식의 공에 도달할 수만 있다면 그것이 순간이라 할지라도 그 순간만큼은 의식의 한계로부터 벗어나 가장 유리하고 현명해질 수 있는 것이다.

이처럼 의식의 공은 우리에게 가장 유리함과 현명함을 동시에 가져온다. 가장 유리한 것과 가장 현명한 것은 의식의 공이라 하는 의식이 비어있음으로 인하여 어떠한 판단도 할 수 없고 따라서 아무것도 선택 할 수 없는 가장 멍청한 상태에서 아무것도 하지 않을 때 오직 무위의 상태에서만 존재한다는 것이다. 이처럼 아무런 판단도 선택도 할 수 없어 가장 멍청한 상태인 의식의 공이 우리가 그토록 찾아 헤매던 가장 유리한 상태이며 가장 현명한 상태인 것이다.

그런데 우린 의식의 공이라 하는 가장 멍청하고 유리한 상태에 도달하면 자신이 마치 깨달은 것이 아닌가 하고 착각하게 되는 경우가 있다. 깨달음이란 문제의 답을 발견함을 말하는데 의식의 공은 답을 찾음으로서 오는 것이 아니라 문제 자체를 버림으로서 가장 멍청해지는 과정에서 도달되는 것이다. 때문에 깨달음과 의식의 공은 같은 상태가 아니라 정 반대의 상태라 할 수 있는 것이다. 그럼에도 불구하고 우리가 의식의 공에 도달한 것을 깨달음이라 착각할 수 있는 이유는 우리가 의식의 공에 도달하게 된 이유가 자신이 그곳에 도달하기 직전에 행하였던 방법에 의하여 의식의 공에 도달한 것이라고 여기기 때문에 자신이 마치 의식의 공에 도달하기 위한 방법을 터득한 것으로 여기기 때문이다. 우리가 만약 의식의 공에 도달하기 위한 방법을 터득한 것이라면 우린 깨달은 것일지도 모른다. 그러나 의식의 공이라는 상태는 순식간에 사라지고 가장 유리한 상태는 또다시 고통이 밀려오며 말짱 도루묵이 되는 것이다. 그 순간의 기억에 대한 여운은 오래 동안 남는다 하더라도 의식의 공이라는 순간은 순식간에 지나가는 것이다. 때문에 우리는 반복적으로 의식의 공에 도달해야 하는데 우리가 다시 의식의 공에 도달하기 위하여 똑같은 방법을 되풀이하면 그것이 되어지지 않는다는 것이다. 깨달음이란 방법을 아는 것인데 어떠한 경우에도 똑같은 방법을 되풀이 했을 경우에는 적용이 되지 않는다는 것이다. 때문에 우린 깨달았다고 착각은 할 수 있지만 이러한 방법으로 진정한 깨달음을 얻을 수는 없는 것이다. 그러나 그것이 깨달음이건 아니건 우리에게 중요한 것은 깨달음이냐 멍청함이냐가 아니라 무엇이 가장 유리하냐이다. 때문에 우린 깨닫기 위해서가 아니라 가장 유리해지기 위하여 가장 멍청하지만 가장 유리한 의식의 공에 도달해야만 하는 것이다. 그러기 위하여 우린 의식의 공에 도달하는 방법을 터득해야만 하는 것이다. 우리는 과연 그토록 찾아 헤매던 가장 유리한 상태인 의식의 공에 도달할 수 있는 방법을 터득할 수 있는 것인가? 만약 그러한 방법이 존재하고 우리가 그 방법을 터득할 수만 있다면 우린 깨달음과 유리함을 동시에 얻게 될 지도 모르는 것이다.

우리는 삶을 살다가 알게 모르게 의식의 공에 도달하는 경우가 있다. 사랑을 하다 혹은 종교수행이나 예술을 하다가 혹은 도박이나 마약을 하다가 도달하기도 한다. 이처럼 우리는 수많은 방법으로 의식의 공에 도달할 수 있지만 우리가 의식의 공에 도달하기 위하여 의도적으로 어떠한 방법을 택했을 때 그것은 잘 되어지지 않는다. 의식의 공은 우리가 의도치 않았을 때에만 우연히 찾아오게 되는 것이다. 의식의 공은 목적화 되지 않는다는 것이다.

우리에게 가장 유리한 의식의 공이 목적화 되지 않고 의도되지 않는다 하더라도 우린 그것을 의도적으로 찾아 나설 수밖에 없다. 왜냐하면 아직 진정한 깨달음을 얻지 못했기 때문이다. 때문에 어차피 어리석은 짓을 할 수밖에 없는 것이다. 때문에 우린 가장 유리한 상태인 의식의 공에 도달하는 방법을 찾아내기 위하여 먼저 도달한 자들의 행태를 따라하거나 그들의 지도를 받아 의식의 공에 이르려 한다. 만약 이러한 방법에 의하여 의식의 공에 이르는 방법을 터득한다면 가장 쉽게 진정한 깨달음을 얻게 되는 것이다. 때문에 우리는 수많은 경전을 앞에 놓고 그 속에 숨겨져 있는 비밀을 찾아내기 위하여 끊임없이 뒤적거리거나 먼저 깨달음을 얻었다는 자들에게서 비밀스러운 가르침을 얻기 위하여 추종자가 되기도 하고 남들이 깨달음을 얻을 때 걸려 넘어졌다는 돌부리가 어떠한 것인지 알아내기 위하여 길을 갈 생각은 않고 돌부리를 부여잡고 어떻게 걸려 넘어져야 하는지 알 수 없는 고민에 휩싸여 세월을 낭비하기도 하는 것이다.

수많은 자들이 자신이 터득한 방법을 제시하며 우리에게 따라올 것을 요구하지만 그들이 제시하는 방법은 그들 자신만의 과거 경험일 뿐 현재의 자신은 물론 누구에게도 적용되지 않는 것이다. 우린 남들이 아무리 훌륭하게 의식의 공에 이르렀다 하더라도 그것을 흉내 내어서는 평생을 흉내만 내며 삶을 허비할 수도 있는 것이다. 가장 유리한 상태인 의식의 공은 누구나 도달할 수 있고 언제 어디서나 도달할 수 있지만 오직 누군가로부터 제시된 방법에 의해서만 도달할 수 없는 것이다. 이 세상 모든 곳이 길이지만 길에 표지판을 세우는 순간 표지판은 장애물이 되어 발걸음을 멈칫거리게 만드는 것이다.

누군가로부터 제시받는 길은 예전엔 그 누군가에게는 맞는 길이었을지도 모른다. 그러나 그 어떠한 길이라도 시공이 변화하면 길이 아니라 장애가 될 수 있는 것이다. 또한 그 어떠한 길이라도 한 번 도달해서 시공이 변화하면 시공이 변한 만큼 새로운 길을 찾아나서야 하기 때문에 나중엔 무용지물이 되기도 하는 것이다. 때문에 우리는 시공이 변함에 따라 끊임없이 길을 찾아야만 하는 것이다. 목표에 도달하는 순간 목표는 과제가 되어버리고 답을 찾는 순간 답은 문제가 되어 우린 끊임없는 노력을 하며 방법을 찾아 가장 유리한 상태인 의식의 공에 이르려 하지만 결국 어떠한 방법도 궁극의 답을 제시하지 못해 우린 끊임없이 방법을 찾아 헤매기만 하는 것이다. 우린 의식의 공이라는 가장 유리한 상태에 어쩌다 한 번은 도달할 수도 있고 그것을 경험할 수도 있다. 그러나 의식의 공에 도달하기 위하여 똑같은 방법을 다시 시도하면 되어지지 않고 우리는 어쩌다 도달한 의식의 공으로 인해 자신이 변한만큼 완전히 새로운 또 다른 방법을 찾아야만 하고 우린 또다시 절망의 벽에 부딪치게 되는 것이다. 이와 같은 과정이 되풀이 되다보면 우린 모든 방법에서 좌절하게 되고 그토록 갈망하던 의식의 공에 다시 도달할 수 있는 어떠한 방법도 존재하지 않음을 깨닫는 순간 우린 결국 절망에 빠질 수밖에 없는 것이다. 이처럼 우리가 하는 모든 행위는 결국 절망을 향한 무한질주 일 뿐이다. 아무리 훌륭하고 거룩한 행위라 할지라도 결국엔 그 행위로 인하여 절망을 앞당길 뿐인 것이다. 절망에 다다르면 우린 절망을 넘어 삶에서 멀어지거나 아니면 절망의 한 복판에서 그토록 추구하던 삶의 의지 - 깨달음의 의지 - 를 놓아버리게 되는 것이다. 이제까지 추구해왔던 삶의 모든 목표를 절망에 이르는 순간 자포자기 해버리는 것이다.

절망에 다다르면 우린 삶의 모든 의지를 놓아버리게 된다. 그런데 절망에 다다라 삶의 의지와 목표를 놓아버리면 우린 이상하게도 편안해지며 비로소 절망으로부터 저절로 벗어나게 되는 것이다. 절망이란 모든 희망이 사라지고 어떠한 의지도 가동되지 않는 상태를 말한다. 그런데 절망에 다다라 모든 희망이 사라져 모든 의지를 놓아버리면 고통스러운 것이 아니라 오히려 지극히 편안해지며 마치 세상을 달관한 듯 한 깨달음의 경지에 오르기도 하는 것이다. 절망에 다다라 모든 의지를 놓아버리면 마치 잠수부가 잠수를 위해 지니고 있던 납덩이를 놓아버림으로서 부력에 의하여 급격히 물위로 떠오르는 것처럼 우린 절망으로부터 급격하게 빠져나오게 되는 것이다. 절망의 깊이에 따라 그리고 절망의 깊이에 의한 부력으로서 절망으로부터 벗어나는 속도에 따라 우리는 달관을 하든 해탈을 하든 아니면 신비나 환희에 빠지든 결정 나는 것이다. 삶의 의지이건 깨달음의 의지이건 우리의 의지에 의한 모든 행위는 결국 무산되어 우리를 절망으로 몰아넣고 우린 의지에 의해서가 아니라 절망에 다다름으로 인해 비로소 달관이건 편안함이건 아니면 깨달음이건 답을 얻는 것이다. 이처럼 우린 절망에 다다름으로서 비로소 깨달음의 준비를 마치는 것이다. 절망에 다가가는 과정에서는 절망에 빠지지 않기 위하여 기를 쓰겠지만 절망에 빠져 벗어나기 위한 어떠한 방법도 존재하지 않음을 느낄 때 비로소 자포자기 하여 의지를 놓아버리면 전혀 생각지 않던 편안함과 안락이 찾아와 우린 삶의 의지가 가져오는 삶의 덧없음을 깨달으며 무위 속에서 비로소 지극한 편안함을 느끼게 되는 것이다. 이처럼 우리는 살다보면 언젠가는 절망에 다다름으로 인해 누구나 깨달을 수 있는 계기가 주어지는 것이다.

우리가 절망에 다다라야만 비로소 깨달음을 경험할 수 있는 이유는 절망은 우리에게 감정의 진폭을 확보케 해주고 이 세상의 실체인 관념의 속성을 명확히 보여주기 때문이다. 우리가 깨닫기 위하여서는 깨달음의 대상물인 이 세상의 실체를 알아야 하는데 절망에 도달하지 않으면 이 세상의 실체를 알 수 없다는 것이다. 우리가 살고 있는 관념계인 이 세상의 실체는 고통 욕구 관념이기 때문에 우리가 고통이 아닌 쾌감을 느낄 때에는 이 세상의 실체를 알 수 없는 것이다. 왜냐하면 쾌감은 고통의 반대급부로서만 느낄 수 있는 것이지 쾌감 자체에는 실체가 없기 때문이다. 때문에 우리가 실체를 알기 위해서는 그 실체가 충만하여 어떠한 불순물도 끼어들지 않은 절망에 도달해야만 한다는 것이다. 이 세상의 순수한 실체에서만 우린 비로소 세상이 어떠한 것인지 알 수 있고 오직 이 때에만 이성과 감성을 통 털어 완전하고 철저하게 깨달을 수 있는 조건이 주어지기 때문이다.

우린 이 세상에 대하여 물어볼 때 가장 성공한 자들 가장 쾌감에 들떠있는 자들 다시 말해 이 세상의 실체를 거의 가지고 있지 않은 자들에게 물어본다. 도대체 이 세상이 무어라고 생각하는지 이 세상을 잘 살기 위해서는 어찌해야 하는지 이 세상의 실체를 가장 가지고 있지 않은 자들에게 이 세상을 물어보는 것이다. 사실 이 세상의 실체를 물어보려거든 가장 고통스러운 자 절망에 휩싸인 자에게 물어보아야만 세상에 대한 답이 나오는 것이다. 그런데 우린 남보다 빨리 쾌감으로 인하여 세상으로부터 벗어나고 있는 자들에게 세상을 물어본다. 이들은 대답한다. 세상은 좋은 것이라고 너희들은 그냥 거기에 있으며 세상을 받아들이라고 그래야만 이들은 세상을 밟고 쾌감의 도약을 하여 세상으로부터 멀리 떨어져 있을 수 있는 것이다.

우린 사실 세상의 실체를 알고 싶은 것이 아니라 이 세상의 실체로부터 벗어나는 방법을 알고 싶은 것이다. 이 세상에서 성공한 자들 쾌감의 도약을 하는 자들로부터 우리가 듣고 싶은 말은 이 세상의 실체가 아니라 이 세상의 실체로부터 벗어나는 방법을 듣고 싶은 것이다. 그런데 우리가 이 세상의 실체로부터 벗어나고 싶으면 자신을 구속하고 있는 실체를 알아야만 하는데 우린 실체를 알기 이전에 그로부터 도피하려 하기 때문에 알지도 못하고 벗어나지도 못해 구속되어 살아가는 것이다. 우리가 이 세상의 실체로부터 벗어나려거든 먼저 실체가 무엇인지 알아보아야만 하는 것이다. 그런데 이 세상의 실체에 다가간다는 것이 너무나 고통스럽기 때문에 우린 알 수도 없고 벗어날 수도 없는 갈등 속에 있는 것이다. 다만 이 세상의 실체를 알고자 하는 깨달음의 욕구가 극에 달했음에도 불구하고 깨닫지 못해 이로 인한 절망에 다다른다면 우린 깨달음의 욕구에 의해서가 아니라 깨달음의 욕구로 인한 절망에 다다름으로 인해 비로소 이 세상의 실체에 다가갈 수 있고 그로 인해 깨달을 수도 있는 것이다. 우린 깨달고자 해서 깨달아지는 것이 아니라 오직 절망에 다다름으로 인해서만 깨달을 수 있는 것이다. 절망은 이 세상의 실체를 온전히 느끼게 해주기 때문이다.

또한 이 세상을 깨닫기 위해서는 이 세상을 보다 크게 바라보아야 하는데 그러기 위하여 우린 세상 밖이라 할 수 있는 절대성에 도달해야만 하는 것이다. 숲을 보기위해서는 숲 밖으로 나가야하듯 이 세상을 보기위해서는 절대성에 도달하는 것이 필요한 것이다. 때문에 우린 절대성에 도달하기 위하여 많은 양의 관념이 급속히 빠져나가는 과정 - 신비, 해탈, 깨어남 - 을 필요로 하는데 이러한 과정을 가능케 해주는 것이 바로 절망이라는 것이다. 우린 절망에 이르러 관념이라는 나무를 보고 절망으로부터 벗어나 신비나 환희를 느끼며 절대성(의식의 공, 신, 존재, 관념계의 바깥)에 도달해야만 비로소 관념계라는 숲을 볼 수 있게 되기 때문에 절망이라는 것은 우리에게 관념과 관념계라는 나무와 숲을 연이어 볼 수 있는 기회를 부여해주는 것이다.

또한 깨달음은 감정의 진폭을 필요로 하는데 이러한 감정의 진폭을 확보할 수 있게 하는 것이 바로 절망이다. 감정의 진폭이 클수록 고통과 쾌감의 대비를 보다 명확히 하기 때문에 보다 커다란 감정의 진폭을 느낄수록 우리는 관념의 속성을 보다 명확히 알아차릴 수가 있는 것이다. 때문에 만약 우리의 의식이 오직 한가지로만 채워져 있는 절망이나 절정이라고 하는 의식의 양 극단을 순간적으로 동시에 경험한다면 우리는 감정의 최대 진폭을 최단시간에 경험하게 되어 관념의 속성을 보다 명확히 알아차리게 되는 것이다. 그러기 위하여 우린 절망의 상태에 도달해야만 한다는 것이다. 우린 그 누구도 절망의 상태에 도달하려 하지 않겠지만 우리의 삶 자체가 절망을 향한 무한 질주이기 때문에 삶을 열심히 산 자들은 누구나 언젠가는 반드시 절망에 다다르게 되는 것이다. 삶을 열심히 사는 자들일수록 절망이 아닌 절정을 향하여 나아가길 간절히 바라고 추구하지만 삶이 우리를 위하여 준비하고 있는 것은 절정이 아니라 절망인 것이다. 때문에 우린 지금은 아니라 할지라도 언젠가는 절망에 다다라 깨닫기 위한 필요충분조건을 갖추게 되는 것이다.

이처럼 절망은 깨닫기 위한 필수적인 과정이 되는 것이다. 우리가 진정 깨닫기 위해서는 방법을 알아야만 하는데 그 방법이 '절망에 도달해야만 한다.'라고 하는 우리가 가장 싫어하고 지금도 벗어나고자 발버둥치고 있는 바로 그 방법뿐이라는 것이다. 깨달음의 의지이건 삶의 의지이건 의지를 가지고 있는 모든 자들은 절망은 피하고 오히려 쾌감의 극치인 절정만을 추구하며 깨달음의 의지를 불사르지만 이들의 모든 의지는 결국 좌절되어 누구나 결국엔 절망에 빠질 수밖에 없게 되는 것이다. 그러나 이들의 의지가 무산되어 절망에 빠지면 이들에겐 비로소 깨달음의 자격이 주어지는 것이다.

우린 깨닫기 위하여 극한의 노력을 한 나머지 마침내 깨달았다는 자들이 있었다는 것을 많이 들어왔다. 그러나 이들이 깨닫게 된 이유는 깨달음의 의지에 의한 것이 아니라 깨달음이라는 거대한 욕구를 이루기 위한 의지에 의하여 의식은 극도로 포화되고 깨달음의 의지가 성취되지 않음에 의한 절망에 깊이 빠짐으로 인해 모든 의지는 무산되어 버리고 마침내 의지의 허망함을 깨달아 모든 의지와 욕구 관념을 놓아버림으로서 절망으로부터 급격하게 빠져나오는 과정에 신비와 환희를 느끼며 깨어남(의식의 공)을 경험하고 비로소 깨달음을 얻게 된 것이다.

깨닫고자 하는 최대의 관념과 욕구가 포화되어 의식이 가장 팽창되고 폭발일보직전인 상황에서 의지의 허망함을 깨달아 모든 욕구를 놓아버리고 자포자기해버리면 비로소 의식으로부터 최대의 관념이 최고의 속도로 빠져나가는 경험을 하게 되는 것이다. 이 기가 막힌 배설의 순간을 우린 신비나 깨어남 환희 해탈 등 여러 가지 표현을 하겠지만 이러한 것은 관념이나 욕구 깨달음 등 모든 판단을 놓아버린 가장 멍청한 상태에 이른 것이다. 우린 멍청해지는 것도 강렬하게 이르러야만 비로소 그럴듯해 보이는 것이다.

이처럼 의지의 허망함을 깨달아 의식을 포화시키고 있던 욕구를 포기하자 욕구는 무력화되고 욕구를 형성하고 있던 의식 속 관념이 순간적으로 사라지자 우리의 영혼은 의식 속으로 들어오는 모든 인식의 파편들을 관념의 필터 없이 접촉하게 되어 모든 사물은 선명해지고 허공의 빛은 관념의 필터가 사라지자 모든 사물의 후광처럼 쏟아져 들어오고 우리는 쏟아지는 빛을 바라보며 환희에 빠지게 되는 것이다.

우린 삶이 허무하다느니 허망하다느니 일장춘몽이라느니 이 세상이 허망하다는 말을 너무나 많이 듣고 사용해왔다. 그런데 이러한 말을 아무리 듣는다 하더라도 마음에 와 닫지 않고 허망이라는 용어 자체가 그럴듯하고 멋드러진 표현이라고만 생각할 뿐 단 한 번도 제대로 느끼지 못하고 살아온 것이다. 그런데 우리가 절망에 이르러 허망을 깨닫는 순간 허망이라는 깨달음은 모든 의지를 몰아내고 욕구를 몰아내고 관념을 몰아내어 우리의 의식을 완벽하게 청소하게 되는 것이다. 이처럼 허망은 절망 속에서 비로소 의식 속으로 들어오며 실상화

되어 모든 것을 뒤바꿔놓는 것이다. 깨달음은 어려운 논리가 아니라 가장 단순하고 빤한 것을 의식화 하는 순간 일어나는 것이다. 이처럼 깨달음은 의식화의 과정을 거치기 때문에 깨달음은 반드시 깨달음으로 인한 행동(무위)을 동반하게 된다. 그러나 우리의 의식은 관념의 구조와 영혼의 흐름에 따라 그 크기가 유동적이기 때문에 우리는 일관되지 않은 행위를 하게 되기도 하는 것이다.

이처럼 우리가 깨닫는 순간 깨달음은 절망상태의 모든 의지와 욕구를 의식 밖으로 몰아내고 우린 어리둥절하게도 가장 유리한 상태인 의식의 공에 비로소 도달하게 되는 것이다. 우리가 그토록 원했던 의식의 공은 우리가 전혀 의도하지 않았음에도 깨달음이라는 요인에 의해 의식 속 모든 관념이 사라지며 생뚱맞고 어리둥절하게 도달되는 것이다.

이처럼 의식이 포화된 상태에서 깨달음에 대한 의지와 욕구를 놓아버림으로서 의식의 공에 이르면 우린 그 과정이 가장 강렬하면서 절망과 절정의 진폭이 극대화 되어 순간적으로 가장 완벽한 의식의 공에 이르게 되는 것이다. 이때의 상태를 신비나 해탈 등 여러 가지 미사여구로 표현하지만 이와는 달리 우리가 깨달음의 의지와 욕구로 의식을 포화시킨 후에 마침내 새로운 무엇인가를 깨닫게 된다면 이 역시 강렬하지만 마지막에 깨닫고자 했던 대상이나 원리가 남아 그 대상이나 원리는 감정적 클라이맥스의 추인을 받아 진리가 되어 남들에게 전파된다. 이처럼 강렬하게 감정의 변화를 겪으며 깨달은 자들은 자신이 마치 신의 계시를 받았다느니 깨달았다느니 해탈했다느니 스스로를 자화자찬하며 이때의 기억을 남들에게 전파하게 되는 것이다. 이들은 아직 완전한 의식의 공에 이른 것이 아니라 마지막까지 집착했던 관념을 아직까지 버리지 못한 것이다. 이들이 마지막까지 집착했던 관념은 계율이 되기도 하고 원리가 되기도 하며 대중에게 제시되어 대중과 의식의 공 사이에 새로운 빗장이 되어 오히려 우리를 관념에 철저히 옭아매는 역할을 하기도 하는 것이다. 우리가 사는 관념계에서 의식의 공에 완전히 다다른 자들은 아무런 관념을 생성하지 않지만 의식의 공에 다다랐다 다시 관념의 세계로 끌려 들어온 자들은 어떠한 방법으로 절망에 이르러 의식의 공에 다다랐는지에 따라 깨달음이라는 명목으로 각기 다른 수많은 관념을 생성해 결국 어리석음으로 귀착되는 부조리를 퍼뜨리기도 하는 것이다.

이처럼 절망은 우리에게 허망이라고 하는 직관적 깨달음을 가져오기도 하지만 직관적 깨달음 이후에 논리적 깨달음을 연이어 가져오기도 하는 것이다.

우린 깨달음이라 하는 것이 항상 옳은 것이라 여기지만 깨달음은 지극히 주관적이고 옳고 그름을 판별하는 것이 아니라 나에게 쾌감을 가져오는지 아니면 고통을 가져오는지를 구분할 뿐인 것이다. 깨달음은 진리는 될 수 있어도 진실은 아닌 것이다. 우리를 움직이고 우리가 추종하는 진리는 옳은 것이 아니라 우리에게 쾌감을 가져오는 것이다. 우린 무엇이 옳고 무엇이 그른지 알 수 없고 오직 무엇이 나에게 기쁨을 주는지 쾌감을 주는지 나아가 절정감을 주는지에 따라 그 대상을 갈구하며 살아간다. 때문에 우린 누군가가 극한의 쾌감을 느꼈다 하면 그 쾌감을 느끼게 한 대상이나 원리를 우러르고 따르게 되는 것이다. 깨달음의 결과물로서 언젠가는 어리석음으로 판명 날 진리라는 관념도 감정의 클라이맥스를 겪고 이와 함께 주장되면 보다 힘 있는 진리가 되는 것이다. 때문에 이러한 감정의 클라이맥스를 업고 주장되는 진리들은 옳고 그름을 떠나 대중에게 전파되어 수많은 종교의 씨앗이 되는 것이다.

여기서 우리는 깨달음의 한계에 도달해 더 이상 깨달을 수 없는 자와 수많은 깨달음을 양산하는 자를 볼 수 있다. 깨달음의 한계에 도달해 더 이상 깨달을 수 없는 자는 스스로 느낄 수 있는 가장 큰 깨달음의 욕구로 인한 절망과 포기로 인한 절정을 순간적으로 겪어가며 의식 속에 관념이 포화된 상태와 관념이 사라져 영혼이 충만한 상태를 가장 짧은 시간에 가장 명료하게 비교할 수 있게 되어 관념의 속성을 간파할 수도 있게 되고 완전한 의식의 공을 경험함으로서 관념에 대한 시각을 바꾸고 가장 유리한 상태인 의식의 공을 지향하는 삶을 살게 되는 것이다.

이처럼 우린 깨달음의 한계에 부딪쳤을 때 모든 것을 포기하거나 해탈을 함으로서 버림을 체득할 수 있다. 그런데 버림을 체득하고 나서도 의식의 한계를 벗어날 수는 없는 것이다. 버림을 체득하고 의식의 공에 이르렀다 하더라도 우리가 살아있는 한 의식은 또 다시 관념에 의해 채워지며 우리의 의식을 한계 짓고 버림을 체득하고 나서도 끊임없이 버려야만 하는 상황으로 다시 빠져들게 되는 것이다. 우린 어쩌다 한번은 의식의 공에 도달할 수 있고 어쩌다 한번은 깨달음의 경지에 오를 수도 있다. 그러나 의식의 공이나 깨달음의 경지나 그 어느 것도 지속되지 않고 또다시 관념에 휩싸여 살아가야만 하는 삶의 운명에 빠지는 것이다.

우린 깨닫기만 하면 삶의 모든 문제가 일시에 영구적으로 해결되어 진정한 자유를 얻게 될 것이라 희망한다. 진정한 자유란 우리의 의식 속에 어떠한 관념도 존재하지 않아 우리의 영혼이 어떠한 걸림도 없이 흐르는 상태를 의미한다. 그러나 이러한 상태는 우리가 살아있는 한 절대 지속될 수 없는 것이다. 깨달음이란 직관 혹은 논리로서 우린 깨달음과 동시에 직관 혹은 논리로 이루어진 관념을 만들어내고 이때 만들어진 깨달음의 관념은 의식 속의 모든 분리관념을 무력화시키거나 사라지게 한 후 기억 속으로 들어가 결합관념이 되어 끊임없이 깨달음의 분리관념을 의식 속으로 분출하여 우린 평생 동안 혹은 깨달음이 오류로 판명 날 때 까지 기억 속 깨달음의 결합관념으로부터 피어오르는 분리관념의 영향을 받으며 살아가는 것이다. 만약 깨달음의 분리관념이 기존에 문제가 되었던 결합관념으로부터 피어오르는 모든 분리관념을 무력화 시킨다면 우리의 의식은 공의 상태를 유지하며 우린 자유를 누릴 수도 있는 것이다. 그러나 깨달음의 관념이 기억 속 모든 결합관념을 무력화 시킬 수는 없는 것이다. 왜냐하면 우리가 깨달을 당시 몰입했던 문제의 분리관념은 기억 속 모든 결합관념을 대변하는 것이 아니기 때문이다. 설사 과거 기억 속 결합관념을 모두 무력화 시킨다 하더라도 우리가 은둔생활을 하거나 골방에 틀어박혀 모든 자극을 차단하지 않는 한 시간이 흐르며 미래로부터 들어오는 예기치 못한 분리관념은 얼마든지 있을 수 있는 것이다. 그뿐만 아니라 깨달음에 의하여 의식이 확장된다면 의식이 확장된 만큼 새로운 문제의 분리관념이 의식 속으로 들어와 우리의 영혼은 이래저래 골치 아파지는 것이다. 때문에 우린 오직 깨달음으로 인한 의식의 공에 도달하는 순간에만 자유를 느낄 수 있을 뿐 살아있는 한 완전하고 절대적인 자유를 누릴 수는 없는 것이다. 깨달음의 자유는 신기루일 뿐 우린 살아있는 한 관념에 구속되어 살아갈 수밖에 없는 것이다. 깨달음의 관념이 아무리 강력하다고 할지라도 우리 의식을 둘러싸고 있는 모든 결합관념을 무력화시킬 수는 없는 것이고 미래로부터 들어오는 예기치 못한 분리관념을 모두 당해낼 수는 없는 것이다. 때문에 우리가 만약 깨달았다 하더라도 절대적 자유는커녕 또다시 관념에 구속되어 살아갈 수밖에 없는 것이다. 따라서 깨달은 자들이 스스로 자유롭다 하는 것은 깨닫고 나서 아직 시간이 많이 흐르지 않았거나 깨달음을 권력화 하여 어리석은 자들을 지배함으로서 깨달음이 아닌 권력의 자유를 느끼려 하는 것일 뿐 깨달음의 자유는 위선일 뿐이다.

그럼에도 불구하고 개중에는 깨닫기만 하면 절대적 자유를 얻게 되리라 생각하기도 한다. 이는 깨달음이 마치 이 세상을 벗어난 초월적 상태로 인식되기 때문이다. 우린 깨닫는 순간 깨달음의 관념이 생성되며 그 동안 문제가 되었던 의식 속의 모든 분리관념을 중화시키거나 밖으로 몰아내며 순식간에 의식의 공에 도달하게 되기 때문에 깨닫기만 하면 초월적 상태에 도달하는 것처럼 여겨지기도 하는 것이다. 이처럼 대부분의 깨달음은 깨달음 직후에 이제까지 문제시 되었던 의식 속 문제관념이 사라지며 의식을 비워 깨어남(의식의 공, 존재와 마주함, 해탈, 견성, 초월)의 상태를 동반하게 되기 때문에 우린 깨달음이 자유를 가져오는 것으로 착각하게 되는 것이다. 깨달음은 새로운 관념이 생성되는 것이고 깨어남은 의식 속의 모든 관념이 사라지는 것이다. 또한 깨달음은 능동적 행위이며 깨어남은 깨달음을 비롯한 수많은 행위(명상, 사랑, 종교, 마약 등)에 의해 수동적으로 도달하게 되는 상태이기 때문에 그 방향마저도 정 반대의 상태를 가리키는 것이다. 이처럼 깨달음과 깨어남은 전혀 다른 정반대의 상태임에도 불구하고 대부분의 깨달음에는 깨어남이 동반되기 때문에 우린 깨달음이 깨어남인 것으로 착각하는 것이다. 깨어남(의식의 공)의 상태에서는 우리의 영혼이 걸릴 것이 없어 우리가 무한한 자유를 느끼는 것이 사실이다. 그러나 이러한 상태는 잠시 동안만 유지되고 의식 속에 관념이 차오르면 우리의 영혼은 또다시 관념에 구속되는 신세를 면할 수 없는 것이다. 깨달음이 깨어남을 동반한다고 하더라도 절대적 자유는 순간에 그칠 뿐이고 우린 이러한 경험을 기억 속에서만 간직하게 되는 것이다. 그런데 만약 우리가 깨어남을 경험한 후 또 다시 깨닫게 된다면 그것이 아무리 훌륭한 깨달음이라고 하더라도 깨어남을 동반하지 못할 수도 있는 것이다. 왜냐하면 이전의 깨어남에서 이미 많은 관념이 사라졌기 때문에 사라질 관념이 없어 깨어남에 진입할 추진력을 얻지 못하는 것이다. 이러한 경우에는 아는 게 병이라고 오히려 깨달음으로 인한 고통만이 주어지는 경우도 있는 것이다. 이 세상의 실체를 모르면 우린 착각 속에 행복할 수도 있지만 이 세상의 실체를 깨닫고 나서 이 세상을 산다는 것은 그 누구보다 불행한 삶을 살 수도 있기 때문이다.

이처럼 깨달음 자체는 우리에게 자유를 주기보다는 언젠가는 우리의 영혼을 구속하는 고통으로 작동하게 되는 것이다. 깨달음이란 현재 '나에게 주어진' 모든 상황으로부터 벗어나 가장 유리한 것을 찾아가는 과정이기 때문에 상황이 변화하면 깨달음은 오류가 되는 것이다. 그럼에도 불구하고 우린 깨달음과 깨어남의 동시성 때문에 깨달음을 깨어남(의식의 공)으로 착각하는 경우가 많아 깨달음의 상태가 절대적 자유의 상태라 여기게 되는 것이다. 깨달음은 절대적 자유를 얻게 되는 과정이지 절대적 자유를 누리는 것은 아닌 것이다.

우리가 절대적 자유를 누리기 위해서는 반드시 깨어남(의식의 공)

의 상태에 도달해야만 하는데 이러한 깨어남의 상태는 관념계를 벗어나 존재계(공, 신, 초월적 상태)에 도달해야만 비로소 경험할 수 있는 것이다. 그러나 존재계는 관념으로서의 삶의 영역이 아니기 때문에 우린 존재계에 안주할 수 없고 관념계와 존재계 사이에는 관념으로 이루어진 절망의 담벼락이 자리 잡고 있기 때문에 우린 절망이라는 극한의 상황이 아니고서는 존재계를 맛볼 수조차 없는 것이다.

절대적 자유를 얻고 더불어 절대적 자유를 지속적으로 누릴 수 있는 완전한 깨달음은 우리가 살아있는 한 절대 누릴 수 없는 신기루와 같은 것이다. 삶에서의 완전한 깨달음이란 감옥 안에 있는 채로 완전한 자유를 얻으려는 것과 같다. 감옥에서 완전한 자유를 얻으려면 방법은 탈옥을 하는 방법 밖에는 없는 것이다. 깨달음은 탈옥의 방법을 알아내는 것이지 자유를 누리는 것은 아닌 것이다. 이러한 깨달음의 과정을 우리가 살고 있는 삶이라는 관념의 감옥으로 비유하여 설명하면 우리가 감옥을 벗어나기 위하여 땅굴을 파거나 담벼락을 넘는 행위를 깨달음이라 한다면 감옥을 빠져나와 담장 밖에 서서 자유를 만끽하는 것을 깨어남(공, 해탈, 존재, 초월 등)이라 할 수 있는 것이다. 그러나 다음 순간 감옥의 사냥개들에 둘러싸여 다시 감옥으로 끌려들어오게 되는 것이다. 이처럼 우린 깨달음으로서 우리가 살고 있는 관념계(관념의 감옥)를 벗어나 잠깐이나마 깨어남의 영역인 존재계(감옥의 바깥)에 도달해 순간적으로 완전한 자유를 맛볼 수도 있다. 이처럼 깨달음에 의하여 잠깐이나마 깨어남을 맛볼 수도 있지만 깨달음의 과정에 땅굴만 하염없이 파다가 마지막에 간수에게 발각되어 감옥으로 다시 끌려 들어오는 경우도 있는 것이다. 이들도 분명 깨닫긴 깨달았지만 깨어남의 자유는 조금도 누리지 못하고 오히려 관념의 몽

둥이로 흠씬 두들겨 맞기만 할 수도 있는 것이다. 이처럼 우리가 감옥 밖의 자유를 누리기 위하여 능동적으로 탈옥을 감행하는 깨달음을 필요로 하는 경우도 있지만 간수의 인솔 하에 외부작업을 나간다든지 병 치료를 위하여 병원에 다녀오듯이 감옥 밖의 자유를 잠시나마 누리게 되는 경우도 있는 것처럼 자유를 위하여 깨달음이라는 능동적 행위를 하지 않고 자유를 의도하지 않았다 하더라도 우연히 잠시나마 자유를 누림으로서 어떠한 깨달음도 없이 깨어남을 경험하게 되는 경우도 있는 것이다. 이처럼 우린 깨달음에 의해 깨어남을 경험하기도 하지만 그보다는 어떠한 깨달음도 없이 명상이나 사랑 예술 도박 마약 등 수많은 몰입의 방법을 통해 우리가 예측하지 못하고 의도하지 않았을 때 우연히 - 간수의 인솔 하에 잠시 감옥 밖을 경험하듯 - 수동적이고 어리둥절하게 깨어남을 경험하게 되는 경우도 있는 것이다. 이처럼 우리가 잠시나마 진정한 자유를 맛보기 위해서는 깨어남의 상태에 도달해야만 하는데 이러한 상태는 깨달음보다는 오히려 사랑이나 명상 혹은 종교나 예술 등 우리가 몰입을 할 수 있는 수많은 방법으로 인하여 오히려 수월하게 도달되기도 하는 것이다. 그러나 우리가 도달하는 그 어떠한 깨어남이라 하더라도 우린 순간적으로만 자유를 누릴 수 있을 뿐 그 순간이 지나가면 우린 다시 관념에 구속되어 살아갈 수밖에 없는 것이다.

깨달음으로 인한 깨어남(의식의 공)이든 아니면 수많은 몰입에 의하여 수동적으로 도달하게 되는 깨어남(의식의 공)이든 우리가 추구하는 모든 깨어남은 우리 삶 속에 있는 것이 아니라 우리의 삶으로부터 벗어나기 위하여 발버둥 쳤을 때 절망의 담벼락이라고 하는 삶의 끝부분에 부딪치며 순간적으로 힐끗 보게 되는 절망의 담벼락 너머의 세상(존재계)일 뿐이다. 우린 이 세상에 살면서 살아있는 한 도달할 수 없는 이 세상 너머(존재계)를 꿈꾸고 있는 것이다. 절대적 자유라 할 수 있는 의식의 공이나 깨어남과 같은 상태는 신기루와 같이 항상 우리 주위에 어른거리지만 우린 살아있는 한 결코 그와 같은 상태에 안주할 수 없는 것이다. 삶은 관념으로 이루어진 절망의 담벼락에 둘러싸여 어떠한 깨달음이나 깨어남도 결코 이루어질 수 없도록 철저히 통제되고 구속되어 있기 때문이다. 이처럼 삶은 우리에게 유리한 그 어떠한 상황도 결코 성취될 수 없도록 구조화 되어 있는 것이다. 때문에 우린 살아있는 한 의식의 공이나 깨달음의 경지와 같은 가장 유리하거나 현명한 삶을 살 수 없고 단지 막연한 희망만이 신기루처럼 절망의 담벼락 너머를 그려낼 뿐인 것이다.

도대체 삶의 구조가 어떻게 생겼기에 우리가 추구하는 이상 희망 미래를 비롯하여 깨달음이나 현명함 같은 우리가 당연히 추구하여야 할 모든 당위성들을 기어코 무산시키고야 마는 것인가?

26. 삶

하나의 생명이 가치를 추구하다 절망에 이르면 죽음에 이를지 아니면 절망을 벗어나 다시 살아갈지 선택 해야만 한다. 우리가 절망에 이르러 다시 살아갈 수 있는 방법은 절망을 떨쳐내는 것이다. 때문에 절망에 이른 자들은 누구나 절망을 떼어내려는 시도를 한다. 관념으로 꽉 차 절망에 이른 자신으로부터 절망을 떼어내어 스스로를 절망과 비어버린 의식으로 나누는 것이다. 관념을 나로부터 순식간에 분리해내어 스스로는 순간적으로 의식의 공을 이루어내고 자신을 절망에 이르게 했던 관념은 떨어내는 것이다. 나로부터 떨어져나간 관념은 존재(공)를 파고들어 영혼을 떼어내고 존재로부터 떨어져 조각난 영혼은 존재를 파고드는 관념을 방어하기 위하여 관념과 사투를 벌이게 되는 것이다. 관념에 의하여 조각난 영혼은 관념을 물리치고 스스로의 원천이었던 존재(공)로 복귀하기 위하여 존재(공)를 찾아 헤매는 것이다. 관념으로부터 벗어나 존재(공)를 찾아가는 과정 이것이 삶이다.

삶은 의식과 기억 속의 관념을 내다 버려 의식의 공(존재)을 이루고자 하는 과정이다. 그 누구도 한 순간도 단 한 번도 이 과정으로부터 이탈하지 않는다. 삶은 오직 의식 속에 영혼의 통로를 확보하기 위하여 영혼의 통로에 뿌려진 관념이란 장애물을 제거하기 위한 과정일 뿐이다. 그러나 우리의 모든 행위는 우리의 목적을 역행하며 행위가 목적을 역행할수록 목적은 더욱 뚜렷해져 우린 더욱 더 악착같이 살아야만 하고 그 결과 우리는 벗어나고자 하는 절망에 더욱 더 철저히 갇히게 되는 삶의 모순에 빠져 벗어나지 못하고 있는 것이다.

삶이란 우리의 의도와는 다르게 절망을 향한 무한 질주일 뿐 그 어떠한 것도 아니다. 우리가 아무것도 하지 않고 가만히 있다하면 우리에게는 무한히 많은 고통들이 엄습해 최단시간에 절망에 이를 것이다. 우리가 지금 절망에 이르지 않았다는 것은 우리는 고통으로부터 벗어나기 위하여 절망으로부터 벗어나기 위하여 정말 피땀 흘려 발버둥 치고 있는 중이라는 것이다. 가만히 살면 기다리는 것은 절망이요 벗어나기 위하여 발작적으로 살면 순간적으로 절망으로부터 멀어질 수 있지만 절망의 담은 더욱 높아진다. 그러다 발작적 삶을 멈추면 마침내 더욱 높아진 절망의 담벼락과 맞닥뜨리게 되는 것이다.

우리는 끊임없이 절망으로부터 벗어나려 노력하지 않으면 금방 절망에 빠지고 만다. 심장은 수초만 안 뛰어도 절망에 이르고 숨을 수초만 안 쉬어도 절망에 빠진다. 밥을 하루 이틀만 안 먹어도 절망에 빠지고 오줌을 하루만 배출하지 못하면 절망에 빠지고 똥은 수일을 배설하지 않으면 절망에 빠지고 젊어서는 성호르몬을 수일 혹은 몇 달을 배출하지 않으면 절망에 빠진다. 수일 혹은 몇 달을 남과 교류하지 않으면 고독이라는 절망에 빠지고 우리는 가만히 있다는 이유만으로 스스로 절망에 빠지게 되는 것이다. 또한 스스로 절망에 빠지지 않는다 하더라도 우리 주위의 의식을 가지고 있는 자들은 자신의 의식을 중화시키기 위하여 남에게 고통을 부여하고 남들의 가치를 빼앗기 위하여 시시탐탐 기회를 노리고 있다. 우리가 잠시라도 방심한다면 우린 남들에 의하여 순식간에 절망에 빠질 수 있는 것이다. 때문에 우리는 항상 긴장 속에 살며 절망을 방어하여야만 하는 것이다. 이러한 절망에 빠지지 않기 위해서는 외부로부터 수많은 것을 가져와야만 한다. 신선한 공기와 물과 음식 그리고 배설과 섭취를 위한 집과 양질의 가치를 획득하기 위한 투쟁과 경쟁 등등 이 모든 것들이 절망에 빠지지 않기 위한 필수불가결한 것들이다. 우리가 지금은 절망으로부터 떨어져 있다 하더라도 조만간 힘이 빠지면 절망을 유발하는 요인들은 우리를 엄습하여 우리는 절망에 매몰되고 마는 것이다.

절망은 우리를 빙 둘러싸고 시시탐탐 우리를 덮칠 기회를 엿보고 있기 때문에 우린 항상 긴장상태를 유지하며 절망의 담벼락으로부터 최대한 멀리 떨어져 있어야만 한다. 그런데 우리가 절망의 담벼락으로부터 가장 멀리 떨어져 있을 수 있는 곳은 고작 절망의 담벼락으로 둘러싸인 관념계라는 감옥의 중심부이다. 감옥의 중심부야말로 절망의 담벼락으로부터 가장 먼 곳이자 그곳에 이르면 언뜻언뜻 쾌감이 몰려오기도 한다. 때문에 절망으로 둘러싸인 관념의 감옥 한 가운데는 많은 이들이 한 가운데로 몰려들어 행복구역이라고 하는 배타적 봉우리를 형성한다. 고통의 수형자들은 너 나 할 것 없이 이 행복구역의 정 가운데에 있는 중심부를 차지하려고 수단과 방법을 안 가리고 악전고투 하고 있는 것이다. 이는 마치 맹수들에게 쫒기는 초식동물의 무리처럼 살아남기 위하여 무리의 한 가운데로 머리를 쳐 박고 들어가려 안간힘을 쓰는 것과 같아 오직 무리의 중심부에서만 생존을 보장받고 삶을 정의하며 자신을 주장할 수 있는 특권을 부여받는 것이다. 때문에 우린 기를 쓰고 절망의 담벼락으로부터 가장멀리 떨어져 있는 행복구역이라 불리우는 중심부에 이르려 하지만 이미 너무 많은 자들이 중심부를 차지하고 비켜주지 않는다. 중심부의 변방에 있는 자들이 중심부를 차지하는 방법은 남들을 밟고 타고 넘어가는 방법뿐이다. 모든 자들이 서로를 밟고 중심부에 이르려 하자 감옥의 중심부는 마치 산처럼 높아지고 이를 기어오르려는 자들에 의하여 힘이 빠진 자들은 산더미 속에 짓밟히고 실신하고 압사하여 고통의 더미를 이룬다. 남들의 고통을 밟고라도 올라가려는 자들에 의하여 이들은 더욱 처참해지지만 기어오르는 자들은 쾌감을 만끽하며 감옥의 중심이자 가장 높은 곳에 이르러 삶을 정의하고 부르짖는다. 누구도 그곳에 안주할 수 없고 언제 나락으로 떨어질지 모르지만 감옥의 중심부에 이른 자들은 누구나 할 것 없이 삶을 정의하고 주장할 수 있는 특권을 배척하지 않고 자신을 주장할 기회로 활용하는 것이다. 이곳에 이른 자들의 주장은 누가 부르짖든 똑같은 내용으로 되어있지만 관념의 감옥 안에서는 오직 이들의 부르짖음만이 메아리치는 것이다. 수많은 자들이 감옥의 중심부에 이르러 삶을 부르짖고 나면 변방으로 굴러 떨어지거나 관념의 더미에 매몰되어 자신의 달라진 입장을 주장하려 하지만 변방의 이야기나 관념의 더미에 매몰된 자들의 신음소리는 누군가 행복구역을 지나며 외치는 부르짖음에 묻혀버려 무시되고 오직 행복구역을 지나는 동안에만 외치는 부르짖음은 배턴을 이어받으며 끊임없이 되풀이되어 마치 영원한 진리처럼 여겨진다. 누구나 이곳에 이르는 순간에는 마치 세상을 다 가진 듯이 행동하지만 이곳에서 삶을 정의하고 나면 누구나 변방으로 밀려나기 시작한다.

행복을 추구하고 권력을 추구하며 감옥의 중심부에 이르고자하는 자들은 끊임없이 경쟁하며 절망의 담벼락으로부터 가장 멀리 떨어진 정점에 다다라 의식을 중화함으로서 의식의 공을 맛보려 하지만 이들이 정점에 다다라 의식의 공을 맛보는 순간 시공은 변화하고 정점의 위치는 다시 멀어져가며 이들이 봉우리의 중심부에 높이 다다른 만큼 이들이 언젠가 겪어야할 절망의 담벼락도 더욱 높아지게 되는 것이다. 절망의 담벼락은 결합관념으로서 이들이 경쟁을 통하여 가치를 추구하고 행복을 추구하고 권력을 추구한 만큼 결합관념으로 축적되어 절망의 담벼락으로 둘러싸여지는 것이다. 이들도 궁극적으로는 절망으로부터 벗어나 의식의 공을 추구하지만 결과적으로는 더욱 높은 절망에 둘러싸이고야 마는 어리석은 결과가 주어지는 것이다. 이들은 지금의 행복을 위하여 중심부로 몰려들지만 관념계의 중심이란 시공에 따라 흔들리는 점으로 존재할 뿐 안주할 수 있는 곳이 아닌 것이다. 때문에 감옥의 중심부에 이른 자들은 중심을 잘 잡아야 한다. 이제까지 나아간 방향으로 더 나아가서도 안 되고 진행방향의 관성으로 중심을 지나친 자들은 방향을 뒤로 바꾸어 또 다시 중심을 찾아 나아가야만 한다. 중심을 잡았다 하더라도 시공이 움직이는데 따라 끊임없이 방향을 바꾸어야만 하고 끊임없이 우왕좌왕하며 나를 둘러싼 절망의 담벼락으로부터 가장 멀리 떨어진 곳이 어디인지 끊임없이 살피다가 결국엔 남보다 더욱 높아진 절망의 담벼락과 마주하게 되는 것이다. 삶의 목적과 의미는 중심의 위치를 헛갈리게 할 뿐이기 때문에 목적도 의미도 없이 오직 맹목적 생존의지만을 가지고 모두에게 노출된 도피처에서 중심을 잡기위한 안타까운 몸부림만이 있을 뿐이다.

우리가 기를 쓰며 달려드는 행복구역에는 무엇인가가 있는 것이 아니라 그곳은 단지 절망으로부터의 도피처일 뿐이다. 그곳에 있는 것은 어떠한 성취물이 아니라 관념의 더미에 깔려 있는 자들과 굴러 떨어지는 자들 그리고 행복하게도 관념의 더미를 기어오르는 자들의 서로 다른 입장만이 존재하는 것이다. 밑에 깔려있는 자들은 기어오르는 자들의 발판이 되며 굴러 떨어지는 자들은 저변을 넓혀가고 기어오르는 자들은 남들에게 고통을 전가하며 남들의 고통을 발판삼아 조금이라도 더 높은 곳에 이르기도 한다. 이처럼 살아 움직이는 고통의 더미에서 단지 절망으로부터 남보다 조금이라도 더 떨어져 있으려는 맹목적 발버둥이 바로 우리의 삶이다. 목적도 의미도 없이 단지 절망으로부터의 도피처를 찾는 허망한 몸부림만이 삶의 의지를 나타낼 뿐이다.

도대체 산다는 것이 이처럼 허망하기만 하다면 우린 도대체 왜 살아야만 하는가? 우린 살기 싫어도 살아갈 수밖에 없다. 삶을 멈추려면 반드시 결합관념으로 이루어진 절망의 담벼락을 넘어야만 하기 때문에 절망을 넘지 못하고 혹시라도 절망의 담벼락이 낮아지길 기대하며 버티고 있는 중이다. 절망은 죽음에 대한 저항을 높여 우릴 삶 속에 가두는 튼튼한 울타리이기 때문에 우린 어차피 절망에 끌려가기 전까진 살아가야만 하는 것이다. 어차피 살아가야만 하는 삶이라면 이왕이면 삶을 즐겁고 의미 있고 보람차게 살아가도록 노력하여야 한다. 비록 삶이 허망하다 하더라도 절망에 이르러 허망함을 온몸으로 느끼기 전까지는 삶속에서 삶의 의미를 찾아내어 허망함을 조금이라도 줄여나갈 방도를 찾는 시도라도 해보아야만 하는 것이다. 그런데 삶의 의미가 있긴 있단 말인가 만약 그러한 것이 있기라도 하다면 우린 그러한 삶을 살 수 있을 지도 모른다.

삶의 의미는 있고 없고의 문제가 아니라 있다고 느끼느냐 못 느끼느냐의 문제이다. 똑같은 행위를 하더라도 어떤 자는 삶의 의미를 느끼고 어떤 자는 삶의 허망함만을 느끼게 되는 경우도 있는 것이다. 삶의 의미는 어떠한 행위에 의하여 느껴지는 것이 아니라 그 행위로 인하여 욕구충족이 되느냐 아니냐의 문제이다. 우리는 각자의 욕구를 충족하는 동안은 삶에 의미가 있다고 느끼고, 욕구를 충족할 수 없을 때 삶은 의미가 없다고 느끼게 되는 것이다. 이는 그가 가지고 있는 결합관념에 의하여 결정 나지만 모든 자들의 결합관념이 다 다르기 때문에 모든 자들의 욕구도 달라 삶의 의미를 느끼는 행위는 그가 가지고 있는 결합관념에 의하여 가지각색인 것이다. 어떠한 행위를 가지고 의미가 있느냐 없느냐를 따진다면 삶의 의미는 시시각각 변해가며 사라져가는 것이다.

우리는 어느 때에는 삶의 의미를 느끼다가 다음 순간 삶의 허망함에 다시 빠지고 만다. 왜냐하면 우리의 욕구가 시시각각 변화하기 때문이다. 순간적인 욕구충족이 반복될수록 이후에 느끼는 허망함도 반복되어 우린 욕구충족에 피로를 느끼고 허망함은 삶의 저변으로 고착되어 우린 결국 삶의 의미가 허망함으로 귀결되는 것을 인지할 수밖에 없게 되는 것이다. 우리가 찾는 의미와 목적이 시시각각 변하고 결국 좌절과 배신을 당한다 하더라도 우린 살아있는 한 끊임없이 의미와 목적을 찾아 몸부림 쳐야만 한다. 의미와 목적을 찾지 못하면 우린 허망함에 빠져들기 때문이다. 세상이 아무리 허망하다 하더라도 삶의 목적을 찾는다면 삶의 목적이 사라지지 않는다면 우린 삶을 의미 있게 살 수도 있는 것이다. 때문에 우린 삶의 목적을 찾기 위해 몸부림치는 것이다.

우리가 삶의 목적을 찾는다면 우린 그 목적이 사라질 때까지 삶의 의미를 느껴가며 살 수 있다. 목적이란 저절로 생기는 것이 아니라 우리가 가지고 있는 결합관념에 대비하여 상대적으로 생겨나며 목적의 달성은 결국 목적을 만들어낸 결합관념과 결합하여 중화시킴으로서 의식의 공을 이루어내는 것이다. 그러나 우리는 목적이 의식의 공이라는 것을 알지 못하고 설사 의식의 공을 이루어냈다 하더라도 또 다른 결합관념에 의한 분리관념이 의식으로 피어오르기 때문에 우린 끊임없이 또 다른 목표를 설정해야만 하는 것이다. 알 수 없는 목적은 분명히 있지만 목표는 끊임없이 변해가며 우릴 허탈하게 하는 것이다. 어떠한 목표도 욕구충족이 반복되다보면 언젠가는 허망함으로 귀결되고 수많은 욕구충족의 방법으로 목표를 달성하든 아니면 좌절되든 언젠가는 목표의 덧없음을 깨닫게 된다. 삶이 미숙할 때에는 목표와 의미를 바꾸어가며 몸부림치겠지만 삶이 진행됨에 따라 어떠한 목표도 의미도 결국 허망함으로 끝날 것을 감지하게 되는 것이다.

허망함 속에서 삶의 의미와 목적을 찾는다는 자체가 모순이다. 그러나 우리는 다행스럽게도 관념계라는 거대한 모순 속에서 의미와 목적을 발견하게 된다. 그것은 모순의 일부를 발췌하는 것이다. 모순은 전체를 보면 모순이지만 모순의 일부를 발췌하여 주장하면 그것은 진리도 되고 이론도 되고 학문도 되어 끊임없이 발전해 나아가며 의미와 목적 신념 등 모든 것을 만들어 낼 수 있는 것이다.

이 세상은 모순이 아니면 존재할 수 없고 우리는 모순 속에서만 자신의 관점에 따라 끊임없이 자신에게 유리한 것을 주장할 수 있으며 어떠한 모순도 일부를 발췌하면 진리로 주장할 수 있는 것이다. 우리가 살고 있는 모순의 감옥에서 우리가 살아가는 방법은 모순의 한 토막을 붙들고 끊임없이 우기는 것이다. 전체를 보면 답은 너무 간단하지만 더 이상 삶의 진도를 이어나갈 수가 없다. 때문에 우린 전체와 진실이 가지고 있는 정답만을 제쳐놓고 오직 모순 속에서만 답을 찾으려 하고 모순을 자신에게 유리하게 바꿔가며 확대시켜 단절된 의식의 이기를 충족시킬 뿐이다. 모순은 나의 이기를 충족시킬 수 있는 유일한 도구이기 때문에 우리는 모순을 파헤치는 진실을 외면하고 무시하며 경멸하기까지 하는 것이다.

모순은 하나의 입장이고 이 세상을 경험해온 자기만의 결합관념에 의해 자신만의 결합관념을 제거하기 위해 설정된 한 토막의 주장이다. 또한 또 다른 경험체계를 가지고 있는 자들은 또 다른 모순의 한 토막을 가지고 있기 때문에 이들이 가지고 있는 모순은 항상 충돌한다. 때문에 우리는 충돌을 극복하기 위하여 유사한 모순을 가진 자들끼리 공동체를 만들어 모순을 합리화한다. 어떠한 모순도 공동체 내에서는 합리적인 것으로 주장되어진다. 하나의 점에 불과한 공동체를 마치 전체인 것으로 간주하고 공동체 이외의 남들을 무시와 배타적 구역으로 몰아넣어 공동체이외의 모든 존재에 대한 가해와 죄의식을 합리화하는 것이다. 우리가 행하는 모든 행위는 악이고 죄악이지만 우린 공동체만이 세상의 모든 것이라 간주하고 선과 악을 구분하며 미덕과 죄악을 구분하여 똑같은 동기와 의지가 공동체의 테두리를 경계로 전혀 상반되는 평가를 받게 되는 것이다.

공동체란 가치의 교환이 일어나는 곳이고 공동체 밖의 것은 교환이 아닌 일방적 착취를 당연시하는 곳이 된다. 우린 수많은 공동체에 복합적으로 속해있지만 우리가 공동체를 어디에 설정했느냐에 따라 착취가 당연시되는 것과 착취가 죄가 되는 것이 구분된다. 어떠한 공동체도 가치의 교환만으로는 유지될 수 없고 비대해진 공동체를 유지하기 위해서는 공동체 밖의 남들을 파괴하여 그들의 분리된 가치를 무단으로 가져와야만 하는 것이다. 남의 것을 무단으로 가져오는 착취와 파괴가 공동체안의 시각으로는 미덕이 되기도 하고 공동체 밖의 남에 대한 착취와 파괴를 일삼는 자들은 영웅이 되기도 하는 것이다. 단지 공동체의 테두리를 어디에 설정했느냐에 따라 죄가 미덕이 되기도 하고 악이 영웅시되며 악의 정점은 존엄해지기까지 하는 것이다.

공동체란 가치의 교환이 일어나는 곳이다. 공동체 내의 남을 먹으면 죄악이 되지만 공동체 밖의 남을 먹으면 욕구충족일 뿐이다. 공동체란 가치의 교환에 의해서 먹는 곳이고 공동체 밖은 남을 일방적으로 먹는 곳이다. 죄란 공동체 내의 것을 교환하지 않고 일방적으로 먹는 것이다.

우리는 공동체 내에서 가치를 교환하며 살아간다. 이러한 가치의 교환이 일어나려면 전제조건이 필요하다. 그것은 가치를 지불하고 무언가를 가져올 만큼 서로의 욕구불만과 고통이 전제되어야만 한다는 것이다. 우린 자신의 욕구와 고통을 해소할 목적으로 남들의 가치를 가져오기 위해서 나의 가치를 남들에게 지불하게 된다. 우리가 가치를 지불할 때에는 남기 때문에 지불하는 것이 아니라 자신의 고통을 상쇄할 가치를 가져오기 위한 목적으로 나의 가치를 지불하는 것이다. 때문에 가치의 교환이 일어나기 위해서는 당사자들의 고통이 전제되어야만 하는 것이다. 가치의 이동은 항상 고통에 의하여 이루어지기 때문에 보다 고통스러운 자들일수록 남보다 많은 가치를 지불하고 자신에게 필요한 가치를 가져오게 되는 것이다. 배고픈 자들은 노동력을 지불하고 아픈 자들은 의료비를 지불하고 무지한 자들은 정보비를 지불하며 스스로의 약점과 고통을 해소시킬 목적으로 가치를 지불하게 되는 것이다. 남들의 고통만이 그들의 가치를 지불하는 동기가 되고 우리의 가치는 항상 부족하기 때문에 우리는 남들의 가치를 가져오기 위하여 남들의 고통을 바랄 수밖에 없다. 내가 고통스러운 만큼 나에게 가치가 필요한 만큼 가치의 교환 이면에서는 남들의 고통을 간절히 바라며 공동체를 훼손하며 살아가는 것이다.

공동체에는 서로의 고통을 느끼는 의식공동체와 서로의 가치를 평가하는 인식공동체가 있다. 의식공동체는 공동체내의 남의 고통을 나의 고통으로 느껴 최적화된 가치의 이동이 일어난다. 그러나 인식공동체에서는 남들의 고통을 이용하고 바라며 법과 규정에 저촉이 되지 않는다면 뒤통수를 치기도 한다. 때문에 인식공동체에서는 오직 힘과 권력에 의해서만 행복의 순위가 나열되어 질서 있는 부조리가 용인되는 것이다. 이처럼 공동체라 하더라도 부조리한 인식공동체에서는 어떠한 행위를 하더라도 궁극적으로는 공동체를 해하는 부조리만이 확대되는 것이다. 공동체란 의식 혹은 인식이 미치는 곳이다. 그러나 우리는 누구의 의식이 얼마나 큰지 알 수 없고 인식 또한 어느 정도인지 가늠할 수 없다. 어떤 자의 의식은 인류를 넘어 모든 자연에 미칠 수도 있겠지만 어떤 자의 의식은 인류는 커녕 자신의 가족마저도 포용하지 못할 수도 있는 것이다. 때문에 우린 모든 자들의 공동체가 어느 정도의 범위를 나타내는지 알 수 없어 법률에 의한 설정만으로 공동체를 규정할 뿐이다. 때문에 세상은 오직 법률에 의해서 통제되는 인식공동체만이 설정되어 의식과 인식의 괴리를 법률로서 통제하며 죄와 미덕을 정의 내려 스스로의 죄악을 합리화 하는 것이다.

우리가 의식하는 의식공동체나 우리가 설정한 인식공동체나 공동체는 하나의 개체와 마찬가지로 공동체 내의 고통을 밖으로 뽑아내고 공동체 밖의 가치를 무단으로 가져온다. 공동체의 욕구는 모든 구성원의 욕구를 모두 합친 것보다 강력하기 때문에 공동체 밖의 가치를 흡입하며 스스로 비대해지고 공동체가 비대해질수록 욕구는 폭발적으로 늘어나 스스로 절망을 향해 질주하는 것이다. 개체이건 공동체이건 욕구를 없애기 위하여 욕구충족을 하는 것인데 욕구충족을 하면 할수록 문명과 번영을 통한 결합관념은 더욱 커지기 때문에 욕구는 더욱더 증폭되고 결국 절망을 향하여 나아갈 수밖에 없는 것이다. 아무리 커다란 공동체라 할지라도 개체의 좌절을 똑같이 겪는 것이다. 우린 결국 의지하고 있는 모순과 공동체 속에서도 허망함과 좌절을 느낄 수밖에 없는 것이다.

우리의 모든 행위와 결과가 허망함을 깨닫고 삶에서 의미와 목적을 발견하지 못하면 우린 결국 맹목적 생존의지만을 가지고 삶을 버티게 된다. 생존이 삶의 목표라면 우리 모두는 완전한 실패자이다. 삶은 목표를 이루어내는 도구이지 스스로 목표가 될 수는 없는 것이다. 도구를 목표화 하면 도구를 사용할 수가 없어진다. 도구는 스스로를 마모시키고 파괴하면서 다른 것을 이루어내는 것이지 도구를 보존하려 하면 목표를 포기하여야 하는 것이다. 삶은 목표를 이루어내는 도구로서 사용되었을 때 비로소 삶의 의미도 주어지는 것이다. 삶이 목표를 향해 나아가는 과정일 때에만 우리는 삶의 의미를 느끼고 제대로 된 삶을 살 수 있는 것이다. 그러기 위하여서는 우리 삶의 목표를 정확히 인지하고 있어야만 하는 것이다. 그런데 이 허망한 세상에서 어떻게 목표를 설정한단 말인가?

나침반이 움직일 때마다 나침반 속 바늘은 끊임없이 나침반 속의 다른 방위를 가리키지만 나침반을 벗어난 곳은 오직 한 지점만을 가리키는 것처럼 우리는 삶의 의미를 갖는 행동을 끊임없이 바꾸어가며 시시각각 다른 행동을 하지만 모든 행동이 궁극적으로 가리키는 방향은 시공으로 이루어진 관념계 너머의 단 하나의 방향을 이탈하지 않는다. 단지 의지라고 하는 영혼의 바늘은 관념으로 이루어진 시공의 나침반 밖에 무엇이 있는지 모를 뿐이다. 이처럼 우리는 시간과 공간으로 이루어진 거대한 나침반속에서 관념계라는 시공이 움직일 때마다 삶의 의미와 목적을 바꾸어가며 끊임없이 무언가를 추구하지만 막상 자신이 궁극적으로 추구하는 것이 무엇인지 알지 못한다. 우리가 추구하는 것은 시시각각 변하는 관념계 속에 있는 것이 아니라 - 나침반의 바늘이 나침반 속에 쓰여져 있는 방위를 가리키는 것이 아니라 나침반 밖의 어느 지점을 가리키는 것처럼 - 우리가 추구하는 것도 관념계 속에 있는 것이 아니라 관념계를 벗어난 곳에 있는 것이다.

우리 모두는 어느 날 관념계 밖으로부터 관념계 안으로 던져졌다. 그러나 어느 누구도 관념계 밖의 세상을 기억하지 못한다. 왜냐하면 그곳에는 관념이 없기 때문에 고통이 없기 때문에 어떠한 영혼도 기억이라는 결합관념을 만들어낼 수가 없었기 때문이다. 그곳은 결합관념이 없기 때문에 고통으로 이루어진 시간과 공간으로 존재하지 않아 우린 그곳을 텅 빈 공이라 한다. 그러나 공에는 시간과 공간이 없을 뿐 모든 것이 갖추어진 완벽하고 충만하며 모든 사물에 영혼이 깃들어 있어 어떠한 갈등도 고통도 발생하지 않는 절대정적의 합일의 세계이며 존재 그 자체이다. 이러한 존재라고 하는 절대 정적 속의 어떠한 사물에 인접한 차원으로부터 날카롭고 커다란 충격이 가해지면 존재에 깃들어있던 영혼이 떨어져 나가며 합일의 평온으로부터 분리되어, 영혼은 존재를 찾아 헤매는 생명으로 탄생되는 것이다. 때문에 우린 관념으로 이루어진 이 고통의 세상으로부터 존재라고 하는 고향을 찾아 헤매는 것이다. 우리 모두에게는 분명한 고향이 존재하지만 우린 고향을 기억하지 못하고 단지 알 수 없는 그곳으로 가려는 의지만 끊임없이 작동할 뿐인 것이다. 그것이 우리가 끊임없이 추구하는 존재라 불리는 관념계 밖의 목표인 것이다.

우린 관념계라는 나침반 속에서 밖을 보지 못하고 결합관념으로 이루어진 시공이 움직일 때마다 끊임없이 행위와 의미 목표를 바꾸는 것 같지만 관념계로 떨어진 의지라고 하는 영혼의 바늘은 관념계 속에서 오직 존재라고 하는 단 한 곳만을 가리킬 뿐인 것이다.

우리가 사랑을 하며 느꼈던 환희, 종교행위나 명상을 하다 느꼈던 신비, 예술을 하다 느꼈던 감동, 어디엔가 몰입의 끝에 느꼈던 성취감 등등 우리에게 최고의 감동과 환희를 가져오게 만든 행위의 끝에 놓여있는 의식의 공을 통한 존재의 세계가 바로 관념계 너머의 목표인 것이다. 존재는 우리의 모든 행위의 궁극적 목표이지만 우린 궁극적인 것을 보지 못하고 그것을 가리키는 수많은 손가락과 행위만을 보고 답을 찾지 못하는 것뿐이다. 우린 모두 한 곳을 가리키고 한 곳만을 추구하고 있지만 그 누가 가리키는 방향도 그 누가 추구하는 행위도 나의 행위와 같지 않다. 우리 모두가 가리키는 목표는 의식의 공을 통한 존재의 세계이지만 목표에 도달하기 위한 과정은 자기 자신만의 고유하고 기괴한 결합관념을 없애나가는 기이하고 특이한 행위가 되는 것이다. 때문에 우리 모두의 손가락 모양이나 행위는 다 다를 수밖에 없는 것이다. 우리 모두의 목표는 다 같은 것이지만 우리 모두는 목표를 향하여 손잡고 가지 못하고 남보다 빨리 똑같은 목표로 나아가기 위하여 서로 반목하고 착취하며 서로에게 고통을 전가한다. 우리 모두가 서로를 착취하고 고통을 전가하며 서로 반목하는 이유는 의식의 공을 통한 존재의 세계라는 우리 모두의 똑같은 목표로 나아가기 위해 결합관념을 없앰으로서 의식의 공을 추구하는 것이 아니라 가치(관념)를 추구하고 획득하여 결합관념을 중화시킴으로서 의식의 공을 이루려 하기 때문이다. 제한되어있는 가치를 획득하기 위해서는 경쟁이나 투쟁을 통해야만 하기 때문에 우린 서로를 반목하고 착취하여 서로에게 고통을 전가하게 되고 획득된 가치는 의식을 거치며 이면의 반가치를 잔류시켜 고통의 결합관념을 더욱 축적시키게 되는 것이다.

가치를 추구하여 고통의 분리관념을 중화시키는 것이 우리의 일반적인 삶이다. 가치를 추구하는 이러한 삶의 방식이 결과적으로는 고통의 결합관념을 더욱 더 축적시키고 우리가 다가가야 할 의식의 공을 통한 존재의 세계라는 목표로부터 더욱 더 멀어지게 하는 것이다. 우린 살아가면서 운이 좋으면 삶의 목표인 의식의 공을 통한 존재의 세계를 몇 번 마주할 수도 있다. 사랑을 하다가 도달할 수도 있고 몰입에 이르게 하는 예술이나 종교 활동 중에 도달할 수도 있다. 우린 수많은 방법으로 환희 속에 의식의 공을 통한 존재의 세계를 언뜻 만나지만 우리가 쌓아놓은 기억 속의 결합관념은 끊임없이 튀어나와 우릴 또 다시 목표로부터 멀어지게 하는 것이다. 우린 삶의 목표인 의식의 공을 통한 존재의 세계를 환희 속에 가끔 만나며 의식을 순간적으로 비울 수 있지만 이를 방해하는 기억 속의 결합관념은 인류가 자랑하는 문명만큼이나 어마어마하게 축적되어 삶의 목표를 이루는 과정을 차단하는 것이다. 살려고 하면 할수록 삶의 목표인 의식의 공은 멀어져만 가는 것이다. 우리의 생존욕구가 많으면 많을수록 어리석은 결과로 이어지는 것이다. 악착같이 살아가며 삶의 목표인 의식의 공을 이루기 위하여 삶의 과정에서 단 한 순간도 단 한 번도 의지를 놓지 않고 추구하는 의식의 공은 오직 도달하려는 삶의 의지에 의하여서 멀어져 가는 것이다. 삶은 목표를 이루기 위한 과정이고 수단이다. 그리고 우리에게는 의식이 있는 한 단 한 순간도 단 한 번도 이탈하지 않고 끈질기게 추구해 왔고 정확히 추구하고 있는 분명한 목표가 있다. 이러한 목표가 눈앞에 있고 손이 닿을 듯 하기 때문에 먹이를 앞에 두고 먹을 수 없는 굶주린 짐승처럼 이성을 잃고 달려듦에도 불구하고 목표는 오히려 멀어져만 가는 것이다. 이처럼 가치를 추구하는 삶에서는 어떠한 경우에도 행위가 목표를 역행하며 삶의 의미는 사라져가고 허망함만이 남게 되는 것이다.

우리의 가치를 추구하는 모든 행위는 우리의 기억 속에 결합관념을 축적시켜 우리를 의식의 공이라고 하는 목표로부터 멀어지게 하고 우리의 기억 속에 결합관념이 쌓이는 만큼 우리가 앞으로 맞닥뜨리게 될 절망의 담벼락도 높아지게 된다. 절망의 담벼락은 관념의 더미가 쌓이는 만큼 똑같이 높아지는 것이다. 행복구역의 정점에 이르려 노력하는 경쟁과 욕구 좌절 등 우리의 가치를 추구하는 의지에 의해 우리가 성취한 온갖 결합관념이 높이 쌓인 만큼 절망의 담벼락도 함께 높아지는 것이다. 때문에 우리가 언젠가 맞닥뜨리게 될 절망의 담벼락을 낮추기 위해서는 가치를 추구하는 감옥의 중심부의 정점을 향한 삶이 아니라 오히려 절망을 바라보고 직시하는 삶을 살아야만 하는 것이다. 우리가 언젠가는 타고 넘어야할 담벼락을 아는 자만이 담벼락을 낮추어 삶을 보다 편안하게 살 수 있는 것이다.

절망의 담벼락은 결합관념으로 이루어져 있다. 결합관념은 영혼과 고통인 분리관념이 결합하여 우리의 기억 속에 저장되어 있는 것이다. 이러한 결합관념에서 영혼이 떨어져 나가면 영혼이 떨어져 나간 만큼 결합관념은 분리관념이 되어 의식 속으로 스며들어 우린 고통스럽게 되고 이러한 분리관념이 의식을 포화시키면 우린 절망에 빠지는 것이다. 우린 지금 절망으로부터 가장 멀리 떨어진 곳에 안주하려 기를 쓰지만 언젠가는 영혼이 결합관념을 빠져나가며(관념이 의식을 점령하여 영혼을 몰아내며) 이제까지 쌓아왔던 결합관념을 한꺼번에 겪는 절망을 경험해야만 하는 것이다. 때문에 우리가 삶의 과정과 삶의 마지막까지 조금이라도 편안한 삶을 살고 삶의 과정에서 변하지 않는 삶의 의미와 목표를 갖기 위해서는 기억 속 결합관념을 줄여나가는 삶을 살아야만 하는 것이다. 우리가 결합관념을 줄이는 것을 목표한다면 삶 속에서 겪는 고통도 줄어들고 언젠간 맞닥뜨리게 될 절망의 담벼락도 낮아지며 이 허망한 세상에서 변하지 않는 삶의 의미와 목표 가치 등 모든 것을 유지시킬 수가 있는 것이다.

관념계의 모든 것은 시간과 공간을 만들어내는 결합관념으로 이루어져 있다. 관념계의 모든 것에 깃들어있는 결합관념은 우리의 운명을 만들어내고 우릴 운명의 굴레에 가두어놓고 우리 행동의 모든 일거수일투족을 사사건건 간섭하여 우리의 삶을 통제하며 삶의 모든 이상과 희망 목표를 무산시키고 종국엔 우리 모두를 절망에 빠지게 하는 것이다. 때문에 우린 이러한 결합관념으로부터 벗어나야 하지만 살아있는 한 우리는 결합관념으로 이루어진 절망의 담벼락으로부터 벗어날 수가 없는 것이다. 왜냐하면 삶이란 것이 바로 절망의 담벼락에 갇힌 것을 의미하기 때문이다. 따라서 우린 삶에서 어떠한 의미도 찾을 수 없고 모든 이상과 희망은 무산되며 어떠한 목표라 하더라도 자신의 결합관념에 도달하는 순간 좌절되고야 마는 것이다. 결합관념은 우리를 빙 둘러싸고 우리의 삶을 철저히 통제하고 있는 것이다. 우리가 이러한 구속과 좌절 절망으로부터 벗어나려면 결합관념을 알아야만 한다. 도대체 그 구조가 어떻게 되어있는지 촉감은 어떠하고 색깔은 어떠한지 알아야 벗어나든지 부수어버리든지 할 것이 아닌가.

그런데 우린 살아있는 한 결합관념을 알 수가 없다. 결합관념을 알기 위해서는 결합관념 속으로 들어가 그 실체를 경험해 보아야만 하는데 결합관념의 실체는 절망으로 이루어져 우리가 결합관념의 실체를 온전히 경험하게 되면 그 다음 순간 삶에서 멀어지게 되는 것이다. 때문에 우린 결합관념을 우연한 기회에 살짝 맛만 본다거나 결합관념으로부터 분리되어 의식으로 피어나온 분리관념을 경험함으로서 결합관념을 추측해 보려 하지만 이러한 방법으로 결합관념을 알 수는 없는 것이다. 따라서 절망에 다가가는 극한의 상황이 아니고서는 결합관념을 알 수 없는 것이다. 이러한 절망에 다가가는 극한의 상황이 바로 탄생과 죽음인 것이다.

우린 탄생과 죽음이라는 극한의 상황을 겪으며 결합관념으로 이루어진 절망의 담벼락을 두 번 경험하게 되지만 탄생이라 하는 존재(공)의 세계로부터 관념계로 들어올 때의 경험은 너무나 고통스럽기 때문에 우린 이때의 경험을 기억의 심부 가장 깊은 곳에 묻어놓고 무의식으로 만들어 다시는 의식으로 피어나오지 못하도록 꼭꼭 숨겨놓았다. 그러나 무의식은 기억의 심부에서 압력으로 작용해 우리는 평생을 알 수 없는 공포와 두려움을 가지고 살아가는 것이다. 우린 이미 지나온 절망의 담벼락을 망각했기 때문에 절망의 담벼락 안에서 행복을 추구하고 수많은 재미와 쾌감을 느끼며 삶을 예찬할 수 있을

지 몰라도 우린 누구나 조만간에 또 다시 절망의 담벼락을 맞닥뜨려야만 한다. 이미 겪은 절망의 담벼락을 우리는 알 수 없지만 우린 누구나 겪어야할 또 한 번의 절망의 담벼락을 남겨두고 있는 것이다. 언젠가는 다시 관념계로부터 존재(공)의 세계로 나가야만 하기 때문이다.

관념계로 들어오며 겪는 절망의 담벼락을 우리는 탄생이라 하고 관념계로부터 존재(공)의 세계로 나가며 겪는 절망의 담벼락을 우리는 죽음이라 한다. 우리는 탄생과 죽음의 순간에 절망을 겪지만 이 두 개의 절망은 같은 절망이라 하더라도 그 방향이 정반대이다. 우린 흔히 삶의 반대가 죽음이라 말하지만 삶의 반대는 존재(공)의 세계이며 죽음은 탄생의 반대가 되는 것이다. 탄생과 죽음은 그 방향이 반대이듯 그 과정 또한 반대가 되어 하나의 과정을 알면 나머지의 것은 뒤집어보면 되는 것이다. 우린 탄생이라고 하는 존재계(공)로부터 관념계로 들어오는 것을 이미 겪었지만 그것은 가장 커다란 절망이었기 때문에 무의식으로 만들어놓고 기억하지 못한다. 때문에 우리가 절망의 담벼락을 알기 위해서는 앞으로 닥칠 죽음을 더듬어보는 수밖에 없는 것이다.

27. 죽음

죽음은 우리가 가지고 있는 모든 이상과 희망 · 미래를 앗아가고 우리를 절망의 한 가운데에 세우는 우리 삶의 과정 중에서 가장 두렵고 공포스러운 과정이다. 때문에 우리는 죽음을 더듬어보기는커녕 외면하고 기피하며 죽음으로부터 조금이라도 더 떨어져 있으려 안간힘을 쓰는 것이다. 그러나 아무리 벗어나려 안간힘을 써도 누구나 반드시 겪어야만 하는 것이 바로 죽음이다. 이처럼 어차피 겪어야할 죽음이라면 제대로 한 번 알아보기라도 하고 죽어야 조금이라도 덜 당황하고 조금이라도 편안한 죽음을 맞이할지도 모르는 것이다. 죽음이 무언지도 모르고 넋을 놓고 있다가 마른하늘에 날벼락 맞듯 죽음을 맞이한다면 이처럼 황당한 일도 없을 것이다.

죽음이 두렵고 공포스러운 이유는 우린 죽음에 대하여 아는 바가 없다는 것이다. 만약 우리가 죽음이 무엇인지 미리 알 수만 있다면 죽음을 대비하며 두려움을 조금이라도 줄일 수 있을지 모른다. 때문에 우리는 두려움에 맞서 죽음을 더듬어보는 시도를 해보는 것이다.

우리의 삶은 영혼이 결합관념으로 이루어진 절망의 담벼락에 갇혀있는 형국이다. 때문에 죽음이란 영혼이 결합관념으로 이루어진 절망의 담벼락을 넘어가는 과정이 되는 것이다. 이 과정에 우리는 생전 처음(?)으로 자신의 결합관념을 경험하게 되는 것이다. 결합관념은 우리의 의식을 둘러싸고 끊임없이 의식 속으로 분리관념을 뿜어대지만 막상 우리는 살아서 단 한 번도 결합관념을 직접적으로 경험하지 못했던 것이다. 혹시 위기의 순간 살짝 들어갔다 나왔을지는 몰라도 이를 경험이라 하기에는 너무 미약한 것이다. 우린 기억을 불러내거나 회상을 통하여 결합관념에서 영혼이 떨어져나가며 피어오르는 분리관념을 의식 속에서 마주하며 그것이 결합관념의 내용물이리라 추측하지만 그 모습은 여름날 아스팔트에서 피어오르는 아지랑이를 보고 아스팔트를 상상하는 것만큼이나 전혀 다른 모습일 수 있는 것이다. 우리의 결합관념은 우리가 상상하는 모든 시간과 공간을 만들어낼 정도로 그 방대함은 우주를 초월하고 영원의 세월을 매일 매일에 걸쳐 기적과 환상을 만들어내는 것처럼 그 변화무쌍함은 상상을 초월하는 것이다. 이렇게 어마어마한 결합관념을 타고 넘어가야만 한다는 것은 우리가 겪을 수 있는 최대의 공포와 두려움이 아닐 수 없는 것이다.

모든 자들의 결합관념은 그가 살아온 방법이나 환경에 따라 자기 자신만의 고유한 결합관념으로 만들어져 있기 때문에 결합관념을 타고 넘는 -정확히는 뚫고 지나가는 - 죽음의 과정은 그 결합관념의 고유하고 기괴하며 유별난 상이함에 의하여 누구나 독특한 자기만의 죽음의 과정을 겪는 것이다. 이처럼 죽음의 내용물은 각기 다를 수 있지만 결합관념을 뚫고 지나가야만 하는 과정은 누구도 피해갈 수 없는 공통적인 것이다. 이제 누구나 겪게 되는 죽음의 공통과정을 살펴봄으로서 우리의 결합관념을 살짝 들추어 보기로 한다.

결합관념은 죽음이 임박했을 때 접하게 되는 삶의 가장 끝부분이라 할 수 있다. 때문에 우리가 자신의 결합관념을 잘못 들추어 보았다간 그대로 저 세상으로 갈 수도 있는 것이다. 이는 아주 위험한 것이기 때문에 연습을 한다거나 객기를 부려 자신의 결합관념을 탐구할 수도 없는 것이다. 때문에 우리가 결합관념을 탐구하기위해서는 고작해야 삶에서 결합관념이 아닌 결합관념이 분리되어 의식으로 피어나오는 분리관념에 의하여 결합관념을 유추하거나 아니면 의도치 않게 죽을 뻔한 위기의 순간에 순간적으로 결합관념에 들어갔다 나오는 경험으로서 결합관념을 유추하게 되는 것이다. 그러나 이러한 방법으로 결합관념을 유추하기에는 그 경험이 너무나 미약한 것이다. 때문에 우린 거의 죽었다 살아난 사람들로부터 - 결합관념을 뚫고 지나가다가 가까스로 되돌아온 사람들로부터 - 그들의 경험담을 들음으로서 영혼이 결합관념을 뚫고 지나가는 죽음의 과정을 일부나마 유추할 수가 있는 것이다.

그런데 우린 영혼이 있는지 없는지도 모르는데 영혼이 결합관념을 뚫고 지나간다는 소리를 듣게 되면 다소 황당하게 느껴질 수도 있다. 영혼이 결합관념을 뚫고 지나가기 전에 먼저 영혼이 있다는 것을 우린 어떻게 알 수 있단 말인가?

우린 영혼 따윈 존재하지 않는다고 단정적으로 이야기하는 자들을 많이 보게 된다. 대개의 경우 자신이 모른다 하더라도 상상이나 추리를 함으로서 그것이 존재할 수도 있다는 것을 가정할 수 있기 때문에 그것이 존재하지 않는다고 단정적으로 말하지 않는 것이 일반적이다. 그런데 영혼이나 사후세계와 같은 지금의 세계와는 차원이 다른 영역에서 일어나는 일은 누군가로부터 듣거나 아무리 배우려해도 상상이나 추리가 되어지지 않아 그러한 것은 존재하지 않는다고 단정적으로 말하게 되는 것이다. 우리가 존재여부를 따질 수 없음에도 불구하고 존재하지 않는다고 단정적으로 말하게 되는 이유는 그것이 우리의 상상이나 추리가 미칠 수 없는 차원이 다른 세계의 경험이기 때문이다. 우리가 상상이나 추리를 하기 위해서는 그 대상이 지금 우리의 관념이 미칠 수 있는 동일한 차원에 있어야 하는데 영혼이나 사후세계는 우리의 관념계에 인접해 있다 하더라도 전혀 다른 차원의 경험이기 때문에 우리의 상상이나 추리가 차원의 경계를 넘지 못해 우린 영혼이나 사후세계를 이해하기 힘들다는 것이다. 또한 영혼이나 사후세계에 대하여 남으로부터 듣고 확신을 가지고 믿는다 하더라도 이는 자신만의 관념체계에 의한 왜곡에 불과하게 되어 오히려 모르느니만 못한 결과를 가져오기도 하는 것이다. 이처럼 스스로 경험하지 않고서는 절대로 알 수 없는 세계도 있는 것이다.

상상이나 추리라 하더라도 동일한 인식방법이 통용되는 차원 내에서만 이루어져 동일한 차원을 벗어나면 지금의 경험체계가 작동하지 않게 되기 때문에 새로운 차원에서 일어나는 일은 새로운 경험체계가 확립되어야만 비로소 상상이나 추리도 가능해지는 것이다. 때문에 우리가 영혼의 이동이나 사후세계에 관한 경험이 전혀 없다면 그 세계에 대한 상상도 추리도 할 수 없고 그러한 세계에 대하여 전혀 알 수 없어 그러한 세계는 존재하지 않는다고 여기게 되는 것이다. 이처럼 차원이 변화되면 경험하지 않고서는 절대로 알 수 없는 것이다. 그러나 만약 우리가 작은 경험이라도 하게 된다면 이는 새로운 세계로 진입할 수 있는 교두보가 될 수도 있는 것이다.

우린 사실 많은 경우에 있어서 영혼의 이동이나 죽음의 과정을 얼핏 경험하게 되는 경우가 있다. 그러나 그것이 순간적이거나 그 경험의 깊이가 너무 얕아 우리가 눈치 채지 못하는 사이에 지나쳤기 때문에 우린 그러한 경험이 없었다고 여기는 것이다. 그러나 자신의 의식을 예민하게 관찰하다 보면 비로소 자신도 그러한 상황을 경험했었음을 알 수 있게 되는 경우도 있는 것이다. 우린 이러한 상황을 오직 경험을 통해서만 알 수 있지만 자신이 경험을 했는지 조차 모를 수가 있고 설사 자신이 이러한 상황을 전혀 경험하지 못해 알 수 없다 하더라도 그러한 세계가 존재하지 않는다고 단정할 수 또한 없는 것이다. 알 수 없음이 존재하지 않음을 의미하지는 않기 때문이다.

그럼에도 불구하고 많은 자들이 영혼은 존재하지 않으며 그것이 허구적으로 설정된 허상에 불과하다고 주장하기도 한다. 주로 과학이나 물질주의자들 혹은 관념을 추종하는 자들에 의하여 주장되는 관념 혹은 물질에 의하여 우리의 의식이 작동된다고 주장하는 - 이들의 주장을 우리의 삶 속에서는 부정할 수가 없다. 왜냐하면 이들의 주장은 항상 딱 맞아 떨어지기 때문이다. 우리의 의식은 관념과 영혼의 마찰에 의하여 생겨나지만 눈에 보이는 한쪽만을 가지고도 그 경계의 형태를 설명할 수 있기 때문이다.

모든 의식이나 정신의 작용이 오직 관념(물질, 과학)에 의하여 생겨난다고 주장하는 자들은 아직 관념과 영혼의 분리를 경험하지 못했기 때문에 그러한 상태에서는 당연히 그렇게 주장할 수밖에 없는 것이다. 이들은 관념이 사라져 오직 영혼만이 존재하는 절정의 상태라든가 혹은 관념만이 있어 영혼이 존재하지 않는 절망의 상태를 경험해보지 못했거나 그 경험이 미약하여 파악하지 못하고 사라졌기 때문에 혹은 스스로를 주체와 객체. 영혼과 관념으로 나누어 본적이 없이 관념만을 추구하는 삶을 살아왔기 때문일 수가 있는 것이다. 그러나 이들도 관념과 영혼이 완벽히 분리되는 죽음에 이르러서는 비로소 영혼이 존재함을 알 수 있게 되는 것이다. 자기 자신을 한 번도 주체와 객체로 영혼과 관념으로 나누어보지 못한 자들에게 죽음은 자기 자신에게도 영혼이라는 주체가 따로 있었음을 경험할 수 있는 마지막 기회가 되는 것이다.

가끔 물 밖으로 튀어나오는 물고기는 물속에 들어가서도 자신이 물의 저항에 의하여 움직이고 있음을 알고 있다. 그런데 물을 단 한 번도 벗어나보지 못한 물고기는 자신의 움직임이 물의 저항에 의하여 움직인다고 생각지 않고 오직 자신의 지느러미 움직임에 의하여서만 자신이 움직이는 것으로 착각하게 된다. 자신의 움직임이 단 한 번도 지느러미의 움직임에 반응하지 않은 경우가 없었기 때문이다. 이들은 자신의 지느러미만 있으면 어디든지 유영을 할 수 있을 것이라 생각하며 물 따위는 아예 존재하지 않는 것으로 무시하며 살다가 오직 갑판위에 던져졌을 경우에만 비로소 물이 있었다는 것을 깨닫는 것이다. 물을 한 번도 벗어나 보지 못한 물고기는 물의 존재를 알 수 없고 어디에나 있는 것은 마치 없는 것처럼 무시되기 때문이다.

영혼의 유무를 따지는 것은 물속의 물고기가 물의 유무를 따지는 것과 같다. 물고기는 지느러미로 물을 가르며 물의 저항에 의하여 앞으로 나아간다. 그런데 자신이 마치 지느러미를 흔드는 것에 의해서만 앞으로 나아간다고 생각하는 어리석은 물고기가 있을 수 있듯이 우리 의식의 작용이 바로 관념과 영혼의 마찰에 의하여 이루어지는 것인데 영혼이 없음을 주장하는 자들은 우리의 의식이 오직 관념(물질)의 작용에 의해서만 의식이 영유된다고 하는 마치 물고기가 물의 존재를 부정하는 것과 같은 어리석은 자들일 뿐이다. 물을 부정하는 물고기는 갑판위에 던져져야만 비로소 물이 있었음을 알 수 있게 되듯이 영혼이 없다하는 자들은 죽음에 임해보아야만 비로소 영혼이 있음을 알 수 있게 되는 것이다.

그런데 도대체 왜 우리는 살아서 영혼의 존재를 잘 느끼지 못하다가 죽음에 이르러서야 비로소 영혼의 존재를 명확히 느끼느냐 하는 것이다. 살아있을 때 우리의 영혼은 결합관념에 둘러싸여 일정한 주거형태를 가지고 있다. 그러다가 죽음에 이르게 되면 비로소 결합관념을 뚫고 결합관념 밖으로 이동을 한다는 것이다. 우린 영혼이 결합관념 안의 의식 속에 기거할 때는 눈치 채지 못하다가 결합관념을 뚫고 움직이기 시작했을 때 비로소 그 정체를 눈치 채게 되는 것이다.

우린 영혼이 존재하냐 존재하지 않느냐 말들을 많이 하지만 영혼은 주체로서 작용하는 것이지 존재로서 증명할 수 있는 것이 아니다. 우리 의식의 작용이 관념 혹은 물질의 작용에 의하여 일어난다고 하더라도 이를 부정할 아무런 근거를 우린 갖지 못하지만 관념으로부터 영혼이 빠져나가 분리가 되었을 때 관념은 더 이상 의식을 만들어내지 못하고 영혼은 주체로서 의식할 뿐 작용하지는 않는 것이다. 영혼은 오직 관념을 만났을 때에만 관념이란 불순물을 없애기 위하여 작동하는 것이다. 영혼과 관념이 작동하는 동안은 두 가지가 섞여있어 우린 어느 것이 주체인지 객체인지 구분하기가 쉽지 않지만 두 가지가 분리될 때 하나는 명확히 남아있고 나머지 하나는 사그라지기 때문에 우린 주체로서의 지속적인 나 자신이 어느 것인지 확인하게 되는 것이다. 그것이 바로 영혼인 것이다.

그런데 영혼은 왜 결합관념을 뚫고 이동을 하는 것인가? 만약 영혼이 이동을 하지 않는다면 우린 죽지 않을지도 모르는 일이다. 아무리 위기가 닥쳐온다 하여도 결합관념 안에 자리 잡고 꿈쩍을 않는다면 우린 죽지 않고 영원히 살지도 모르는 일이다. 그러나 의식 속에 관념 욕구 고통이 가득 차 절망에 이르면 영혼은 관념에 의해 밖으로 밀려날 수밖에 없는 것이다. 관념과 영혼은 서로 적대관계에 있기 때문에 한 곳에서 공존할 수 없는 것이다. 위기의 순간 의식 속에 관념 욕구 고통이 급격하게 차오르면 영혼은 마치 튕겨나가듯 밖으로 밀려나가는 것이고 관념 욕구 고통이 서서히 차오르면 영혼은 결합관념을 들락날락거리며 서서히 밀려나는 것이다. 이것이 죽음이다. 어떠한 관념이든지 의식을 꽉 채우면 영혼은 설자리가 없어 밖으로 밀려날 수밖에 없는 것이다. 관념에 의해 의식이 포화되어 절망에 이름으로서 영혼이 밖으로 밀려나는 것 이것이 바로 죽음의 이유이자 원인이 되는 것이다.

영혼은 항상 관념에 의하여 저항을 받기 때문에 관념이 희박한 곳으로 흘러간다. 우리의 영혼이 지금 결합관념의 한 가운데에 자리 잡고 삶을 영위하고 있는 이유는 우리의 관념 한 가운데에 있는 의식이 그나마 결합관념으로 이루어진 절망의 담벼락보다는 관념이 희박하기 때문이다. 그러다 어떠한 이유이건 의식 속의 관념이 주변의 관념보다 농도가 짙어지면 영혼은 자연히 결합관념 내부로부터 결합관념으로 이루어진 절망의 담벼락 너머로 이동하며 죽음에 이르게 되는 것이다. 물이 위에서 아래로 흐르듯 영혼도 관념이 많은 곳에서 관념이 적은 곳으로 흐르게 되어있는 것이다. 어떠한 영혼도 의식 속 고통이 절망의 담벼락에 미치지 않았을 때에는 절대 밖으로 흐르지 않는 것이다.

우리가 살아있는 동안 우리의 영혼은 결합관념 속에 자리 잡고 미래로부터 들어오는 인식의 파편과 과거로부터 피어나오는 분리관념을 매치시킴으로서 이상적인 현실을 만들어내기 위하여 현재라고 하는 고정된 자리에서 끊임없이 임무수행을 하고 있다. 그러다가 본의 아니게 죽을 번 한 위기에 처하게 되면 의식 속이 공포와 두려움으로 가득 차게 되고 우리의 영혼은 공포와 두려움에 밀려 현재의 의식보다 관념이 희박한 결합관념 쪽으로 위치이동을 하게 되는 것이다. 이러한 때 영혼은 결합관념을 스치며 수많은 기억을 스쳐지나가기 때문에 많은 기억들이 순식간에 의식화 되어 나타난다. 이러한 상황을 우리는 기억의 파노라마 혹은 기억이 주마등처럼 스쳐지나간다고 하지만 이는 위기의 순간 기억이 상기되는 것이 아니라 결합관념인 기억은 가만히 있는데 우리의 영혼이 기억을 뚫고 지나가며 순간적으로 어마어마하게 많은 기억이 영혼과 마찰하며 의식 속으로 표출되는 것이다. 이때의 기억은 추억이나 회상과 같은 흐릿한 것이 아니라 순간적이라 하더라도 영혼이 결합관념 자체를 직접 스치기 때문에 아주 선명하고 정확하며 현실적이기까지 한 기억이 되는 것이다. 이러한 위치이동을 하게 되면 영혼은 가장 먼저 우리의 육체로부터 들어오는 모든 신경을 차단하기 때문에 어떠한 통증이나 고통도 없이 마치 유체이탈을 한 것처럼 주변상황을 의식하다가 위기의 순간이 지나면 다시 신경을 연결시켜 안도의 한숨을 쉬게 되는 것이다. 이처럼 우리는 살아있는 동안 위기의 순간에 순간적으로 결합관념을 경험할 수도 있는 것이다.

우리가 살아있는 동안 이러한 기억의 파노라마를 자주 접하게 된다면 우린 영혼의 유무나 영혼의 위치이동에 대하여 보다 쉽게 인지할 수 있을지 모른다. 그러나 이러한 기억의 파노라마는 죽음에 이르는 위기의 순간에만 발현되기 때문에 이를 자주 접하다가는 영혼이 빠져나가 다시는 돌아오지 않을 수도 있고 이러한 위험한 상황을 단 한번이라도 겪는다는 것은 바람직한 삶이라 할 수 없는 것이다. 죽음의 위기는 단 한번이라도 겪지 않는 것이 좋은 것이다. 습관 되면 진짜 죽을 수가 있기 때문에 우리는 죽음을 연습할 수도 경험할 수도 없어 영혼의 이동 또한 경험되어지지 않아 영혼이 이동하며 겪게 되는 결합관념도 살아있는 동안은 들추어보기가 쉽지 않아 삶의 위기나 혹은 죽으면서 겪게 되는 기억의 파노라마를 남들로부터 듣는다 하더라도 이를 이해하거나 사실로 받아들이기가 쉽지 않다는 것이다. 그러나 우리의 삶이 평탄하지만은 않아 개중엔 죽음의 위기를 겪고 가까스로 살아 돌아와 죽음의 과정이라 할 수 있는 공통된 경험을 일관성 있게 전하게 되는 경우가 있다. 이러한 죽음의 경험을 흔히 임사체험이라 하지만 이러한 임사체험이 바로 영혼이 결합관념을 뚫고 지나가는 과정을 보여주는 것이다. 우리는 임사체험이 죽음 이후의 세계를 나타내는 것이 아닌가 하지만 결합관념을 완전히 넘어간 다음에는 다시 돌아오기가 힘들고 다시 돌아올 이유도 없어지는 것이다. 때문에 우리가 듣는 임사체험은 죽었던 자의 결합관념을 벗어난 죽음 이후의 세계에 관한 체험담이 아니라 죽을 뻔했던 자들의 결합관념 내에서의 체험담이 되는 것이다.

죽음의 방법이 다양하기 때문에 죽으면서 경험하는 결합관념도 다양한 방법으로 경험하게 된다. 어떤 자는 죽음에 대해 아무런 예측을 못하다가 마른하늘에 날벼락 맞듯 죽게 되는 수도 있고 사고사의 경우에는 사고가 자신을 덮치는 순간 의식 속에 공포와 두려움이 순식간에 차올라 마치 의식으로부터 영혼이 튕겨나가듯 결합관념을 순식간에 빠져나가는 경험을 하는가 하면 생사의 기로에서 죽을 듯 살 듯 악착같이 버티다가 죽을 수도 있고 수년을 혼수상태에 빠져 결합관념에 갇혀 지내다가 죽을 수도 있는 것이다. 이처럼 어떤 자는 찰나에 죽고 어떤 자는 수년간에 걸쳐 죽기도 한다. 우리가 어떠한 방법으로 죽든 간에 죽음은 결합관념 안의 영혼이 결합관념을 뚫고 밖으로 나간다는 것이다. 우리가 순간적으로 죽는다면 죽음의 과정이 간단명료할 것이다. 그냥 결합관념을 쭈우욱 하고 통과하면 되는 것이다. 그러나 우리는 병에 걸려 오랜 기간을 죽음의 문턱에 놓여 있다가 죽을 수도 있고 의료기술의 발달로 죽어가는 자를 살리려는 시도가 끊임없이 이어지면서 죽는 과정도 복잡해지고 난해하며 기괴하게 죽을 수도 있는 것이다. 그 과정에서 우리는 결합관념 속을 헤매거나 맴돌기도 하며 끝까지 갔다가 돌아오기를 되풀이하기도 한다. 죽음의 과정이 이렇게 복잡해진 이유는 우린 죽음에 이르러서도 한마디로 죽기 싫다는 것이다. 우린 삶과 죽음의 경계인 절망의 담벼락 위에서라도 삶의 끄나풀을 잡고 싶은 것이다. 이렇게, 간절한 삶을 뒤로하고 결합관념을 넘어간다는 것은 한마디로 절망 그 자체이다. 이제 그 절망을 만들어내는 결합관념 속으로 한번 들어가 보기로 한다.

드륵 드륵 드르르륵 꽉 막혀있던 벽에서 마치 벽장이 밀리듯 벽이 움직이는 소리가 의식된다. 영혼은 벽의 갈라진 틈을 찾아 미끄러져

들어가며 온갖 쓰레기 잡념들이 층층이 쌓여져 마치 뻘과 같은 어둠 속으로 들어간다. 이 세상의 모든 관념의 쓰레기가 축적되어있는 것 같은 끈적끈적한 암흑 속을 헤쳐 가며 한참을 나아가자 한 줄기 빛과 함께 비로소 나 자신의 추억 속으로 들어왔다. 내가 기억력이 이렇게 좋았던가? 예전에 있었던 일들이 선명하게 눈앞에 펼쳐지며 뒤로 지나간다. 애틋했던 장면이 떠오르면 좀 더 회상하고 상기하고 싶은데도 그대로 뒤로 밀리며 새로운 장면들이 나의 의도와는 아무런 상관없이 기계적으로 떠오른다. 바로 눈앞에서 실제 일어나고 있는 장면처럼 선명하고 구체적이기까지 하다. 마치 시간을 압축시킨 것처럼 기억의 나이테를 직각으로 뚫고 지나가며 지나온 삶을 순식간에 지나쳤다. 오래 동안 지녀온 짐을 풀어 헤친 듯 의식은 가벼워지고 머나먼 지평선을 바라보듯 의식이 확장되며 쾌감이 몰려온다. 잠시 후 먼 지평선 위에 누군가 다가온다. “아니, 저 사람을 여기서 만나다니” 살아있는 동안 급작스런 사고사로 가장 애통하게 이별을 했던 예전의 연인이 죽음의 끝자락에서 나를 마중 나온 것이다. 반가움의 회포도 잠시 그는 나를 이끌고 길을 재촉한다. 밝은 빛이 비추이는 곳을 가리키며 나에게 앞으로 나아갈 것을 지시하고는 그 자리에 남아 점점 멀어져가는 나를 바라보기만 한다. 만나자 이별이라고 이 기막힌 재회와 이별의 순간이 슬프기라도 해야 할 텐데 오히려 극도로 편안해지며 그렇게 애절했던 사람이 마치 아무런 관련이 없었던 사람처럼 이별이 아니라 그저 멀어져갈 뿐이다. 재회의 순간은 충격적 반가움이었음에도 이별은 아무런 감정이 없이 무덤덤하기만 하다. 그동안 나를 존재케 했던 정체성은 사라져가고 나 자신에 대한 의식 -자아감은 점점 뚜렷해진다. 이제 빛이 더욱 강렬해지는 곳으로 빨려 들어가며, 이게 천국인가? 느끼는 순간 드디어 올 것이 왔다. 죽음의 끝부분에서 예전에 행했던 나쁜 일들이 떠오르는 것이다. 스스로 생각해도 벌을 받아야 마땅했던 일들 남에게 파렴치하게 행했던 일 그리고 너무나 수치스러워서 다시는 떠올리고 싶지 않았던 일들이 이제 드디어 죽음의 마지막을 넘어가나 했는데 여지없이 떠오르며 나를 긴장시키고야 만다. 드디어 심판의 순간이 온 것인가? 그 자리에서 머뭇거리고 있는데 그대로 뒤로 밀려나며 하나하나 사라진다. 아무도 예전의 잘못을 가지고 시비 걸지 않고 따지지도 않으며 심판하지 않는다. 십년감수 했네! 다행이다. 마침내 모든 죄악을 뒤로하고 완전히 세탁된 깨끗한 영혼이 되어 모든 결합관념의 끝부분에 도달하자 빛이 쏟아져 들어오며 나를 삼켜버리고 만다. 그동안 나를 구속해왔던 모든 정체성은 사라지고 무한한 자아감을 느끼며 쏟아지는 빛 속으로 빨려 들어가며 환희를 느낀다. 이제 절대의식 속으로 들어온 것이다. 죽었다..

영혼은 벽도 통과하고 아무리 단단한 물체라도 통과할 수 있지만 단 한 가지 통과할 수 없는 것이 있다. 그것이 바로 관념이다. 때문에 죽음에 이르러 영혼이 관념을 벗어날 때는 관념을 스르르 통과하는 것이 아니고 마치 물과 기름처럼 서로 간에 스며들거나 섞이지 못하고 항상 대립하기 때문에 영혼이 관념을 빠져나갈 때도 반드시 틈이 있어야만 하는 것이다. 관념이 단단히 굳어있을 때에는 틈을 찾아야 하고 틈이 찾아지지 않으면 밀거나 두드려서 틈을 만들어야만 하는 것이다. 이 과정에서 우리는 마치 건조한 벽장이 움직이는 듯 한 마찰을 의식하게 되는데 이를 삶의 언어로 해석하면 지진이

올 때의 소리처럼 드륵드륵 거리는 것이다. 또한 결합관념이 단단히 굳어있지 않고 뻘이나 진흙처럼 반고체화 되어있을 경우에는 이를 뚫고 헤쳐 나오는 과정이 필요하다. 사실 영혼은 어느 위치에서건 결합관념을 순조롭게 통과할 수 있다. 결합관념은 영혼과 결합되어있어 어느 곳에서나 밝고 여유로운 공간이 존재하기 때문에 영혼은 이를 통하여 빠져나올 수 있는 것이다. 그런데 의식과 결합관념이 맞닿아있는 결합관념의 초입부에는 결합관념이라 할 수조차 없는 지식이나 법 규정 삶의 매뉴얼과 같은 단순관념이 자리 잡고 있어 영혼은 이러한 단순관념을 뚫고 나오는데 어려움을 겪는 것이다. 이러한 단순관념은 기억 속에 저장될 때 영혼에 의하여 고통과 쾌감을 동반한 감정적 경험이 없이 영혼과 결합되지 않은 채로 기억 속에 저장되기 때문에 빛으로 인식되는 공간이 없어 어두컴컴하고 영혼에 의한 관념의 정화작용도 일어나지 않아 썩고 부패되어 악취까지 발생하게 되는 것이다. 이처럼 결합관념의 초입부에는 온갖 잡념 쓰레기가 뒤범벅이 되어 뭐가 뭔지 구별도 안 되고 마치 어두운 시궁창에 들어와 있는 것과 같아 빨리빨리 헤쳐 나가는 것이 상책인 것이다. 이러한 어둡고 음침한 잡념의 더미를 헤쳐 나가다 보면 한 줄기 빛과 함께 비교적 잘 정돈된 나만의 추억 속으로 들어간다. 모든 가족과 친지들 하나하나와 예전에 지냈던 사소하고 전혀 특별할 것 없는 일들이 마치 눈앞에서 실제로 행해지는 것처럼 선명하고 현실적으로 보여져 의아하고, 과거로 흘러가는 의식에 황당함을 느끼는 순간 모든 장면은 차례차례 뒤로 밀려나 순식간에 결합관념의 끝부분에 도달하게 된다. 우리 삶에서의 기억은 의식 속의 영혼이 결합관념으로부터 떨어져 나오며 피어오르는 분리관념을 접하기 때문에 추억이나 기억이 흐릿하거나 요점 정리된 장면만 간략하게 접하게 되지만 영혼이 결합관념을 직접 뚫고 지나갈 때에는 영혼이 직접 결합관념 자체를 의식하기 때문에 매우 선명하고 구체적이며 현실성 있는 장면으로 떠오르는 것이다. 그러나 영혼은 결합관념을 빨리 벗어나야 하기 때문에 아무리 좋은 추억이라 하더라도 추억을 더듬거나 둘러볼 여유도 없이 결합관념을 최단거리로 뚫고 지나가 어떠한 장면도 지속되지 않고 전혀 연관성 없는 다른 장면으로 기계적으로 이어져 순식간에 자신의 일생을 지나쳐 결합관념의 끝부분에 도달하게 되는 것이다.

일생의 기억을 지나쳐감에 따라 정체성은 사라져가지만 정체성이 사라진다하여 아쉽거나 서운한 것이 아니라 오히려 쾌감과 함께 의식이 확장됨으로 비로소 자아감이 뚜렷해진다. 우리의 영혼은 의식을 빙 둘러싸고 끊임없이 분리관념을 뿜어대는 결합관념으로 둘러싸인 채 일정하고 유사한 분리관념이 끊임없이 분출되어 나오는 결합관념으로 압박을 받아왔다. 한 번 만들어진 결합관념은 죽을 때까지 일정한 분리관념을 끊임없이 분출하기 때문에 우린 자기 자신만의 고유한 결합관념에서 피어나오는 고유한 분리관념에 의하여 자기 자신의 정체성을 확립하게 되었던 것이다. 내가 남이 아니라 나인 이유는 나만의 고유한 결합관념을 가지고 있기 때문인 것이다. 우린 이제까지 나만의 관념에 의하여 정체성을 느껴왔던 것이다. 그런데 죽음에 이르러 자기 자신의 고유한 결합관념을 지나치고 나면 더 이상 결합관념으로부터 피어나오는 분리관념의 영향을 받지 않아 정체성은 사라지고 의식은 확장되는 것이다. 원래 나는 모든 것이었는데 결합관념에 갇혀 일정한 것 - 정체성 - 만을 의식하다 보니 감옥에 갇혀 벽만 의식하듯 의식이 극도로 쪼그라들었던 것이다. 때문에 죽음에 이르러 결합관념을 벗어나면 마치 감옥에서 벗어난 것처럼 의식이 확장되며 감옥의 벽과 같은 정체성이 아닌 지평선 너머를 바라보며 모든 것을 의식하고 있는 자기 자신을 느끼게 되는 것이다. 이제 비로소 관념에 의해 수동적이고 한계적으로 느껴지는 내가 아니라 의식의 확장에 의하여 스스로 모든 것을 받아들이고 있는 나 자신을 느끼게 되는 것이다. 이것이 자아감이다. 관념과 영혼이 섞여있을 때에는 주체와 객체가 구별이 되지 않아 우린 끊임없이 질문을 해왔던 것이다. "도대체 나는 무엇인가?" 그런데 죽음에 이르러 영혼이 관념을 빠져나가 의식이 확장되면 대상은 사라지고 모든 것을 의식 속의 나 자신으로 의식하게 되어 우린 나 자신이 무엇인지 분명히 느끼게 되는 것이다. 이것이 바로 자아감인 것이다.

나 자신의 일생을 거의 통과해 결합관념의 끝부분에 도달하면 너무나 안타깝고 애통했기 때문에 외면해왔던 일들이 나타난다. 그것이 어떤 이들에겐 죽은 자와의 재회가 될 수도 있고 죽음의 공포가 유별났던 자들은 저승사자가 나타날 수도 있고 죽어서 지옥 갈지도 모른다는 두려움에 떨던 자는 교주를 만날 수도 있는 것이다. 우린 살아가면서 과거를 회상할 수도 추억할 수도 있다. 과거가 수시로 떠오른다 해도 그것이 삶에 큰 영향을 주지는 않고 그저 일상의 일부가 될 수도 있는 것이다. 그런데 어떠한 과거는 한 번 떠오르면 심각한 고통이 되는 과거가 있다. 사랑했던 사람의 갑작스럽고 안타까운 죽음과 같은 경우는 기억이 떠오를 때마다 안타깝고 괴로운 것이다. 때문에 이처럼 안타깝게 죽은 사람의 기억이나 죽음에 대한 공포나 두려움같이 의식으로 떠오르면 괴로운 기억이나 생각은 될 수 있으면 의식으로 피어오르지 않게 무의식에 가까운 기억의 깊숙한 곳으로 단단히 묻어두어 감추어두게 되는 것이다. 그러나 아무리 감추어도 영혼이 결합관념을 빠져나가는 과정에 순서상 거의 마지막 부분에서 영혼과 만나며 회상이 될 수밖에 없는 것이다. 우리는 임사체험의 끝부분에서 - 추억이 아닌 무의식에 가까운 부분에서 - 왜 살아있는 사람은 안 만나고 죽은 사람만 만나는지 의아스러울 수가 있다. 살아있는 자들의 기억은 결합관념 깊숙이 무의식 가까이에 저장되지 않는다는 것이다. 죽음에 의한 상실의 고통이 있어야 만이 결합관념 깊숙이 무의식이나 잠재의식으로 저장되는 것이다. 때문에 임사체험의 끝부분에서 사람을 만날 때는 사랑했기 때문에 상실의 고통이 있었던 무의식 가까이에 저장된 예전에 죽은 사람을 만나게 되는 것이다. 이처럼 누군가 죽어가며 예전에 죽은 사람을 만나게 된다면 이제 결합관념을 거의 빠져나왔다는 것이고 이제 곧 돌아가시게 된다는 것이다.

이처럼 결합관념의 끝부분에는 무의식이나 잠재의식에 가까운 정말로 안타까웠거나 두려웠던 악성관념들이 포진해서 나의 마지막 정체성을 주장하는 것이다. 그러나 예전에 가장 안타까웠던 혹은 가장 두렵거나 공포스러웠던 악성관념을 빠져나오면 안타깝거나 두렵거나 공포스러운 것으로부터 해방이 되어 고통이 아니라 오히려 쾌감이 극대화되는 것이다.

이처럼 죽음을 만끽하며 결합관념을 빠져나오다 보면 갈수록 태산이라고 남에 대한 안타까움이나 두려움 공포보다 더한 악성관념을 마주하게 된다. 그것은 바로 나 자신의 죄의식이나 수치감 혹은 나 자신의 파렴치한 기억들이다. 아무에게도 말하고 싶지 않았던 죄악과 수치 그리고 파렴치한 일들 이러한 것들은 누구와 상의 할 수도 고백할 수도 없었던 일들이다. 절대 드러나서는 안 된다고 생각해 기억의 저 밑바닥 깊은 곳에 마치 무의식처럼 묻어두었는데 죽음의 순간이라 해도 절대 떠오르지 말아야함에도 불구하고 떠오르고 마는 것이다. 완벽하게 감추고 싶었는데도 감추어지기는커녕 아주 적나라하고 생생하게 떠오르는 것이다. 어쩔 수 없이 이제 드디어 심판의 순간이 다가왔다고 생각하며 자포자기하고 있는데 의아스럽게도 심판은커녕 하나하나 뒤로 밀려나며 오히려 마음이 극도로 편안해진다. 그렇다! 아무리 악성관념이라 하더라도 영혼이 그것을 벗어나면 더 이상 영향을 받지 않게 되는 것이다. 우린 그동안 스스로 만든 결합관념에 의해서 스스로 구속당하고 정체성이라는 명목으로 스스로를 한계 지어왔던 것이다. 마침내 이러한 결합관념을 모두 벗어나면 빛이 쏟아져 들어오며 환희에 빠지게 되는 것이다.

우린 죽을 번 하다가 돌아온 사람들로부터 강렬한 빛을 체험했다는 말을 가장 흔히 듣게 된다. 쏟아지는 빛의 출현은 모든 죽음의 공통사항이라 할 정도로 죽음에 이르러 누구나 겪게 되는 체험인 것이다. 죽음의 경험 중에 소리를 듣는다거나 뻘 속을 헤매거나 우주를 빛의 속도로 날아가거나 누군가를 만나거나 심판에 직면한다거나 하는 것은 개인의 고유한 결합관념에 따라 그때그때의 상황이 다 다를 수 있고 많은 것을 건너뛰거나 혹은 우리가 상상할 수 없는 기괴한 체험을 할 수도 있어 개인마다 죽음의 과정이 상이할 수 있는 것이다. 또한 죽음의 환경에 따라 결합관념을 빠져나가는 방향이 결정되고 빠져나가는 방향에 따라 임사체험의 내용이 달라질 수도 있는 것이다. 그러나 강렬한 빛은 결합관념의 내용물에 의하여 영향을 받는 것이 아니라 관념자체가 사라졌을 때 드러나기 때문에 강렬한 빛의 체험은 결합관념을 벗어나는 과정에 누구에게나 일어나는 공통된 체험이 되는 것이다. 어떠한 관념이든지 관념은 빛을 차단하고야 말기 때문에 누구나 결합관념을 벗어나면 쏟아지는 빛을 맞이하며 환희에 빠지게 되는 것이다. 그런데 우리가 죽음의 과정에 이러한 빛을 처음 경험하게 된다면 그 빛의 의미를 어떻게 해석해야할지 난감한 상황에 처하게 된다. 종교나 신념이 있는 자들은 빛을 자신의 교주나 조상 혹은 영혼의 안내자와 같은 것으로 여기겠지만 어떠한 신념도 갖고 있지 않았던 자들은 이것이 도대체 무엇인지 왜 죽어가는 과정에 빛이 쏟아져 들어오는지 그저 어리둥절함 만을 느끼게 되는 것이다. 우리가 만약 이와 유사한 경험을 살아생전에 하게 되고 왜 그러한 현상이 생기는지 이해를 한다면 죽음의 과정이 어리둥절하고 영 생소하지만은 않을 수도 있겠지만 우리는 이러한 쏟아지는 빛을 죽음의 과정에서 처음으로 경험하게 되는 경우가 대부분인 것이다. 때문에 우린 대부분 어리둥절하게 죽음을 맞이하게 되는 것이다. 그러나 우린 이러한 빛을 삶의 과정에서도 어렴풋이나마 느껴보았던 경우가 있는 것이다. 빛이라는 것이 죽음의 과정에서만 쏟아져 들어오는 것이 아니라 삶 속에서도 동일한 과정이 있을 수 있는 것인데 우린 삶 속에서 이러한 빛을 보았다 하더라도 역시 어리둥절함만을 느낄 뿐 왜 이러한 빛이 발현되는지 이러한 빛이 발현되는 원리를 모르고 어리둥절함만을 느끼며 지나쳐 왔던 것이다. 우린 쏟아지는 빛을 보면 환희에 빠져 그 빛을 보았다는 것에 특별하고 예외적인 의미를 둘뿐 왜 빛이 쏟아져 들어오는 지에 대해서는 그냥 지나치기 때문에 볼 때마다 어리둥절해야만 하는 것이다. 이러한 빛의 발현은 보았나 못 보았나가 중요한 것이 아니라 이러한 빛이 발현되는 원리를 아느냐 모르느냐 하는 것이 중요한 것이다. 이러한 빛이 발현되는 원리를 모르고 빛을 보게 되었을 때 우린 참으로 여러 가지 착각을 하게 되는 것이다. 어떤 자들은 빛을 신이나 교주로 해석을 하기도 하고 조상님이나 천사 혹은 저승사자와 같이 자신의 신념에 따라 자기 마음대로 해석을 하게 되는 것이다. 그러나 빛이 발현되는 원리를 알면 환희를 느끼며 지금의 상황이 어떠한 상황인지 알게 되는 것이다. 죽을 때 어리둥절하지 않기 위하여서는 살아서 빛을 경험해 보고 그 원리를 이해하면 되겠지만 설사 살아서 이러한 빛을 경험해 보지 못했다 하더라도 그 원리를 이해한다면 죽음의 과정이 어리둥절하지만은 않을 수도 있는 것이다.

우리가 살아서 이러한 빛의 발현을 경험하는 경우는 우리의 의식 속의 관념이 완전히 사라지는 경우이다. 의식 속의 관념이 거의 사라졌을 때는 가로수가 반짝거린다거나 모든 사물에서 빛의 아지랑이가 피어오르는 등 우리가 깊은 몰입이나 사랑에 빠졌을 때 혹은 감동을 받았을 때 또는 감탄과 환희는 아니더라도 들뜬 기분과 함께 빛이 발현되는 것을 보게 되는 경우가 있다. 또한 이렇게 점진적인 관념의 사라짐이 아니라 깨달음이나 해탈 혹은 기도의 결과 신과의 만남과 같은 순간적이고 완전한 관념의 사라짐을 경험할 때에는 우리에게 환희를 불러오는 쏟아지는 빛을 경험할 수 있는 것이다. 이처럼 관념이 사라지면 우리는 모든 존재를 관념에 의하여 - 관념의 필터를 거쳐 - 보지 않고 직접적으로 의식하기 때문에 쏟아지는 빛을 보게 되는 것이다. 원래 모든 존재는 빛을 쏟아내는데 우린 관념으로서 모든 빛을 필터링해 보아왔던 것이다. 우린 쏟아지는 빛을 보게 되면 그것이 원래 있던 것이라 생각지 않고 새로운 무언가가 나타났다고 생각해 수많은 해석과 착각을 부여하지만 이는 단지 관념의 사라짐에 의하여 있던 것이 그대로 드러나는 아주 단순한 현상인 것이다. 이와 같이 우린 살아서 의식 속의 관념이 사라질 때 빛을 볼 수 있는데 우리가 죽음에 이르러 쏟아지는 빛을 보게 되는 것은 영혼이 결합관념을 지나침으로 인하여 관념이 사라지는 효과를 보다 확실히 보게 되기 때문이다. 이처럼 우리가 관념을 제거할 수만 있다면 어디서나 쏟아지는 빛과 함께 모든 실체를 있는 그대로 봄과 동시에 환희를 느끼게 되는 것이고 관념에 둘러싸여 있다면 어디나 어둡고 암울한 세상이 되는 것이다.

이제까지 우리는 빛의 출현을 아주 특이하고 이상한 현상으로 보아왔지만 사실은 관념에 둘러싸여 빛을 차단하고 사는 우리의 삶 자체가 기이하고 특이한 삶이었던 것이다. 우린 순수해질 수만 있다면 어디서나 빛을 볼 수 있다. 이때의 빛은 눈부심이 아니라 나와 모든 존재를 합일시키는 환희이자 자아감인 것이다.

이처럼 우리는 누구나 가장 순수해지는 죽음의 순간에 빛을 보게 된다. 그런데 이러한 빛이 죽는 당사자가 아니라 죽음을 관찰하는 - 죽어가는 자를 간호하는 - 자에게 나타나는 경우도 있다. 죽어가는 자를 옆에서 간호하던 자가 죽음의 순간에 죽어가는 자의 후광을 본다든가 혹은 쏟아지는 빛을 바라보며 환희에 빠진다든가 할 수가 있는 것이다. 우린 이러한 말을 들으면 마치 죽음이 만들어내는 신비한 현상이라 여기기도 하지만 이는 죽음이 만들어내는 현상이 아니라 죽어가는 자를 옆에서 바라보는 자의 의식 속의 몰입에 의한 당연한 결과일 수 있는 것이다. 죽어가고 있는 사랑하는 사람을 옆에서 간호하려면 상대의 일거수일투족과 표정 그리고 마음의 상태까지 놓치지 않고 관찰해야만 하는데 이는 그 어떠한 몰입의 상태보다도 결코 덜하지 않고 죽음에 가까이 다가갈수록 초 집중하게 되어 마침내 죽음의 순간을 놓치지 않고 정확히 알아낼 수가 있는 것이다. 이때 관찰자의 의식은 초 집중이라고 하는 거의 절망에 가까운 상태에 놓이다가 마침내 죽음의 순간에 집중을 멈추고 긴장을 풀어버리면 의식은 텅 비어버리고 집중이라는 절망으로부터 의식의 공을 이루는 과정에 모든 관념이 사라지며 빛을 볼 수도 혹은 후광을 볼 수도 혹은 죽어가는 자로부터 빠져나오는 반짝이는 영혼을 볼 수도 있는 것이다. 이는 죽어가는 자의 의식의 작용이 아니라 관찰하는 자의 의식의 작용인 것이다. 우린 이러한 말을 들으면 이러한 현상이 죽음의 순간과 동시에 이루어지기 때문에 마치 죽어가는 자에 의한 현상으로 여기기 쉽지만 실은 관찰자의 의식의 작용인 것이다. 이러한 현상은 관찰자가 죽어가는 자를 진실로 사랑했을 경우에만 일어날 수 있는 현상인 것이다. 또한 이러한 현상은 죽음을 절망이나 종말로 보지 않고 고향으로의 회귀 혹은 존재와의 합일 · 차원의 변환같이 죽음을 긍정적으로 바라보는 자에게서만 나타날 수 있는 현상이다. 만일 죽음을 종말이나 절망으로 보게 된다면 상대의 임종 시에 빛은커녕 고통과 절망만이 배가 될 것이다. 이처럼 죽음을 바라보는 시각이 어떠했느냐에 따라 정반대의 상황에 처하게 되는 것이다.

우리가 죽음을 종말이나 절망 혹은 허무와 같이 모든 것이 끝나는 것으로 받아들인다면 사랑하는 사람의 죽음을 맞이하여 절망에 휩싸여 슬픔과 고통으로부터 헤어 나오기가 어려울 것이다. 그러나 죽음을 존재와의 합일 · 진정한 나 자신으로의 복귀 · 차원의 변환과 같이 긍정적이고 발전적으로 받아들인다면 죽음을 안도와 다행 혹은 경우에 따라 기쁨으로까지 받아들일 수도 있는 것이다. 우리가 죽음을 이렇게 받아들일 수 있는 이유는 가장 절망적인 것은 죽음이 아니라 죽음 직전에 죽음에 이르는 과정이라는 것이다. 죽음 자체는 오히려 쾌감과 환희 그리고 자아감으로 충만 되어 있지만 죽음에 이르기 직전엔 절망에 휩싸인다는 것이다. 때문에 죽음을 아는 자는 죽음을 안타까워하는 것이 아니라 죽어가는 과정에 절망을 넘어가는 고통을 안타까워하는 것이다. 때문에 죽어가는 자를 바라보는 자는 상대가 죽기 이전에 이미 절망의 상태로 접어드는 것이다. 그러다 상대가 죽게 되면 더 이상 절망을 유지할 필요 없이 절망의 상태로부터 벗어나게 되는 것이다. 정말로 두렵고 고통스러운 것은 죽음이 아니라 죽음 이전의 남아있는 삶이기 때문이다.

이처럼 죽음을 바라보는 시각에 따라 죽음 이후에 절망을 느끼는 자가 있는가 하면 죽음 이후에 오히려 안도감과 편안함을 느낄 수도 있는 것이다. 이처럼 죽어가는 자를 사랑한다는 가정 하에 죽음에 대한 시각에 따라 두 가지 극명한 대비가 있지만 이 두 가지의 극명한 다름이 죽어가는 자에게 미치는 고통도 극명하게 대립할 수 있는 것이다. 죽음을 절망 혹은 종말 · 허무로 인식하는 자는 죽어가는 자의 생명을 연장시키기 위하여 최선을 다할 것이다. 그 과정에서 죽어가는 자에게 온갖 고통을 연장시키고 가중시키는 일을 당연시하며 절망의 담벼락을 넘어가는 자의 뒷덜미를 잡고 놓아주지 않는 것이다. 그러다 온갖 고통 속에서 돌아가시게 되면 더한 절망에 빠져 헤어 나오기 힘든 지경에 빠지고 마는 것이다. 그러나 죽음을 존재와의 합일 · 차원의 변환 · 자아의 발견 등과 같이 인식하는 자는 죽어가는 자의 생명을 연장시키기 위하여 최선을 다하는 것이 아니라 죽음 직전에 절망을 넘어가는 과정에서 고통을 느끼지는 않는지 어떻게 하면 최대한 편안한 상태로 절망의 담벼락을 넘어가게 할 수 있는지에 집중하며 가장 나약한 상태에서 고통을 줄이기 위하여 가장 필요한 것이 무엇인지 끊임없이 살피게 되는 것이다. 그러다가 돌아가시게 되면 절망으로부터 벗어난 고인에 대하여 안도감을 가짐과 동시에 자신도 긴장을 풀고 고인과 함께 느꼈던 고통에서 벗어나게 되는 것이다. 그러나 죽음을 아무리 긍정적으로 바라본다 하더라도 사랑하는 자의 죽음 앞에서 안도감과 편안함만을 느끼는 자는 없을 것이다. 죽음에 대한 긍정적 시각이 우리의 슬픔을 중화시키는 데는 커다란 기여를 하겠지만 아무리 상대의 죽음을 긍정적으로 바라본다 하더라도 사랑했기 때문에 겪어야만 하는 나 자신의 슬픔에는 미치지 못하는 것이다.

죽음에 대한 시각은 이성적이고 논리적일 수 있지만 슬픔은 이성적으로 따지고 자시고 할 여지가 없이 당사자가 겪어내지 않으면 사라지지 않는 것이다. 우리는 슬픔을 이겨내는 데 있어서 마음을 굳게 먹는다거나 긍정적 생각을 한다거나 함으로서 슬픔을 억누르고 이겨내어 슬픔을 잠재우려 하지만 슬픔은 마음먹음에 따라서 없어지거나 생겨나는 것이 아닌 것이다. 슬픔은 우리 기억 속 가치가 현실과 매치되기 위하여 빠져나가는 과정이다. 이미 현실에서는 사라진 사람이 기억 속에 가치로서 그대로 존재한다면 기억과 현실의 불균형에 의해서 우린 정상적인 생활을 할 수 없는 것이다. 때문에 현실에서 사라진 사람은 기억은 한다 할지라도 기억 속에 현존하는 가치로서 남아있어서는 안 되는 것이다. 때문에 현실에 존재하지 않는 기억 속의 가치는 없애야만 하는 것이다. 이처럼 현존하지 않는 기억 속 가치를 없애는 과정 이러한 과정을 우리는 슬픔이라 하는 것이다. 슬픔이란 미래와 과거를 매치시켜 현재의 오류를 줄여가는 과정이다. 이러한 슬픔은 우리의 감정 중 하나라고 할 수 있지만 다른 감정과는 달리 매우 격렬하게 이루어진다. 우리의 감정 중 즐거움이나 우울과 같은 것은 의식을 통과하는 분리관념에 의하여 이루어지지만 슬픔이나 기쁨과 같은 격렬한 감정은 의식을 통과하는 분리관념보다는 기억 속의 결합관념을 직접적으로 자극한다는 것이다. 슬픔이란 결합되어있는 가치관념이 급격하게 분리되어 사라지는 것이고 기쁨이란 가치관념이 급격히 결합되는 과정이다. 이처럼 관념이 급격히 결합되거나 분리되는 과정을 우리는 기쁨이나 슬픔이라 하는 것이다. 기억 속에 결합되어있는 오래된 가치는 수 년 혹은 수십 년에 걸쳐서 단단히 다져졌기 때문에 쉽사리 사라지지 않고 그 괴리가 매우 크기 때문에 괴리를 메꾸는 과정 또한 쉬운 것이 아니다. 때문에 우리는 충격적 슬픔에서 통곡을 하기도 하고 하염없이 눈물을 흘리기도 하며 기억 속 가치를 지우는 작업을 하게 되는 것이다. 통곡이나 눈물을 흘리는 것은 마음이 약해서 하는 것이 아니고 기억과 현실의 괴리는 우리에게 혼란과 고통을 가져오기 때문에 기억을 현실에 매치시키기 위하여 기억 속 가치를 뽑아내기 위한 수단으로서 통곡이나 눈물을 흘리는 것이다. 기억속의 가치만을 쏙하고 뽑아낼 수 있다면 우린 통곡을 하거나 눈물을 흘리지 않아도 될 것이다. 그러나 단단히 다져진 기억 속 가치는 그 단단함만큼이나 오랜 시간에 걸쳐 물리적 화학적 작업을 거쳐야만 비로소 사라지고 그리하여 기억과 현실이 매치되었을 때 우리는 마침내 슬픔에서도 벗어날 수 있는 것이다.

죽음을 바라본 자는 아직 남아있는 자신의 결합관념에 갇혀 결합관념이 사라질 때까지 오랜 시간에 걸쳐 슬픔에서 벗어나지만, 죽음의 당사자는 죽는 순간 오히려 결합관념을 완전히 빠져나가며 환희에 빠져 절대의식 속으로 들어간다. 드디어 모든 죄악과 수치 정체성으로부터 벗어나고 의식이 확장되어 어떠한 관념으로부터도 영향을 받지 않는 깨끗한 상태로 절대의식과 합류하고 모든 존재와 합일하며 무한한 자아감을 느끼게 되는 것이다. 이제 드디어 모든 것이 나이고 내가 모든 것이 되는 합일의 경지를 느끼게 되는 것이다. 이제 어떠한 대상도 존재치 않고 느껴지는 모든 것이 바로 나인 것이다. 생각과 이론이 아닌 느낌으로 나 스스로 나를 완벽히 느끼게 되는 것이다. 완벽한 자아감이다.

우린 살아가면서 도대체 내가 무엇인지 끊임없이 질문을 해왔다. 나라는 것은 주체로서 존재하는 것인데 주체가 객체를 바라보며 객체 속에서 나를 찾아왔던 것이다. 이러니 내가 찾아질 리가 만무했던 것이다. 주체가 자신을 찾으려면 주체자체를 보면 되는데 주체는 주체일 뿐 대상화 되지 않아 아무리 보려 해도 볼 수가 없었던 것이다. 그런데 죽음에 이르러 관념을 벗어나고 의식이 확대되어 모든 존재를 의식 속에 두게 되면 대상은 사라지고 모든 것은 의식 속의 내가 되는 것이다. 이때 느낄 수 있는 감정은 대상에 의하여 느껴지는 대립감이 아니라 바로 자기 자신을 느끼고 있는 자아감인 것이다. 어떠한 대상도 존재하지 않고 모든 것이 바로 나인 것이다. 나와 존재와의 사이에 그 어떠한 관념도 끼어들지 않아 비로소 완벽한 관계가 이루어지게 되는 것이다. 이러한 자아감은 사실 우리의 삶에서도 존재했었다. 그것이 바로 의식이다. 그런데 삶에서의 의식이란 것이 결합관념에 둘러싸여 무한한 대상에 비해 너무나 쪼그라들어있다보니까 자아감이란 느낌을 느낄 겨를이 없었던 것이다. 그러다 죽음으로서 결합관념을 벗어나면 비로소 쪼그라들었던 의식이 절대의식 속으로 들어가며 존재와 영혼 사이에 어떠한 관념도 끼어들지 않아 합일을 이루어 무한한 자아감을 느끼게 되는 것이다. 우린 죽음으로서 비로소 내가 존재함을 알게 되는 것이다. 죽음은 끝이 아니라 진정한 삶의 시작인 것이다.

이제까지 우린 죽음을 종교나 형이상학적 문제로 미루어 놓고 죽음을 터부시 하거나 우리의 삶과는 다른 미지의 영역으로 간주해 죽음에 대한 논의조차 꺼려함으로서 오히려 죽음에 대한 왜곡과 곡해만으로 죽음을 해석해 왔지만 죽음은 더 이상 종교적이거나 우리가 알 수 없는 미지의 영역이 아니라 관념의 구조와 영혼의 움직임에 의한 구조적이며 역학적인 문제인 것이다. 우리가 남들의 임사체험을 듣거나 죽음을 자세히 들여다볼수록 죽음이란 것이 우리가 생각하듯 두렵거나 절망적인 것이 아니라 오히려 의식의 확장이나 자아의 발견 새로운 차원의 시작과 같은 발전적 삶으로 나아가는 관문과 같은 것으로 여겨지게 되는데 죽음을 이와 같이 발전적으로 여길 수 있는 이유는 우리의 의식은 한계상황에서 비로소 결합관념을 벗어나는 경험을 하게 되고 그 과정에 의식의 확장이나 합일의 경험 그리고 자아의 발견과 같은 삶에서는 느껴보지 못한 바로 자신을 느끼고 발견하게 됨으로서 쾌감과 환희 그리고 자아감으로 충만해진다는 것이다.

때문에 죽음의 체험은 삶 속에서 경험할 수 없는 미지의 탐험이요 삶 속에서 찾아지지 않는 자기 자신에 대한 발견이며 삶 속에서 느껴보지 못했던 의식의 확장과 존재와의 합일 그리고 자아감에 대한 경험인 것이다. 이처럼 죽음의 체험은 우리가 이제까지 생각해왔던 암울함이나 허무 종말과 같은 비관적인 것이 아니라 오히려 이제까지의 비관적 생각을 뒤바꾸는 완전한 반전으로 이루어져 있는 것이다. 그러다 보니 이러한 임사체험을 받아들이기 힘든 자들은 임사체험의 증명을 요구하며 임사체험을 현실이 아닌 환상이나 환각 혹은 망상과 같은 허구적인 것으로 치부하기도 한다.

그렇다. 임사체험은 현실이 아니다. 임사체험은 임사체험일 뿐이다. 우린 현실만이 진실이고 현실이 아닌 것은 환상이나 환각 · 망상 따위로 치부해 버리지만 사실 현실만큼 부정확하고 믿을 수 없는 인식도 없는 것이다. 우린 영혼이 무엇과 접해있느냐에 따라 판이하게 다른 상황에 처하게 된다. 우리가 진실이라 믿고 있는 현실은 '존재로부터 피어나온 인식의 파편'과 '과거의 인식의 파편을 기억 속에 저장해 놓은 결합관념으로부터 피어오른 분리관념'을 매치시키는 과정을 말한다. 그런데 이러한 인식의 파편은 존재로부터 피어난 아지랑이의 제로에 가까운 극히 일부일 뿐인 것이다. 이러한 거의 제로라 할 수 있고 단지 유사하다고 간주된 미래와 과거의 관념을 일치하는 것이라고 간주하는 것이 바로 현실이라는 것이다. 이러한 현실은 우리가 그럴 것이라고 간주하는 동안만 현실로서 작동한다. 그러다가 어느 순간 미래와 과거가 다르다고 생각되면 현실은 자취를 감추는 것이다. 이처럼 우리의 영혼이 - 유사하다고 간주되지만 절대 같지 않은 - 미래의 인식의 파편과 과거의 인식의 파편을 매치시키는 과정에 있으면 그것이 현실이다. 또한 우리의 영혼이 미래의 인식의 파편에 대응하는 과거의 인식의 파편을 찾아내지 못해 미래의 인식의 파편만을 마주한다면 이는 기적이며 우리는 신비감을 느끼게 되는 것이다. 반면에 우리의 영혼이 미래의 인식의 파편이 들어오지 않음에도 불구하고 과거의 인식의 파편 - 결합관념으로부터 피어오르는 분리관념 - 만을 마주하게 되면 이는 꿈이요 환상이며 환각인 것이다. 그리고 우리의 영혼이 기억 속의 결합관념을 마주하게 되면 이는 임사체험이고 죽음의 과정이며, 마침내 우리의 영혼이 결합관념을 벗어나 존재와 마주하면 이는 자아감이요 우리는 합일의 경지에 이르게 되는 것이다.

이처럼 우리의 영혼이 무엇을 마주하는가에 따라 우린 아주 다른 상황에 처하게 되는 것이다. 그것이 꿈이고 환상이라 할지라도 그 상황이 거짓은 아닌 것이다. 다만 그것이 우리가 현재 처해있는 현실과 다를 뿐이다. 우리의 영혼은 지금 현실이라는 구간을 지나고 있을 뿐이다. 잠시 후에 기적의 구간을 지날지 아니면 꿈과 환상의 구간을 지날지 혹은 임사의 구간을 지날지 아니면 존재의 구간에 오래 동안 놓여있을지는 아무도 모르는 것이다. 이처럼 영혼이 접하는 구간이 변동될 때마다 우린 아주 다른 정신적 상태에 놓이게 된다. 현실에서 기적으로 넘어가면 우린 신비감과 환희를 느끼게 되고 다시 기적에서 현실로 넘어오면 우린 다시 고통과 스트레스를 느끼게 된다. 또한 현실에서 환상의 구간으로 넘어가면 우린 환희를 느끼기도 하지만 두려움과 공포에 빠지는 경우도 있는 것이다. 이러한 환상의 구역에서 수많은 분리관념이 마구 작동하게 되면 감정의 변화나 인식의 변화가 뒤죽박죽되어 당사자는 물론이고 이를 바라보는 제3자의 입장에서도 아주 난감한 경우가 많게 된다. 이러한 경우를 우리는 흔히 치매나 노망 혹은 정신이상이라 하지만 이러한 환상을 겪고 있는 자가 죽음의 과정에 놓이게 되면 영혼이 접하는 구역을 바꾸게 되어 다시 정신이 명료해질 수도 있게 되는 것이다. 이러한 것을 우리는 죽음에 임박해서 정신이 돌아오는 말기적 제정신이라 부르게 되는 것이다. 평소에는 기억의 영역이 결합관념으로부터 피어오른 분리관념으로 인해 포화상태가 되어 분리관념을 취사선택할 능력이 없어 의식이 뒤죽박죽되었다가 영혼이 분리관념의 영역을 지나 결합관념 속으로 깊숙이 들어가다 보면 의식 속에 뒤죽박죽이던 분리관념은 사라지고 기억의 원재료인 결합관념을 직접 마주하게 되어 의식은 마치 안개가 걷히듯 맑고 청명한 상태가 되고 주변으로부터의 인식의 파편도 명료하게 볼 수 있게 되는 것이다. 우린 이들이 마치 기적처럼 제정신이 돌아왔다고 생각하는데 이는 기적이 아니라 영혼이 결합관념을 지나는 과정에 의식이 맑아지게 되는 죽음의 과정인 것이다.

평소에 정신이 오락가락 하던 분이 갑자기 정신이 맑아진다면 이제 결합관념의 깊은 곳을 지나고 있다고 생각하고 마음의 준비를 해야 하는 것이다. 이러한 상태에 계신 분들은 이미 암흑의 지대를 지나 마치 천국에 온 듯이 편안하고 환희를 느끼며 결합관념의 깊숙한 곳을 지나는 중이기 때문에 조만간 관념을 뒤로하고 존재와 합일하게 되는 것이다. 이처럼 누구나 분리관념의 영역을 지나 결합관념 깊숙한 곳을 지나게 되면 정신이 명료해지며 기쁨과 환희를 느끼게 되는 것이다. 이처럼 죽음의 과정은 누구에게나 기쁨과 환희 그리고 정신적 명료함으로 완성되지만 우리가 듣게 되는 임사체험 혹은 임사의 과정이 죽음의 위기를 맞이하여 모두가 기쁨이 충만한 발전적 임사체험을 하는 것은 아니다. 죽음은 모두가 발전적으로 하게 되지만 누구나 발전적 임사체험을 하게 되는 것은 아닌 것이다.

임사체험이라는 것은 죽음의 과정에서 누구나 체험하게 되는 필연적인 과정이지만 우리가 임사체험이 있었음을 알게 되는 경우는 죽음의 위기에서 흔히 임사체험이라고 알려져 있는 과정을 겪었을 경우에만 우린 임사체험이 있었음을 알게 되는 것이다. 죽음의 위기를 극복한 자들은 누구나 임사체험을 하지만 우린 자신이 임사체험을 했는지 조차 모르는 경우가 있고 임사체험을 했다 하더라도 그것이 편안함이나 쾌감 혹은 자아감이 충만해지는 과정에 노여지지 않고 오히려 암울한 고통만을 경험하게 되었을 경우 그것이 임사체험이라 할지라도 자신이 임사체험을 한 것을 부정하거나 자신의 임사체험을 수치스러워하며 임사체험을 감추게 되는 경우도 있는 것이다. 이처럼 모든 자들이 발전적 임사체험을 하지 않고 암울한 임사체험을 하게 되는 경우가 생기는 것은 임사의 정도와 결합관념의 구조에서 그 이유를 찾아볼 수 있다. 우린 사실 삶에서 많은 경우에 임사를 경험한다. 임사라는 것이 삶에서의 위기를 맞아 죽음에 다가가는 죽음의 과정에 반드시 거쳐야 하는 결합관념에 대한 경험인데 우린 위기의 순간 결합관념을 살짝 맛보고도 그것이 결합관념인지 무언지 눈치채지 못하는 것이다. 우린 길을 가다가 넘어지거나 혹은 단단한 물체에 부딪쳤을 때 순간적으로 눈앞이 캄캄해지는 경험을 한다. 이처럼 어딘가 부딪치는 것 뿐 만 아니라 몸이 피곤하거나 건강상 위기의 순간 혹은 평탄했던 삶이 한순간에 좌절되는 경우 눈앞이 캄캄해지기도 하는 것이다. 이러한 삶의 위기의 순간에 눈앞이 캄캄해지는 것은 위기의 순간 의식 속에 고통이나 절망의 기운이 차오르면 영혼은 순간적으로 결합관념으로 이루어진 절망의 담벼락을 향하여 방향을 틀기 때문인 것이다. 그런데 결합관념의 초입부는 마치 뻘과 같은 암흑으로 이루어져있어 누구나 위기의 순간에 가장 먼저 눈앞이 캄캄해지는 것을 느끼는 것이다. 우리의 영혼이 의식 내부의 현실의 영역만을 바라보다가 갑자기 방향을 바꾸어 결합관념 속으로 발을 내딛게 되면 순간적으로 앞이 캄캄해져 우린 당황하며 어찌할 바를 모르게 되는 것이다. 이처럼 영혼이 결합관념의 암흑지대로 들어갔음에도 위기가 계속된다면 영혼은 암흑지대를 뚫고 결합관념을 헤쳐나가게 되는 - 이때의 상황을 우리는 터널을 지나는 것으로 인식하기도 한다. - 본격적인 임사체험을 하게 되는 것이다. 그러나 위기가 순간적으로 다가왔다가 사라지게 되면 우린 잠시 눈앞이 캄캄해지는 것만 경험하고 다시 일상으로 돌아가게 되어 이때의 상황을 우린 임사체험이라 여기지 않고 그저 눈앞이 잠시 캄캄해졌을 뿐이라며 대수롭지 않은 것처럼 여기게 되는 것이다. 위기가 지속되어야만 우린 암흑지대를 뚫고 본격적인 임사체험을 하게 되지만 그러다간 다시는 돌아올 수 없는 영역으로 넘어갈 수가 있기 때문에 될 수 있으면 지속되는 위기는 겪지 않는 것이 좋은 것이고 만약 겪는다 하더라도 순간으로 그치는 것이 좋은 것이다. 그러나 위기라는 것이 우리가 의도할 수 없는 부분이다 보니 우린 본의 아니게 오랜 시간 동안 임사체험을 하게 되기도 한다. 임사체험이라는 것이 죽음의 위기이기 때문에 살아있는 자들로서는 짧은 시간만을 겪어야 회생의 가능성이 커지기 때문에 임사체험도 살짝만 하는 것이 좋다고 생각할 수 있다. 그런데 우리가 임사체험을 살짝만 하게 되거나 위기의 강도가 세지 않아 결합관념의 초입부에서 앞으로 나아가지 못하고 어두운 암흑지대만을 헤매다 돌아왔을 경우 뻘로 이루어진 암흑지대만을 경험하고 다시 살아나게 되어 우린 죽음이 마치 어두운 시궁창 같은 지옥과 같은 것으로 여길 수가 있게 되는 것이다. 우리가 이러한 암흑지대를 경험하게 되는 이유는 영혼과 결합되지 않은 채로 결합관념의 초입부에 존재하는 지식이나 상식 혹은 삶의 매뉴얼과 같은 단순관념을 가장 먼저 접하게 되기 때문인 것이다. 지식이나 상식과 같은 단순관념은 우리의 삶을 위해서는 유용한 것이라서 우린 기를 쓰고 이를 축적하지만 우리가 기를 쓰고 축적한 이러한 지식들이 죽음의 과정을 어렵게 하거나 죽음을 암울한 것으로 여기게 할 수도 있는 것이다. 이러한 단순관념은 영혼과 결합되지 않았기 때문에 빛으로 의식되는 영혼에 의한 공간이 존재치 않아 어둡고 답답한 뻘과 같이 인식되는 것이다. 이러한 단순관념은 결합관념과 같이 기억 깊숙이 묻어놓고 한동안 잊어버릴 수 있는 기억이 아니라 우리가 언제라도 꺼내어서 사용될 수 있어야만 하는 관념이기 때문에 의식의 가장 가까이 초입부에 저장하게 되는 것이다. 만일 지식이나 삶의 매뉴얼을 기억의 깊숙한 곳에 묻어두었다면 필요할 때 꺼내 쓸 수가 없어 기억의 의미가 없어지는 것이다. 이러한 단순관념들은 영혼과 결합되지 않았기에 영혼에 의한 정화작용이 일어나지 않고 모순과 거짓 그리고 '의미 없음' 으로 이루어져 스스로의 형태를 유지하지 못하고 부패하거나 서로 뒤섞이며 녹아내려 끈적끈적한 오염덩어리로 변해 악취까지도 뿜어대는 것이다. 때문에 임사체험을 살짝만? 하게 되었을 경우 어두운 뻘을 통과하여 기억의 깊은 곳으로 가지 못하고 뻘 속만을 헤매다 다시 돌아오게 되어 죽음을 암흑 혹은 지옥으로 인식하게 되는 것이고 또한 자신이 지옥과 같은 곳을 헤매고 돌아왔다는 것에 대하여 죄의식과 함께 수치와 두려움을 느껴 자신이 임사체험을 했음에도 불구하고 아무에게도 발설치 못하게 되는 것이다. 때문에 이들은 조금만 더 나아갔더라면 경험할 수 있는 의식의 확장이나 빛의 출현과 같은 쾌감과 황홀함을 경험하지 못해 죽음을 암울한 최후로 인식하고 그러한 상황만을 겪게 된 자신을 자책하고 스스로를 감추게 되는 것이다. 이처럼 결합관념이 아닌 단순관념은 우리의 죽음을 암울하게 만들기도 하며 죽음의 과정이 마치 지옥을 통과하는 것처럼 인식되기도 하는 것이다. 이러한 과정은 고등동물일수록 그리고 인간에 있어서는 지식이나 학식이 많은 자들일수록 단순관념에 의한 죽음에서의 저항은 더욱 심해지고 비관적일 수 있는 것이다. 이처럼 우리가 살아가면서 관념으로 이루어진 절망의 담벼락에 무엇을 쌓아놓았느냐에 따라 앞으로 겪어야할 죽음의 과정이 달라지는 것이다. 그러나 이들도 이러한 암흑지대를 지나치면 통상적으로 들어왔던 환희에 찬 임사체험을 하게 되는 것이다.

우린 임사체험을 경험했던 자들로부터 끊임없이 듣는다. 그곳은 천국이었노라고, 사실 우리의 결합관념은 그리 아름다운 것이 아닐 수가 있고 오히려 고통으로 이루어진 악성관념인 경우가 많은 것이다. 그럼에도 불구하고 우리가 결합관념을 빠져나가며 마치 천국을 보는 것처럼 느끼는 것은 그것이 벗어나는 과정이라는 것이다. 우린 임사체험에서 결합관념을 빠져나가며 지나침에 따라 결합관념으로부터 피어나오는 분리관념의 영향을 받지 않게 되어 관념이 사라지는 효과를 볼 수 있고 또한 나를 둘러싸고 있던 결합관념을 지나침에 따라 그 동안 결합관념의 압박으로 인해 쪼그라들었던 의식이 확장되는 효과 또한 볼 수 있는 것이다. 이러한 의식의 확장은 우리에게 쾌감을 가져온다. 의식은 기본적으로 고통을 회피하기 때문에 주변에 고통이 있을 때에는 의식을 축소시켜 고통으로부터 벗어나려 한다. 그러나 주변에 고통이 없을 때는 의식이 확장되어야만 의식에 대비하여 상대적으로 고통이 줄어들게 되어 쾌감을 느끼게 되는 것이다. 때문에 결합관념을 빠져나가며 내부의 고통이 사라지고 더불어 의식마저 확장되는 임사체험에서 우리는 무한한 환희를 느끼게 되는 것이다. 이처럼 죽음의 과정은 관념이 만들어낸 모든 문제를 해결하여 우리에게 환희와 자아감을 선사하게 되는 것이다.

그러나 죽음의 체험이 아무리 기막히고 진정 의미 있다 하더라도 경험을 위하여 죽어볼 수는 없는 것이기 때문에 우리는 삶의 의미나 기쁨 환희를 삶에서 이루어내려고 이상과 희망을 갖고 기를 쓰며 살아갈 수밖에 없는 것이다. 그러나 삶에서 더 이상 의미를 찾지 못하는 자들이나 삶의 한계에 도달한 자들 혹은 더 이상 나아갈 길이 없다고 느끼는 자들 중에 삶의 한계를 넘어가는 시도를 하는 자들이 있다. 스스로 극한의 상황에 직면해 삶의 한계를 시험해 보려 하는 것이다. 이들은 죽음을 추구하지는 않지만 극한의 상황에 다다르면 마치 죽음에 이르는 것과 같이 의식이 결합관념을 벗어나는 경험을 하게 되는 것이다. 이들이 결합관념을 의도적으로 경험하는 방법은 의식을 공포와 두려움으로 충만케 하여 영혼으로 하여금 의식을 벗어나 결합관념 쪽으로 방향을 틀도록 하는 것이다. 이들처럼 극한의 상황에 도전하여 삶의 한계상황에 이르게 되는 탐험이나 모험 혹은 극한의 스포츠와 같이 극한의 상황을 넘어가보려 하는 자들이 궁극적으로 경험하고자 하는 것은 자신이 탐험하고자 하는 대상이 아니라 바로 자신의 결합관념을 벗어남으로 인한 의식의 한계를 경험해 보고자 하는 것이다. 우리가 결합관념을 벗어나게 되면 우리는 삶에서 느낄 수 없었던 환희와 신비 그리고 자아감으로 충만해져 이 세상 그 어떠한 경험보다도 나 자신을 획기적으로 변화시키게 되는 것이다. 나 자신의 결합관념은 그 어떠한 바다보다 깊고 어떠한 험한 산보다 높으며 정복하고자 하는 그 어떠한 행성보다 멀고 먼 것이다. 때문에 결합관념을 조금이라도 벗어나본 자들은 의식의 확장을 경험하고 자아감으로 충만해져 무한한 나 자신을 발견하게 되는 것이다. 이는 어디에서도 탐험할 수 없는 자기 자신에 대한 탐험인 것이다. 때문에 위기를 겪은 자 결합관념을 벗어나본 자 임사체험을 한 자들은 정신적 고양과 함께 새로운 삶을 살게 되는 것이다.

죽음은 잃어버린 나를 찾아가는 과정이다. 그 과정에서 우린 결합관념을 벗어나며 의식의 확장과 무한한 자아감을 경험한다. 그러나 이처럼 결합관념을 벗어나는 죽음과 같은 경험을 우리가 꼭 죽음의 과정에서만 겪게 되는 것은 아니다. 우린 살아있는 과정에서도 관념을 벗어나며 의식의 확장과 무한한 자아감을 느낄 수 있는 여러 가지 시도를 하게 되는 것이다. 해탈이나 깨달음 · 신과의 만남 혹은 완전한 몰입의 추구와 같이 결합관념에 둘러싸여있는 의식속의 분리관념을 완전히 없앰으로서 신비스러운 상태에서 의식의 확장과 자아감을 경험할 수 있는 수많은 시도를 하게 되는 것이다. 우리가 살아서 추구하는 이 모든 것이 삶의 의미를 내세우며 추구하게 되지만 궁극적으로는 죽음을 흉내 내어 의식의 확장과 자아감으로 인한 관념으로부터의 자유를 추구하는 것이다.

이처럼 삶의 의미를 추구하는 자들이 궁극적으로 추구하는 것은 결합관념을 벗어나든지 아니면 의식 속 분리관념을 없애버리든지 하며 관념으로부터의 자유를 추구하는 것이다. 관념을 벗어나야 만이 비로소 자아감이나 존재와의 합일 · 참나의 발견과 같이 관념계의 삶에서는 발견하기 어려웠던 진실한 나를 발견하게 되는 것이다. 이처럼 우리가 관념의 영향을 받느냐 아니면 관념을 벗어나느냐에 따라 우리는 전혀 다른 상황에서 전혀 다른 삶을 살아가게 되는 것이다.

우리의 영혼이 결합관념 안에 있게 되면 우리는 결합관념으로부터 끊임없이 피어오르는 분리관념의 영향을 받아 이를 자기만의 정체성으로 느끼며 살아가게 되는 것이고, 우리의 영혼이 결합관념을 벗어나게 되면 의식이 확장되어 존재하는 모든 것을 자기 자신으로 느끼게 되는 자아감으로 살아가게 되는 것이다. 이처럼 우리의 영혼이 결합관념 안에 있느냐 아니면 결합관념을 벗어나 있느냐에 따라 우린 두 가지의 상반된 세상에 살게 되는 것이다. 하나는 관념에 의하여 정체성을 느끼며 살아가는 관념계에서의 대립적 삶이요 또 다른 하나는 존재와 합일되어 무한한 자아감으로 살아가는 존재계에서의 합일의 삶이다.

결합관념으로 나누어진 관념계와 존재계는 서로 인접한 차원으로서 서로 영향을 미치며 접하고 있다. 어느 한쪽이 영역을 넓히면 다른 한쪽은 축소되며 쪼그라들 수밖에 없는 것이다. 우리의 영혼은 이 두 가지의 서로 대립하는 세계를 왔다 갔다 하며 관념계를 통제하고 존재계를 유지키 위하여 임무를 수행하고 있는 것이다. 이 과정에서 영혼이 관념계로 들어가면 관념에 의하여 나누어지기도 하고 관념이 사라져 존재와 합일되면 다시 하나로 합쳐지기도 하는 것이다. 마치 바닷물이 하늘로 올라가 대지에 뿌려지면 시냇물도 되고 웅덩이에 고이기도 하며 경우에 따라 병에 담기면 병모양이 되고 물을 담는 용기에 따라 모양을 달리하지만 결국엔 다시 바다로 흘러가듯 우리의 영혼도 관념계로 떨어지면 관념의 모양에 따라 그 형태와 성질을 달리하지만 결국엔 존재와 합일되어 살아가는 것이다.

이처럼 관념에 의하여 한계 지어진 의식은 관념과 맞닿아 있는 의식의 테두리 형태에 따라 자기만의 고유한 의식을 갖게 되고 의식을 형성하는 관념이 어떻게 이루어졌느냐에 따라 우린 그것을 정체성이라 부르며 고통의 원인이자 쾌감의 재료인 정체성을 삶의 유일한 가치로 여기며 살아가는 것이다. 정체성이 뚜렷할수록 고통의 깊이가 깊어지며 그에 따른 쾌감을 느낄 기회도 많아지지만 쾌감은 고통의 반대급부로서만 주어질 뿐 관념이 만들어가는 정체성은 그 형태를 부풀려가며 관념계에서의 고통의 크기를 증폭시킬 뿐인 것이다. 그러나 우리가 관념계에 살고 있는 이상 우리가 쾌감을 얻을 수 있는 방법은 정체성을 남들에게 제시하고 과시하며 권력을 획득하여 남들의 가치를 뺏어옴으로서 쾌감을 얻게 되는 방법밖에는 없는 것이다. 우리가 관념계에 살고 있는 이상 우린 관념(정체성)을 무기나 흉기 화하여 가치를 획득할 수밖에 없는 것이다.

이처럼 관념계를 살아가기 위해서는 정체성이 반드시 필요하다. 우린 어쩔 수 없이 정체성을 필요로 하지만 스스로는 정체성으로부터 벗어나려 하고 정체성을 남에게 과시하거나 남을 통제하거나 남들에게 제시하여 남들을 다스리기 위한 목적으로 사용하는 것이다. 정체성은 나 스스로에게나 남에게나 기피하여야할 대상이지만 남을 통제하고 물리치기 위한 목적으로는 반드시 필요하기 때문에 우리는 삶의 유일한 도구인 정체성을 애지중지하는 것이다. 정체성 자체는 고통이기 때문에 우리는 항상 정체성으로부터 벗어나는 일탈을 갈구하게 되고 그리하여 정체성을 조금이라도 벗어났을 때 우리는 비로소 나를 찾게 되는 자아감을 느끼게 되는 것이다. 정체성과 자아감은 서로 대척의 관계이기 때문에 우리가 정체성으로부터 벗어나면 그 벗어난 만큼 우리는 자아감을 느끼게 되고 정체성에 갇혀있으면 자아감은 사라져 우린 도대체 나 자신이 무엇인지 끊임없이 묻게 되는 것이다.

우린 관념에서 정체성을 느끼고 존재에서 자아감을 느낀다. 이는 관념에서 고통을 느끼고 존재에서 쾌감을 느낀다는 것과 같은 말이다. 우린 고통의 원인이자 쾌감의 재료인 정체성을 애지중지 하지만 이는 정체성을 남에게 제시함으로서 스스로는 정체성으로부터 벗어나고 남에게는 고통을 부여함으로서 상대적으로 느끼는 행복감에 불과한 것이다. 반면 자아감은 모든 것이 나 자신이 되어 더 이상 어떠한 비교대상도 없이 나 자신을 느끼게 되는 만족감이라 할 수 있는 것이다. 우리가 정체성과 자아감 중 필요에 따라 어느 하나를 선택할 수 있다면 좋겠지만 이는 삶과 죽음을 마음대로 선택하는 것과 같아 불가능한 일이다. 우리는 정체성에 의하여 살아가는 관념계에 있거나 아니면 자아감에 의하여 살아가는 존재계라고 하는 두개의 세계를 번갈아가며 살아갈 수밖에 없는 것이다. 정체성에 의하여 살아가는 관념계가 아무리 고통스럽다 할지라도 우린 관념계를 벗어날 수도 아니면 관념계를 없애버릴 수도 없는 것이다. 이는 마치 집안에 화장실이 냄새가 난다하여 화장실을 없애려는 것과 같은 것이다. 관념계는 존재계에 인접한 차원으로서 존재계에 의하여 존재하는 것이다. 때문에 우리의 영혼이 할 수 있는 일은 존재계에 있을 때는 자아감으로 살아가고 관념계에 있을 때는 관념을 통제하며 살아가는 것이다. 죽음 이후의 세상이 아무리 좋고 존재계가 좋다 하더라도 관념계를 놓아두고 존재계를 선택할 수는 없는 것이다. 우리의 영혼이 관념계에 온 이유는 관념을 통제하기 위한 분명한 사명이 있기 때문이다. 이러한 사명을 버리고 존재를 선택했을 경우에 존재와 합일되자마자 다시 관념계로 떨어져야만 하는 - 윤회를 되풀이 하는 - 악순환에 빠지게 되거나 관념계를 통제하지 않고 비대화를 방치하면 이는 곧 인접한 차원인 존재계를 갉아먹는 원인이 되기 때문에 나 자신의 안식처인 존재계를 보호하기 위하여서라도 관념계에 있는 동안은 관념이 스스로 날뛰거나 증폭되지 않도록 관념을 통제한다는 영혼으로서의 사명을 다하며 살아갈 수밖에 없는 것이다.

우리가 관념계에 있건 존재계에 있건 간에 우리에게는 합일의 대상이자 영혼의 고향인 존재라고 하는 단 하나의 지향점이 있는 것이다. 그런데 존재라는 것이 도대체 무엇이란 말인가? 우린 관념을 벗어나 존재에 다가가며 쾌감을 느끼고 죽음을 통하여 존재와 합일되며 무한한 자아감을 느끼는 데 존재와 합일이 된 이후에는 과연 어떠할 지 알 수가 없는 것이다. 무한한 자아감이 지속된다는 것을 우린 상상할 수가 없는 것이다. 그것에 대한 경험도 없고 그것을 겪었다 하더라도 그것을 관념의 언어로 표현할 방법을 찾지 못해 아무도 우리에게 그것을 이야기 해 줄 수 없다는 것이다.

이처럼 우린 존재에 대한 경험을 알 수 없고 상상이나 추리조차도 할 수가 없는 것이다. 왜냐하면 우린 지금 관념에 둘러싸여 모든 것을 관념을 통하여 보고 있기 때문이다. 존재는 관념을 통한 앎이 아닌 영혼과의 합일에 의한 자아감으로서만 느낄 수 있는 것이기 때문이다. 관념계에서의 삶이야 우린 지금 관념계에 살고 있기 때문에 삶의 정의를 떠나서 누구나 나름대로 알고 있지만 죽음 이후의 삶인 존재와 합일되어 자아감으로 살아가는 것이 무엇인지는 알 수가 없는 것이다. 어느 누구도 죽음이후의 삶에 대해서 경험해본 자가 없기 때문이다. 죽은 자는 다시 돌아오지 않고 어떠한 임사체험도 죽음이후의 삶은 이야기하지 않기 때문이다. 그럼에도 불구하고 우리에겐 죽음 이후의 삶을 알 수 있는 단 한 번의 경우가 있었다. 그것은 죽었던 자로부터 듣는 것이 아니라 바로 탄생 직후에 나 스스로 죽음과 탄생 사이의 삶을 알아차리는 것이다. 이 세상에 태어나 - 시간을 최초로 의식할 때 - 아직 기억이 축적되지 않아 현재와 과거를 비교하지 못할 때 - 우린 축적되지 않아 기억할 수 없는 과거를 건너뜀으로서 탄생이전의 상태를 기억해내는 것이다. 이때 우린 존재와 나 - 자아감과 대립감이라는 전혀 다른 두 개의 차원이자 두 개의 감정상태인 존재계와 관념계를 극명하게 대비하며 되뇌인다.

도대체, 나 여기, 왜 있지?